¡Sigue!

Students' Book ISBN 0 7195 7103 0
Teachers' Resource Book ISBN 0 7195 7104 9
Cassette Set ISBN 0 7195 7105 7

A CIP record for this book is available from the British Library.

© David Mort, Helena Aixendri, Sally-Ann Pye, 1995

First published 1995
by John Murray (Publishers) Ltd
50 Albemarle Street
London W1X 4BD

Reprinted 1996

Designed by D&J Hunter

Typeset by Wearset, Boldon, Tyne and Wear
Printed and bound by Butler & Tanner Ltd, Frome and London

¡Sigue!

CURSO AVANZADO

DAVID MORT
HELENA AIXENDRI
SALLY-ANN PYE

John Murray

Acknowledgements

The authors and publishers would like to thank the following sources for permission to reproduce text extracts:

Actualissimo/Simago pp. 72, 141
Clara p. 79
Cosmopolitan España pp. 42, 86, 128
Mía pp. 3, 4, 16, 19, 39, 41, 44, 50, 53, 55, 56, 63, 65, 70, 84, 94, 109, 124, 132, 137
El País pp. 61, 92, 102, 104, 134, 143
Revista Integral p. 100
Prensa Española p. 58

Photographs are reproduced by courtesy of:

Adams Picture Library, pp. 18, 19, 65 (bottom), 97, 109 (right), 110, 128
Albright-Knox Art Gallery, Buffalo, New York/Room of Contemporary Art Fund,
    p. 165 (left)
Andes Press Agency, p. 43
Barnaby's Picture Library, p. 56
Matthew Collins, p. 12
Sylvia Cordaiy Photo Library, p. 147
Ecoscene, pp. 137, 139, 141, 144
Sally and Richard Greenhill Photographers, pp. 90, 119
Robert Harding Picture Library, pp. 11, 84, 94, 115, 117, 155, 167(columns 1, 3),
    169 (bottom)
The Hutchison Library, p. 113
National Gallery of Art, Washington/Gift of the Collectors Committee, p. 165
    (bottom right)
El País, pp. 61, 92, 100, 105
Philadelphia Museum of Art/A.E. Gallatin Collection, p. 165 (top right)
Prensa Española, p. 58
Rex Features, pp. 41, 163
David Simson, pp. 2, 3 (left), 7, 9, 16, 17, 26, 36, 50, 52, 53, 60, 65 (top), 80,
81, 83, 102, 109 (left), 114, 131, 132, 138, 140, 142, 150, 154, 168 (top),
    169 (top)
Zefa Pictures, pp. 3 (right), 25, 31

Cartoons by Karen Donnelly
Line illustrations on pp. 13, 23, 64, 66, 112, 122, 127 and 135 by
    Chartwell Illustrators
Cover illustration: National Gallery of Art, Washington

The authors would also like to thank:

Linda, Andrew and Daniel for their patience, and Eric for inspiration; Mrs Maria Boneu;
M. and G.H. Pye, Tim Carey, Richard Woodward, Harry Payne and Fitz.

Contents

Introduction

Moving on to advanced level Spanish

When you move from your previous studies of Spanish, for GCSE or Standard Grade, to study the language at a more advanced level, you will find that you have to tackle language forms and skills that are considerably more challenging than those you have been familiar with up to now. *¡Sigue!* is a course that is designed to enable you to bridge this gap. It aims to be accessible to students who have achieved an average grade in their GCSE or Standard Grade exam, and will take you from that stage to the point where you can confidently handle work of an advanced standard.

The early units of the course concentrate on themes that will have some familiar aspects, gradually introducing new language structures and new ideas. The later units focus on the kind of topics that feature on all advanced level syllabuses and practise the points of language which you will need to master before you take your final exam. The final unit is a case study of Cataluña, looking at many aspects of life in that region.

What does ¡Sigue! include?

Texts and activities

The printed texts and the recordings on the cassette have been selected to be of manageable length and lasting interest. Each is followed by activities, the first of which is designed to check overall comprehension before you move on to more in-depth, productive language work. The range of texts is very wide, and includes printed and spoken examples from Latin American sources as well as Spanish ones.

Certain activity types, such as note-taking, translation and discussion are particularly useful for students on vocational language courses. These are highlighted by the symbol **V** . There are notes on techniques for letter-writing and making telephone calls in the section *Técnicas de comunicación* on pages 172/173.

Consolidaciones

These are grammar reinforcement exercises, using examples from the text and building on the language work you have done in the activities, to show the value of understanding grammar in an authentic context. Each *Consolidación* cross-refers to the relevant text (*Lee*) and to the relevant paragraph in the Grammar reference section (*Estudia*) before you go on to tackle the exercise itself (*Haz*). In later units there is also a cross-reference to earlier coverage of the same grammar point (*Repasa*).

Grammar section

The Grammar section is divided into numbered paragraphs which should be studied according to the cross-references in the *Consolidaciones*.

Vocabulary

There is a Spanish-English vocabulary at the back of the book, and some vocabulary boxes are also provided within the units to explain unfamiliar terms in the texts. However, using a Spanish dictionary is by far the best way to learn new vocabulary, as there is a limit to the help that a vocabulary list such as this can provide.

Amistades y amores

La amistad y el amor – Son cosas que todo el mundo necesita, pero pueden adoptar formas muy diferentes. Vamos a echar un vistazo a algunas de ellas.

1.1

Un cuento inapropiado

la palabrota	*rude word, swearword*
decir palabrotas	*to swear*
analfabeto	*illiterate*
¡Enhorabuena!	*Congratulations!*

A ¿Qué es lo que dicen?

1
a ¿Te duele la rodilla, Belén?
b ¿Me lees un cuento, Belén?
c ¿Has visto a Inma?

2
a ¡Dios mío!
b ¡Enhorabuena!
c ¡Qué letra más fea tiene Juanjo!

3
a El otro está en mi habitación.
b No tengo tiempo.
c Pues Inma siempre me lo lee.

4
a ¡Es que tú no sabes leer!
b ¡No lo leas aquí!
c Es mi libro.

5
a ¡Qué decepción!
b ¡Tramposa!
c ¡Qué palabrotas!

B ¡Tu turno!

¿Has comprendido bien la historia?
Contesta oralmente a estas preguntas:

1 ¿Quiénes son los personajes de la historia?
2 ¿Cuántos años tienen?
3 ¿Cuál es la relación entre ellos?
4 ¿Cómo son?
5 ¿Dónde están?

C

Completa esta historia con una palabra de la lista en cada espacio en blanco. (¡Ojo! No vas a necesitar todas las palabras.)

Una tarde, Juanjo entra en el salón, llevando un **(1)** ___ grueso. Pide a Belén que le cuente un **(2)** ___. Belén abre el libro y está a **(3)** ___ de empezar cuando descubre que el libro no es **(4)** ___ para un niño tan pequeño como Juanjo. Intenta explicarle el **(5)** ___ pero él se enfada y le dice que Inma a menudo le lee historias del libro. Piensa que Belén **(6)** ___ de ser analfabeta y se va **(7)** ___. Más tarde, Belén sube a la habitación de Juanjo, **(8)** ___ encuentra al niño **(9)** ___ y a Inma que le lee el libro. Pero la historia que cuenta ella no tiene nada que **(10)** ___ con el libro.

acostado	hacer
adecuado	libro
algo	para
corriendo	problema
cuenta	punto
cuento	tiene
debe	ver
donde	

EJERCICIOS de CONSOLIDACIÓN

 Lee: 1.1 Historia correspondiente a los dibujos

Estudia: *Grammar Section 5.8*: Ser and estar

 Haz

Michael, el novio inglés de Belén, intenta contarle la historia a un amigo por carta, pero está muy indeciso respecto al uso de 'ser' o 'estar'. ¡Ayúdale!
... y esta historia que te cuento ahora me parece que **(1)** está/es muy divertida. Juanjo, que **(2)** es/está un niño muy despabilado, le pide a Belén, que **(3)** es/está en el salón, que le lea un cuento. Ella **(4)** está/es ocupada, pero deja sus libros a un lado y coge el que Juanjo le da. **(5)** Está/es un libro muy grueso. Lo abre sin leer el título y **(6)** es/está a punto de empezar cuando ve que **(7)** está/es para adultos y se niega a leérselo. Juanjo le dice que **(8)** está/es analfabeta, porque Inma siempre **(9)** es/está dispuesta a leerle un cuento del libro. La solución a este misterio, querido Luis, **(10)** es/está la siguiente: Inma siempre le dice a Juanjo que le lee un cuento del libro, pero eso no **(11)** está/es verdad. Su cuento, como te debes imaginar, **(12)** es/está totalmente distinto.

D ¡Tu turno!

Escribe en español unas 50 palabras sobre tus recuerdos de niñez. Las preguntas te ayudarán.
Cuando tú eras joven, ¿quién te leía cuentos?
¿Qué clase de cuento te gustaba?
¿Te acuerdas de algún cuento que te gustara mucho? ¿De qué se trataba?

1.2

José se escapa de casa

Juanjo es aún pequeño y su problema no es nada serio. Pero los niños crecen y sus problemas también ... Escucha lo que nos cuenta Rebecca.

A

Las frases siguientes forman un resumen de lo que cuenta Rebecca, pero están mal ordenadas. ¿Puedes ponerlas en orden?

1 José había asustado a su abuela.
2 Rebecca vio a su hijo con su amigo.
3 Rebecca salió de casa como de costumbre.
4 Rebecca fue al colegio en seguida.
5 A los padres de José no les gustaban sus amigos.
6 Sus padres vivían cerca de su piso.
7 Rebecca visitó a su madre.
8 Los chicos iban a visitar a otro amigo.

B

Escucha otra vez a Rebecca. Luego, escribe en español las frases siguientes. ¡Pero ojo! Quizás tendrás que cambiar un poco algunas palabras.

1 I went to work.
2 I went to my parents' home.
3 The note said that he had run away from home.
4 I felt ill.
5 When I saw my son, I ran out.

1.3

Escapadas infantiles

¿Por qué se escapan los jóvenes de casa? Una psicóloga nos da su opinión.

Primera parte

Muchos son los motivos que pueden llevar a un niño a escaparse de su hogar

"CUANDO una persona decide desaparecer casi siempre se debe a algún conflicto familiar. A veces se puede ver como una venganza o un castigo a quienes le causan esos problemas", comenta la psicóloga Cristina de Entrambasaguas del Centro de Psicología Preventiva, de Madrid. Una de las circunstancias que se repiten en muchas desapariciones son los estudios: "Muchos padres tienen la idea de que su hijo debe ser un estudiante excepcional y los resultados no se corresponden con lo que esperan, y esto puede provocar en el chico o la chica, por un lado, complejo de inferioridad, y por otro, la idea de que sus padres no están contentos con él o ella".

Una educación muy rígida también puede provocar la fuga. Los niños necesitan demostrar sus sentimientos. Si las normas que rigen el hogar son tan severas que no permiten el menor desvío, el joven no puede asimilarlas y la única solución que encuentra es marcharse.

En muchos hogares se da el efecto contrario. Una excesiva libertad puede llevar al adolescente a pensar que a sus padres no les importa. Ha habido también casos de huidas en niños que estaban sobreprotegidos por su familia. Es en esta etapa cuando el joven está desarrollando su personalidad. No sabe cómo liberarse y escoge el método más drástico: marcharse de casa. ∎

A ¿Verdad o mentira?

1 Muchos niños huyen de casa porque tienen problemas con sus padres.
2 La mayoría de los que se escapan saca sobresalientes.
3 Algunas fugas son provocadas por el complejo de inferioridad de los padres.
4 El joven puede mostrarse rebelde frente a una disciplina excesiva.
5 Los jóvenes se marchan para liberarse de unos padres demasiado protectores.

B En la primera parte del artículo, ¿cómo se dice en español...?

1 it is due to
2 which recur
3 inferiority complex
4 a very strict upbringing
5 (they) need to
6 opposite
7 at this stage

C Ahora lee la segunda parte del artículo en la página 4 y completa por escrito las frases que siguen.

1 ___ muchos adolescentes, sus padres ya no les sirven ___ héroes.
2 ___ de irse, los jóvenes casi nunca ___ a sus padres.
3 Si un adolescente ___ con escaparse, los ___ no se deben asustar.

Segunda parte

Muchos adolescentes buscan ídolos o héroes en los que fijarse y sus padres ya no les sirven. Ellos también quieren ser héroes, aunque sólo sea por un rato ... y se escapan. O a veces amenazan con hacerlo. "El que se va a ir no suele avisar. Lo hace. Va dejando algunas pistas, pero nunca tan claras", afirma Cristina de Entrambasaguas. Con ellas quiere llamar la atención, dice que está confundido o que tiene algún problema que no sabe resolver. En cualquier caso, nunca hay que caer bajo el chantaje de sus amenazas, pero tampoco se debe pensar "lo dice para asustarnos".

Los padres se deben enfrentar a los hechos, tratar de averiguar la causa y buscar soluciones.

En otras ocasiones, son los padres los que, en un momento de tensión, gritan: "Si haces eso, no vuelves a entrar en esta casa". Si se le dice eso a un adolescente que está pensando en marcharse, puede tener la excusa perfecta para dar el paso. ■

D Ⅴ Traduce al inglés el último párrafo del artículo, desde "En otras ocasiones ..." hasta "... para dar el paso".

1.4

La huida continúa

El chico ya se ha marchado y los padres no pueden aguardar en casa, hasta que vuelva, sin hacer nada.

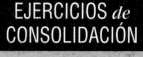

EJERCICIOS *de* CONSOLIDACIÓN

 Lee: 1.3 Escapadas infantiles

 Estudia: *Grammar Section 5,3, 5,6: Present indicative/Reflexives*

 Haz

Pon en la forma correcta los verbos que están entre paréntesis.
El chico [(**1**) levantarse] sin hacer ruido. [(**2**) Ser] las cinco de la mañana. Sus padres [(**3**) dormir] profundamente. No [(**4**) querer] herirles, pero [(**5**) saber] que no [(**6**) poder] continuar así. [(**7**) Echar] una mirada un poco triste a su habitación: ¡todo [(**8**) parecer] tan normal! [(**9**) Recoger] sus cosas y las [(**10**) meter] en su vieja mochila. [(**11**) Estar] a punto de abrir la puerta cuando [(**12**) pensar] en dejar una nota explicando a sus padres por qué [(**13**) irse]. [(**14**) Encontrar] una hoja de papel y un bolígrafo pero no [(**15**) escribir] nada. [(**16**) Tirar] la hoja a la basura y [(**17**) salir] de la casa de puntillas.

Después de la fuga, ¿qué pueden hacer los padres?

LA HUIDA es una forma de llamar la atención, y el chico o la chica es consciente del sufrimiento que puede causar. Por eso, nunca hay que ver la fuga como una simple travesura de adolescentes en edad difícil. Detrás de la huida se esconde siempre un conflicto de fondo.

Casi todos los chicos se escapan por su propia voluntad. Son muy pocos los que caen en manos de secuestradores o tienen un accidente. En primer lugar se debe mirar si falta dinero, ropa o una bolsa. Después se debe llamar al colegio para asegurarse de que él o ella fue ese día a la escuela y saber en qué momento se escapó.

El siguiente paso es ponerse en contacto con sus amigos. Cuando un adolescente se va de casa, normalmente no es una decisión reflexionada, sino impulsiva. En cualquier caso, los padres deben ponerse en contacto con la policía y denunciar su desaparición. Sin embargo, muchas de estas aventuras no duran más de un día.

Cuando vuelva, debe ser bien recibido. Los padres deben hablarle, escuchar sus preocupaciones. Sobre todo, no debe culparse de lo sucedido. ■

A Cuatro de los títulos siguientes pueden encabezar los cuatro párrafos del texto. A ti te toca escoger el título adecuado para cada uno.

1 ¿Qué hacer?
2 ¡No me comprenden!
3 Buscar pistas
4 Ser comprensivo
5 ¡Socorro!
6 ¿Quién tiene la culpa?

B Completa las frases de acuerdo con lo que se dice en el texto.

1 El chico ___ que hace ___ a sus padres.
2 Sería un gran ___ considerar una fuga una cosa sin ___.
3 La ___ de los niños ___ no han sido raptados.
4 Normalmente el chico no ha ___ mucho antes de ___.
5 Muchas ___ son de corta ___.
6 Al ___ a casa, hay que ___ bien al niño.

C ¡Tu turno!

¿Y tú? ¿Te has escapado alguna vez de casa? (¿o conoces a alguien que se haya escapado?). Cuenta a tus compañeros de clase lo que pasó. Estas preguntas te pueden ser útiles.

¿Adónde fuiste?
¿Por qué te marchaste?
¿Fuiste sólo/a o con un amigo/una amiga?
¿Cuánto tiempo estuviste fuera de casa?
¿Qué hiciste?
¿Por qué volviste?
¿Cuántos años tenías?

1.5

¿Temor a la primera cita?

Los problemas de muchos niños que se escapan pueden resolverse fácilmente con el apoyo de la familia. Pero a veces los jóvenes tienen que tomar ellos mismos la iniciativa. Susana y Jorge nos cuentan sus experiencias.

Jorge, 17:

Me gustó mucho que Susana diera el primer paso, y me llamara por teléfono. Está muy bien que de vez en cuando sea la chica la que tome la iniciativa. Cuando me llamó, me preguntó si me gustaría salir un día con ella, y yo contesté qu sí, sin dudarlo un solo momento. Un día, en clase, coincidimos en que a ambos nos gustaría ver la misma película. En aquellos momentos pensé que era mi mejor oportunidad para pedirle para salir y le propuse ir al cine a verla. Como no me atrevía a decírselo a la cara, le escribí una nota y ella me contestó que estaba encantada de salir conmigo. Quedamos para aquella misma noche. Susana estaba guapísima. Había cambiado los vaqueros y el jersey por una falda y una blusa de encaje. Se había maquillado como una mujer. Me gustó mucho que se presentara a nuestra primera cita tan bien arreglada. Disfruté mucho sentado a su lado; mis pensamientos estaban más centrados en ella que en la película. Después nos fuimos a dar un paseo y le propuse tomar algo en una terraza. La verdad es que no tenía ganas de separarme de ella. No nos importó para nada la hora, ya que tanto Susana como yo nos sentíamos muy bien juntos. Al principio estaba un poco cortado, porque no sabía qué decirle, quizás por temor a que pudiera decir algo que la molestara. Pero a medida que pasaba el tiempo, nos resultaba más fácil hablar sobre cualquier tema. Para mí fueron la mejor tarde y la mejor noche de mi vida. Me siento muy bien con ella, y la quiero con locura. ■

Susana, 16:

Me enamoré de Jorge el momento en que le vi en mi nueva clase. Después de unos días, compartiendo amigos y aficiones, me armé de valor y le llamé por teléfono. Me resultó muy difícil dar ese paso, ya que no estaba acostumbrada a darlo yo, siempre había sido el chico ... Me sentía llena de dudas, porque no sabía cómo iba a reaccionar él y tampoco yo sabía muy bien qué decirle. Por fin descolgué el auricular y marqué su número de teléfono. Cuando escuchó mi voz, se alegró mucho de mi llamada. Unos días después, en clase me pasó una nota, invitándome a ir al cine con él. Me quedé muy sorprendida, pero acepté con mucho gusto. Durante todo el día me sentí muy feliz. Por fin llegó la hora de la cita. Entramos en el cine y nos sentamos, sin decirnos ni una sola palabra durante toda la película. Aun así no conseguí concentrarme en la trama, ya que sólo pensaba en lo agradable que era estar sentada junto a él. Cuando salimos de la sala, fuimos a dar un paseo y estuvimos tomando un refresco en una terraza. Perdimos la noción del tiempo, y hablamos durante muchas horas. Claro está que al principio de nuestro encuentro ninguno de los dos sabíamos qué decir, porque tanto Jorge como yo estábamos algo cortados. Por fin encontramos un tema de conversación: nuestros gustos, amigos y profesores.

Ahora ya llevamos saliendo casi un año, y hoy me iría con él hasta el fin del mundo. ¡Le adoro! ■

A Lee lo que dicen Susana y Jorge.

Quién ...		Susana	Jorge
1	... se sentía atraído/a desde su primer encuentro?		
2	... tomó la iniciativa?		
3	... dice que no tiene que ser siempre el chico el que dé el primer paso?		
4	... no sabía si recibiría una respuesta positiva?		
5	... no dudó un instante en decir que sí?		
6	... sugirió ir a ver una película?		
7	... se vistió de una manera distinta para la cita?		
8	... no prestó atención a la película?		
9	... propuso ir a tomar un refresco?		
10	... nunca lo había pasado tan bien?		

EJERCICIOS *de* CONSOLIDACIÓN

Lee: 1.5 ¿Temor a la primera cita?

Estudia: *Grammar Section 5.3, 5.6: Preterite/Reflexive verbs*

Haz

1 Los verbos que vienen a continuación aparecen en la historia que Susana nos cuenta, bien en la 1ª o 3ª persona del singular (yo o él) o en la 1ª del plural (nosotros). Completa la tabla, subrayando en cada caso la forma que aparece en el texto.

Ejemplos:

Llamar	<u>Llamé</u>	Llamó	Llamamos
Enamorar(se)	<u>Me enamoré</u>	Se enamoró	Nos enamoramos

(a) Ver			
(b) Alegrar(se)			
(c) Entrar			
(d) Escuchar			
(e) Aceptar			
(f) Ir			
(g) Pasar			
(h) Hablar			
(i) Descolgar			
(j) Llegar			

2 Ahora, escoge diez verbos en pretérito de la historia de Jorge y utilízalos para escribir diez frases sobre tu primera cita amorosa, o la de un amigo tuyo/una amiga tuya.

B *Cara a cara*

Cuenta a tu compañero/a tus recuerdos de tu primera cita. ¡Puedes emplear toda la imaginación que quieras!

C Un amigo de Jorge también recuerda su primera cita. ¿Puedes traducir sus palabras al español? Utiliza, si quieres, los textos anteriores para ayudarte.

From the first moment, I liked Isabel a lot, but I felt a little shy. In the end I made the first move and asked her to go for a drink. Without hesitating, she said yes and we arranged to meet that night. We have now been together for six months.

1.6

'Cuando te casas o te curas o te matas'

Susana y Jorge están muy contentos con su relación, pero para algunos jóvenes las cosas se complican …

"Nos conocimos en la secundaria y desde que nos vimos supe que éste era el chico con quien me iba a casar. ¿Qué nos llevó a tomar esa decisión a los dieciséis años? Apuro. ¡Eso! Apuro por tener relaciones sexuales, por escapar de nuestros padres, por vivir intensamente. Además, en aquellos momentos yo creía que Gerardo era el único, el gran amor de mi vida.

¿Qué dijeron mis padres cuando nosotros les hablamos de matrimonio? Ya puedes imaginártelo: mamá se puso lívida y mi padre daba gritos histéricos. ¿El consenso de la familia? Que Gerardo y yo estábamos locos y que no, no, ¡NO! Yo me puse rebeldísima y Gerardo le dijo a sus papás que si no nos daban el permiso para casarnos, nos escaparíamos cuando menos lo pensaran. Entonces hubo reunión relámpago familiar y, a regañadientes, nos dieron la autorización. Por fin llegó el gran día.

Me casé como siempre soñé: de blanco. La luna de miel duró unos meses. Pero nuestro 'amor' (que hoy me doy cuenta de que no era amor, sino atracción física y mucho capricho) no resistió a las presiones del matrimonio. Sobre todo, a Gerardo le ponía de mal humor trabajar y estudiar a la vez. Acabó por abandonar los estudios y eso le amargó aún más. Resentía que yo, según él, tenía futuro y le dio por sentarse frente a la tele a tomar cervezas. Yo, la verdad, empecé a extrañar mi libertad: salir con las amigas, ir a la disco, conocer a chicos, vivir despreocupadamente. De repente tenía encima tantas responsabilidades para las que no estaba preparada … Mi vida se convirtió en atender la casa y estirar el pobre sueldo de Gerardo de quincena a quincena (no nos alcanzaba ni para ir al cine en la tanda económica. ¡Te imaginas!).

A Lee el texto y rellena los espacios en blanco (no necesitas hacer frases completas).

Antes de la boda		Después de la boda	
Ejemplo: Dónde se conocieron	*en el colegio*	4 Duración de la luna de miel	
1 Por qué decidieron casarse (3 razones)		5 Los problemas de Gerardo	
2 Reacciones: (a) del padre de la chica		6 … sus consecuencias (2)	
(b) de la madre de la chica		7 Reacción de la joven casada	
(c) de Gerardo		8 Los problemas de la pareja	
(d) de la chica		9 Causas del deterioro del matrimonio (2)	
3 Resultado		10 Consejo dado a los jóvenes	

Todo eso es super-difícil, pero se soporta cuando hay mucho amor. Gerardo y yo no nos amábamos, porque nos casamos sin conocernos realmente. Y ése es el peligro principal de los matrimonios adolescentes: que a esa edad uno no está definido; no sabe lo que quiere y, sobre todo, se deslumbra con facilidad. Es mejor esperar.

Hoy me siento atrapada y sin esperanzas de escape, porque estoy embarazada. Sí, hay una criatura inocente de por medio; por lo tanto, no puedo actuar a lo loco. Pero si pudiera volver a empezar, no apuraría las cosas. Ojalá saques algo de mi historia". ∎

la secundaria	*secondary school*
el apuro	*haste (Latin America); hardship, difficulty (Spain)*
lívido	*purple (here pale)*
a regañadientes	*reluctantly*
el capricho	*whim*
la quincena	*fortnight*
tanda económica	*reduced rate (cinema and theatre performances)*

B Estos podrían ser los encabezamientos de varias partes del texto. ¿Los puedes poner en orden?

1 Problemas ulteriores
2 Resentimientos
3 Boda relámpago
4 ¿Solución ideal?
5 Errores reconocidos
6 Reacción hostil

C En el texto, ¿cómo se dicen las siguientes expresiones?

1 lo que pensaba toda la familia
2 sin estar de acuerdo
3 dijeron que sí
4 al mismo tiempo
5 sin problemas
6 lista

D Traduce desde "Me casé como siempre soñé…" hasta "… para las que no estaba preparada".

1.7

¿El amor es así?

Ahora demos un vistazo más frívolo a las relaciones entre hombres y mujeres …

A Pon el texto correspondiente a cada viñeta.

1 Claro que tengo las manos ásperas, si se pasan la vida metidas en agua.
2 Ya llevamos un año casados, ¿no me puedes dar algo más que el teléfono de la oficina?
3 Mira, Claudia, los dos tratamos de conseguir el mismo puesto y te lo dieron a ti, pero todavía nos tenemos el uno al otro … ¿Claudia?

EJERCICIOS *de* CONSOLIDACIÓN

Lee: 1.6 Cuando te casas o te curas o te matas

Estudia: *Grammar Section 6.1.2:* Por *and* para

Haz

1 Completa las siguientes frases, añadiendo 'por' o 'para' en cada espacio en blanco.
   (a) Al principio, Susana y Gerardo recibieron una negativa total a su deseo de casarse ____ parte de sus familias.
   (b) Pero pronto se dieron cuenta de que los jóvenes, llevados ____ su amor de adolescencia, no estaban dispuestos a ceder en su empeño.
   (c) La boda fue ____ Susana la culminación de sus sueños.
   (d) Sin embargo, los dos jóvenes no tardaron en darse cuenta de que no estaban preparados ____ tantas obligaciones.
   (e) Esa fue la razón ____ la cual las cosas no funcionaron bien desde el principio.
   (f) Susana no aconseja a nadie pasar ____ la misma experiencia.

2 Ahora, ¿cómo dirías en español las siguientes frases, siendo lo más literal posible y, ¡por supuesto!, utilizando 'por' o 'para' en cada una de ellas?
   (a) She gave up her studies to become a housewife.
   (b) Because of his laziness and bad temper, he lost his girlfriend.
   (c) They haven't got enough money to go out.
   (d) We must do what we can to stay together.
   (e) In order to convince her, he gave her flowers.

B Para cada viñeta tienes aquí tres respuestas y tres preguntas incompletas. Tú tienes que completarlas. ¿Qué se pregunta?

Viñeta A:
¿Quiénes/personajes?
Son un joven matrimonio.
¿Qué/haciendo?
Están tomando una copa.
¿Por qué/el chico?
No está satisfecho con su relación.

Viñeta B:
¿Dónde/los personajes?
A orillas del mar.
¿Cuál/ellos?
Son novios.
¿Por qué/extraña?
Ella es una sirena y él un marinero.

Viñeta C:
¿Quién/Claudia?
Es la esposa.
¿Por qué/maleta?
Porque se va de casa.
¿Qué/marido?
Lava la vajilla.

1.8

Ojo con las citas amorosas

Quizá los personajes de las viñetas deberían haber escuchado estos consejos …

A ¿Cuánto has entendido? Aquí tienes seis frases que resumen lo que acabas de escuchar. ¡Por desgracia, las primeras mitades no se corresponden con las segundas! A ver si puedes unirlas de nuevo.

1 Si un chico se acerca a ti y no te cae bien debes …
2 Otro punto peligroso es cuando un hombre empieza a …
3 Cuidado también si inmediatamente pide …
4 Es aconsejable evitar a los hombres que no quieren …
5 Hay que tener cuidado con los que piensan que "no, para" quiere …
6 Si tu compañero ha bebido o tomado drogas, es mejor …

a … decir "sí, sigue".
b … hacer caso de tus deseos.
c … hablar de las mujeres de una manera negativa.
d … llamar un taxi y no acompañarle en su coche.
e … dejarle en seguida.
f … acostarse contigo.

B ¿Cómo se dice …?

1 a highly topical subject
2 when things are turning ugly
3 to start talking
4 you don't like him
5 who doesn't care about what you want
6 obviously

C *Cara a cara*

Persona A: Estás en una discoteca esperando a tu novio/a. Ya tienes tu copa. Tu novio/a tarda mucho en llegar, y empiezas a aburrirte. De repente te das cuenta de que una persona desconocida te está mirando fijamente …

Persona B: También estás en la discoteca. Ves a un chico/una chica (la persona A) que te atrae mucho y que está solo/a. Te acercas a él/ella, le/la invitas a tomar algo e intentas entablar conversación …

1.9

"Cuando calienta el sol ... "

La gente nos da consejos, pero ... ¿cuántas veces los seguimos? Cuando estamos de vacaciones, los romances a menudo son más importantes que la realidad ...

el ligue   *a pick-up*

ROMANCES DE VERANO... ¿AMORES DE INVIERNO?

El sol, el murmullo de las olas, la dorada arena ... un escenario perfecto para las vacaciones. ¿Falta algo? Si somos sinceros, debemos reconocer que muchos incluiríamos una romántica historia de amor. Las vacaciones y el ocio nos hacen sentirnos predispuestos al romance. En parte, ello viene dado por la sensualidad propia de la estación, pero también porque nos sentimos con ganas de vivir experiencias nuevas, que los deberes laborales y la rutina mantienen fuera de nuestro alcance durante el resto del año. Y por qué no; conocer a alguien interesante o incluso vivir una bonita historia de amor es algo muy eficaz para reponernos del ajetreo de la vida moderna y será un grato recuerdo cuando nos invada la melancolía de los grises días de invierno.

Sin embargo, a menudo tenemos la tendencia de dejar desbordar nuestra imaginación. Y eso no es bueno: tenemos que estar preparados para afrontar tanto el éxito como el fracaso. En múltiples ocasiones, el "gran amor" no sobrevive ese mes o semanas de vacaciones, casi siempre porque uno de los dos no desea continuar la historia sentimental en cuestión. Ya se sabe, se acaba el verano y, con él, el romance.

Ser realistas es, pues, importante. Eso no significa caer en el cinismo. A veces, una aventura da paso a un noviazgo serio. Y no siempre es cruel decidir no continuar una relación. La distancia entre las ciudades de

A Completa estas frases de acuerdo con lo que cuenta el texto.

1 Durante las vacaciones nos sentimos más ...
2 Tendemos a dejarnos llevar por ...
3 Muchas veces la pareja de verano no quiere ...
4 Estas relaciones terminan frecuentemente porque ...
5 Hasta un amor corto puede valer la pena porque ...

B ¿Cómo se dice en el texto?

1 We want to have new experiences.
2 We must be prepared for both success and failure.
3 When summer ends, so does the romance.
4 It teaches us a lot about ourselves.

residencia de los enamorados es un factor que vale la pena considerar: la lejanía hace que, en muchos casos, la pasión del verano vaya cesando y se acabe. O a veces el distanciamiento surge porque las cosas se ven de otra manera, de vuelta a la rutina diaria. Sea como sea, se mantenga la relación por un breve periodo o no, no tiene sentido amargarse y culpar al otro de

considerarnos sólo un "ligue de verano".

Enfrentarse al mundo con una actitud positiva es esencial. Toda historia de amor, por efímera que parezca, no debe considerarse una pérdida de tiempo: el amor alegra la vida, renueva los ánimos, nos hace sentirnos felices y, lo más importante de todo, nos enseña muchas cosas sobre nosotros mismos. ∎

C Aquí tienes un resumen del texto, pero faltan algunas palabras. A ver si puedes descubrir cuáles son. (¡Ojo! No vas a necesitar todas las palabras de la lista.)

Algunas veces cuando **(1)** ___ las vacaciones, lo que nos **(2)** ___ una cosa estupenda, se convierte en **(3)** ___ más bien molesto. Si eres tú la persona que **(4)** ___ que terminar la relación, no **(5)** ___ dar a tu ligue de verano falsas esperanzas. Diciéndole "nos veremos **(6)** ___" sólo sirve para retrasar el problema. Por otra parte, si eres tú la **(7)** ___ abandonada, debes ver lo positivo de tu **(8)**___ y seguro que pronto **(9)** ___ al hombre o a la mujer de tu **(10)** ___.

acaban	familia
algo	hay
alguien	parecía
antes	persona
debes	pronto
empiezan	tiene
encontrarás	vida
experiencia	

D *Cara a cara*

Persona A: Durante las vacaciones has conocido a un chico o a una chica. Tienes ganas de volverlo/la a ver. Lo estás contando a otro/a amigo/a.
Persona B: Escuchas a tu amigo/a. Tú lo ves muy negro. Explícale los problemas que puede tener.

1.10

" *…aquí en la playa… "*

Escucha a Ignacio hablando sobre su romance de verano …

A Tienes aquí un resumen de lo que dice Ignacio. Escribe una palabra adecuada en cada espacio.

Ignacio **(1)** ___ a Carmen que tenía **(2)** ___ años menos que él. Pasaban sus **(3)** ___ en la costa, y cuando Ignacio la **(4)** ___ le pareció la chica **(5)** ___ hermosa de todas las que **(6)** ___ en la playa. Los dos pasaron todo su tiempo libre **(7)** ___, pues se **(8)** ___ mucho. Después de **(9)** ___ cada uno a su ciudad, se siguieron **(10)** ___ durante algún tiempo, pero al **(11)** ___ perdieron contacto. Sin embargo, Ignacio todavía **(12)** ___ muchas veces en ella.

B ¿Cómo dice Ignacio las siguientes expresiones?

1 pasábamos el verano
2 quizás
3 íbamos muchas veces
4 a menudo

C *¡Tu turno!*

Durante las vacaciones de verano conociste a un chico/una chica en la playa y os divertisteis mucho. Pero al volver a tu casa te das cuenta de que la relación no tiene futuro. Escríbele una carta para explicarle tus sentimientos actuales. Intenta no hacerle daño. La extensión debe ser de unas 150 palabras aproximadamente.

1.11

La psicóloga te responde

Ignacio puede aceptar que hay relaciones que no salen bien, pero mucha gente necesita escribir a revistas para encontrar la solución a sus problemas del corazón …

¿Qué me ocurre con los chicos?

Tengo 20 años y nunca un hombre me ha propuesto una cita de amor. Los demás suelen comentar que soy inteligente, atractiva y visto bien; pero la verdad es que los chicos no me invitan a salir. Cuando estaba en el colegio tuve algún novio, ahora salgo con amigos de la Universidad, pero ninguno ha llegado a sugerirme nada serio.

Esta situación empieza a resultar obsesiva. ¿Qué me ocurre con los chicos?

PATRICIA

Tengo miedo de perder a mi novio

Soy una chica de 19 años y salgo con un hombre al que quiero muchísimo. Sin embargo, tenemos muchos problemas. Él dice que no le amo porque me niego a hacer el amor: yo siempre he tenido la ilusión de llegar virgen al matrimonio. No sé qué hacer: tengo miedo de perder a mi novio y de que me tache de antigua…

NIEVES

No me atrae en la cama

Hace un mes conocí a un chico y empezamos a salir. A pesar de que es muy cariñoso, mis sentimientos hacia él son contrapuestos. Resulta maravilloso que me mime y me apoye en todo lo que hago, pero sexualmente no me atrae. Él conoce mis reservas y, a pesar de ello, quiere seguir conmigo. ¿Cuál es la postura más honrada por mi parte?

PILAR

A Lee las tres cartas y contesta a las siguientes preguntas.

¿Quién …

1 … tiene muchas cualidades atractivas?
2 … tiene un novio que se burla de ella?
3 … se siente presionada?
4 … no se siente atraída físicamente por su novio?
5 … está desilusionada con el matrimonio?
6 … está enamorada?
7 … está agradecida?
8 … no tiene éxito con los hombres?

Pilar	Nieves	Patricia	Nadie

B En las cartas, ¿cómo se dice …?

1 I refuse to
2 however
3 other people
4 to be
5 in spite of that

C Aquí tienes la contestación a una de estas cartas. ¿Puedes llenar cada espacio en blanco con una de las palabras de la lista? (No vas a necesitarlas todas.)

Me **(1)** ___ que das por sentado que es el hombre **(2)** ___ siempre debe tomar la iniciativa, sin imaginarte que él puede **(3)** ___ que no te interesa lo más mínimo y que tiene **(4)** ___ miedo al rechazo como tú. La **(5)** ___ vez cuando conozcas a un chico que te atraiga, muéstrale **(6)** ___ para que **(7)** ___ atreva a actuar o toma tú la iniciativa, tampoco pasa nada por ser la primera en dar un **(8)** ___ hacia adelante. Así podrá **(9)** ___, además de tu **(10)** ___ aspecto, a la magnífica persona que escondes en tu interior.

apreciar	impresionado	paso	se
creo	impresionante	pensar	tan
cual	interés	próxima	tanto
decir	interesante	quien	te
imagino	paseo	saber	última

Ahora, ¿sabes a qué carta corresponde esta contestación?

D *Cara a cara*

Persona A: Tienes un problema muy grave: te has peleado con un amigo/una amiga; tus padres no te entienden; tus profesores te exigen demasiado. Cuéntaselo al psicólogo/la psicóloga.

Persona B: Eres el psicólogo/la psicóloga. Escucha el problema de tu paciente, pídele más detalles e intenta tranquilizarle con consejos útiles.

1.12

Cómo ganar amigos

A todo el mundo le gusta resultar atractivo, sentirse aceptado por los demás y tener éxito social. Pero no siempre es fácil lograrlo. Estas claves pueden ayudarte a conseguirlo …

10 claves para ser una persona atractiva

1 Actuar con naturalidad. Es fundamental mostrarse ante los demás con la mayor naturalidad posible.

2 Cuidar el aspecto físico. La apariencia física es el primer punto de encuentro con el otro.

3 Saber escuchar. A todo el mundo le resulta agradable que alguien le escuche. Una persona en la que se puede confiar tiene grandes posibilidades de convertirse en un amigo para siempre.

4 Buscar temas amenos de conversación. Los últimos acontecimientos ocurridos en el mundo suelen resultar interesantes para todos.

5 Mostrar interés por el otro. Resulta fundamental recordar su nombre, su situación familiar y su trabajo.

6 Controlar el temperamento. Es muy importante no montar nunca escenas desagradables en público y saber conservar la calma.

7 Ser activo y emprendedor. Las personas activas y desenvueltas resultan siempre más atractivas.

8 Practicar un optimismo sano. Las personas melancólicas y tristes no son buena compañía, por lo que es aconsejable mantener una actitud positiva ante la vida.

9 Ser realista. Para resultar agradable a los demás es imprescindible transmitir una imagen de persona realista.

10 Tener sentido del humor. Para empezar, lo mejor es aprender a reírse de uno mismo.

A ¿A qué clave corresponde cada frase?

1 Tienes que destacar tus cualidades positivas.
2 Muéstrate dispuesto a disfrutar de la vida.
3 Las personas competentes inspiran confianza.
4 Muéstrate interesado en lo que tu compañero te cuente.
5 No intentes cambiar tu personalidad.
6 Intenta mostrarte interesado en la vida de los demás.
7 Habla de cosas que os gusten a los dos.
8 No te tomes siempre en serio.
9 La animación y la vivacidad se contagian a los demás.
10 En todo momento, intenta mantenerte tranquilo.

B Estas palabras se encuentran en las 10 claves. Completa la tabla con los sustantivos y verbos que faltan, según el ejemplo.

Sustantivo	Verbo
ej. **encuentro**	*encontrar*
(1)	confiar
conversación	**(2)**
(3)	reír(se)
interés	**(4)**
(5)	practicar
situación	**(6)**
(7)	recordar
trabajo	**(8)**
(9)	conservar
vida	**(10)**
(11)	cuidar

EJERCICIOS *de* CONSOLIDACIÓN

Lee: 1.12 Cómo ganar amigos

Estudia: *Grammar Section 2: Adjectives*

Haz

1 Completa las frases siguientes con un adjetivo de los de la lista. Pero ¡ten cuidado!: los adjetivos de la lista no están en la forma correcta.
   Ejemplo: Es propio de personas <u>sanas</u> sentirse optimista.
   (a) Lucía siempre nos cuenta anécdotas muy ___.
   (b) Creo que le ha sucedido algo muy ___. Está todo el día pensativo y ___ .
   (c) Las preguntas del examen eran ___, por lo que creo que aprobaré.
   (d) Son unas personas que tienen siempre temas muy ___ de los que hablar.
   (e) Es ___ que entregues tu solicitud hoy si quieres que te acepten.
   (f) Son hombres muy ___, no viven de sueños.
   (g) Es una chica muy ___, con su pelo largo y su dulce mirada.
   (h) ¡Qué mujer tan ___! No tiene ninguna educación ni respeto por los demás.
   (i) La cuestión ___ es si debemos permitir que pase lo mismo en el futuro o no.
   (j) Son un grupo de jóvenes muy ___. No hay quien los pare en sus proyectos.
   (k) No es una actitud ___ arrepentirse de los errores del pasado, sino aprender de ellos.
   (l) Tiene un temperamento ___, por lo que procura que no se enfade.

   irritables   fácil   realista   emprendedora   atractivo
   interesante   tristes   ameno   desagradables   positivo   imprescindible
   fundamentales   melancólica   sanos

2 A continuación, inventa siete frases con adjetivos del texto, pero cambiando su género y número.
   Ejemplo: Es propio de personas sanas sentirse optimista.
                     No es sano hacerse enemigos por culpa de pequeños enfados.

1.13 📖 ✍️

Un amigo inoportuno

Puede que tú sepas cómo comportarte, pero hay algunos que siempre hablan cuando no es su turno o actúan de forma indiscreta sin darse cuenta.

Todos conocemos a alguien que habla cuando no es su turno, dice cosas poco apropiadas en las peores circunstancias, viene cuando no se lo espera y no se presenta cuando hace falta. ¡Y siempre poniendo la mejor voluntad por su parte!

insufrible	*unbearable*
el retraimiento	*shyness*
echar una mano	*to give (someone) a hand*

Errar es humano, dicen, y todos hemos "metido la pata" en alguna ocasión, pero hay personas que parecen tener una cierta habilidad para ello. Los inoportunos, los "gafes", los "desastres"... la gente suele describir a algunos con estos nombres y procura evitarlos siempre que puede. Un "inoportuno", por desgracia, no suele ser consciente de sus faltas o comportamiento social inadecuado y por ello se siente marginado sin entender la supuesta crueldad de los demás; ello le causa dificultades y, con cierta frecuencia, se siente triste o acomplejado. En algunos casos, puede que llegue a tener serios problemas de adaptación : al mundo laboral, por ejemplo.

Resignarse no es la solución; culpar la crueldad de los otros, tampoco (aunque sea duro aceptar las bromas y risitas de algunos). Lo mejor para ayudar a un "inoportuno" es hacerle ver sus fallos y tratar de descubrir dónde está el problema para poder corregirlo.

No le hagas sentirse inferior

Muéstrale cómo comportarse en una situación dada. Esa es una gran cualidad que algunas personas ejercen a la perfección: vienen cuando se las necesita, tienen la palabra justa para cada caso, saben cómo ser amables y naturales a la vez, sonríen sin exagerar... Indudablemente, son personas que se esfuerzan, porque, aunque parezca que o se nace con esa gracia o no se tiene, lo cierto es que ser oportuno requiere de mucha atención y esfuerzo. Ponerse en el lugar de los demás es muy útil, y eso es algo que todos podemos hacer. Es, como otras tantas cosas en la vida, un aprendizaje.

Aún así, es importante no hacer sentir culpable a aquellos que aún no saben cómo comportarse en todos esos variados momentos o situaciones sociales. Si hay alguna persona cercana a ti que es inoportuna con más frecuencia de lo normal, conserva la calma, no te impacientes e intenta ayudarla – seguro que si la escuchas y prestas atención a lo que te cuenta, juntos podréis identificar los motivos de su comportamiento. ∎

CÓMO TRATAR A ESE AMIGO INOPORTUNO

A ¡Tu turno!

Lee el texto y mira la foto.

1 ¿Qué significa la frase "una persona inoportuna"?
2 ¿Quién es la persona inoportuna en la fotografía?
3 ¿Qué pistas te da la fotografía?
4 Desde tu punto de vista, ¿cómo se sienten la chica y el chico sentados?
5 ¿Qué le dirías tú a la persona inoportuna? (Escribe 50 palabras en español explicándole con tacto por qué su presencia te resulta molesta.)

B
¿Cómo dirías tú las siguientes frases y palabras? Escríbelas con tus propias palabras.

1 la gente procura evitarlos
2 con cierta frecuencia
3 a la perfección
4 tienen la palabra justa
5 indudablemente
6 alguna persona cercana a ti

C
Traduce al español el texto siguiente. Las palabras que te hacen falta se encuentran en el artículo.

We all know someone who constantly says and does the least appropriate thing in every situation. He has the special knack of turning up when he is least needed. He usually has the best intentions and does not understand that he has put his foot in it.

1.14

El psicólogo ayuda

Se supone que cuando somos mayores, aprendemos de nuestros errores – ¿pero es verdad?

A Lee la carta y completa las frases con una palabra adecuada en cada espacio.

1 Las seis mujeres son todas muy ___
2 Ya no tienen ___
3 Mientras estaban de vacaciones, tres de ellas ___ problemas.
4 La que escribe al psicólogo no ___ qué hacer.

B ¿Cómo dice el psicólogo …?

1 exagera
2 los ancianos
3 resulta difícil
4 han sido útiles
5 frecuentemente
6 debido a ello

C ¡Tu turno!

Eres periodista y la historia de las ancianas te interesa mucho. Vas a entrevistar a la señora que escribió la carta. ¿Qué le preguntarás? Utiliza las palabras interrogativas que se ven en el dibujo.

quisquilloso	*fussy*
las bagatelas	*trifles, trivialities*
nimias	*insignificant things*
meritorio	*praiseworthy*
las chiquilladas	*childish behaviour*
las rencillas	*grudges*

1.15

Ejercicios de repaso

Escribe un texto de unas 150-180 palabras sobre uno de los temas siguientes.

A "Los jóvenes no tenéis problemas serios" – ¿Qué opinas de este punto de vista?

B Has tenido una aventura de verano. ¡Cuéntala!

"Nos hemos enfadado tras muchos años de amistad"

A mis 78 años, tengo cinco amigas de toda la vida: tres de ellas de 81 y las otras dos de mi edad. Todas somos viudas. Hace cuatro meses, tres de ellas hicieron un viaje y no lo pasaron bien debido al mal tiempo y al mal servicio del hotel. Dos de ellas se enfadaron por tonterías y ahora no quieren salir juntas. Yo las quiero mucho a las dos, pero, evidentemente, no puedo estar con ambas a la vez. ¿Qué puedo hacer? Gracias.

Posiblemente, con los años, el ser humano, que debería haber aprendido casi todo y relativizarlo también casi todo, se vuelve más quisquilloso y hace una montaña de un grano de arena. Lo más razonable sería dedicarse a disfrutar y exprimirle el zumo a la vida con plena satisfacción, sin detenerse en absurdas bagatelas y en discusiones de niños. Pero no siempre es así. No pienses que pretendo criticar a las personas de edad por estas conductas. Todos, a cualquier edad, somos un poco como niños que hacemos problemas de las cosas más nimias y nos cuesta perdonar, ser comprensivos y saber vivir.

"Aprended de una vez a comportaros como adultas"

La maravillosa amistad que habéis conservado hasta ahora es un tesoro que no podéis resignaros a perder. Diles de mi parte que tienen las dos una magnífica ocasión de demostrar que los años que han vivido les han servido para el aprendizaje más difícil y meritorio, el más característico de las personas verdaderamente grandes. Me estoy refiriendo a saber perdonar. He escrito ya en varias ocasiones que yo no veo al hombre o a la mujer más grande que cuando sabe admitir sus errores y decidirse por el perdón. Perdonar es amar a pesar de no haber recibido amor, e incluso a pesar de haber sido ofendido. Por eso, el perdón alcanza cotas sublimes. Léeles esta carta y pídeles que se dejen de chiquilladas, que se den un abrazo amistoso y olviden rencillas y discusiones. La amistad es un tesoro que hay que conservar. ∎

Aprender a vivir

Dondequiera que vivamos, en cualquier parte del mundo, todos tenemos que estudiar, y por lo tanto compartimos experiencias similares… ¿o no?

2.1

Valores tradicionales

Aunque los papeles masculinos y femeninos se van equiparando, a veces se transmiten a los jóvenes actitudes y valores diferentes en función del sexo.

Educar sin diferencias

La tradicional asociación de valores masculinos (vida pública, trabajo, poder, superioridad) y femeninos (casa, hijos, cuidados, dependencia) se desmorona.

A pesar de ello, el bombardeo a través de los medios de comunicación y de la publicidad de los papeles masculino y femenino es agobiante. Así pues, a veces, sin darnos cuenta, en casa continuamos educando y transmitiendo a nuestros hijos e hijas actitudes y valores diferentes en función del sexo.

¿IGUALES O DIFERENTES?

Probablemente observarás comportamientos distintos. Juan, por ejemplo, desmontaba muñecas para descubrir su mecanismo, mientras María, su hermana, las arrullaba.

Los rasgos según el sexo vienen marcados desde los primeros días. Las actitudes de los adultos son importantes para determinar las diferencias. Por ejemplo hablamos diferente según se trate de un bebé niño o niña. A los niños se les llama "rechonchete, tragoncete"; a las niñas "cariño, preciosa, cielo, amor". Las madres abrazan más tiempo a sus niñas que a sus niños. Estas diferencias aumentan con el tiempo. Nos parece natural que los niños jueguen a ser movidos y agresivos, valores que se supone son necesarios para triunfar. Mientras que a nuestras hijas las ocupamos en juegos que requieren actitudes de cariño y dependencia, además de fomentar su coquetería. Incluso en familias que aparentemente no discriminan, se observa que también se dan inconscientemente actitudes sexistas. Así, parece comprobado que las madres conversan mucho más con sus hijas pequeñas que con sus hijos de la misma edad.

En la adolescencia los carácteres masculino y femenino se agudizan. También los modelos sociales se imponen. Algunas chicas se refugian en lo femenino, buscan pareja y dejan de sentirse motivadas por otros temas. En contrapartida, los chicos tienden a encerrarse en sí mismos, presos en el papel de hombres duros. ■

A Lee el artículo. Luego copia esta tabla y toma notas en español sobre cómo se transmiten a los niños los distintos estereotipos sexuales.

Niños	Niñas

B En el artículo, ¿cómo se dice…?

1 in spite of that
2 is in decline
3 overwhelming
4 from infancy
5 it is assumed
6 even

C Traduce al inglés el último párrafo del artículo, desde "En la adolescencia" hasta "hombres duros".

D *¡Tu turno!*

¿Y tú? ¿Qué sabes de los estereotipos sexuales? ¿Has observado alguno en la escuela o en casa? ¿Qué cosas son normales en un chico pero están mal vistas en una chica y *viceversa*?
Habla con tus compañeros de clase y luego escribe un resumen de lo que hayáis dicho.

2.2 🎧

Una injusticia familiar

Escucha a Ángela, una chica que se dejó influenciar por el papel femenino tradicional.

A Después de escuchar a Ángela, contesta a estas preguntas.

1 ¿A quién se encontró Ángela?
2 ¿Por qué estaba contento?
3 ¿Qué quería hacer Ángela hace tres años?
4 ¿Por qué no lo pudo hacer?
5 ¿Cómo se siente ahora?

B ¿Cómo dice Ángela las siguientes frases?

1 no puedo dejar de pensar en una cosa
2 gradualmente
3 no obstante
4 no había manera
5 vivir sin ayuda

2.3

La ley y los padres

Acabamos de ver lo que puede pasar cuando algunos jóvenes aceptan determinados valores establecidos de antemano, pero …¿qué ocurre cuando sucede lo inesperado? Lee el siguiente artículo.

A ¿Verdad o mentira?

1 Los niños padecen a menudo accidentes graves.
2 Aunque sean muy jóvenes, se puede denunciar a los niños ante los tribunales.
3 En ciertos casos los padres no son responsables ante la ley de lo que hacen sus hijos.
4 En la práctica, la mayoría de los padres no llegan a convencer a los tribunales de que han vigilado bien a sus hijos.
5 En el caso de adolescentes, es el juez quien decide si los padres son o no responsables de lo que han hecho sus hijos.
6 La víctima de un accidente provocado por un adolescente debe descubrir si los padres pueden pagar compensación.
7 El juez, hasta cierto punto, puede decidir el castigo que sufrirá el joven culpable de un delito.

B Utiliza el artículo para traducir al español el siguiente texto.

If a child carries out a prank which results in damage to someone else, somebody must be responsible in law. The injured party can report the matter to the courts and, if the parents cannot prove that they have properly controlled their child, they must pay compensation to the victim.

Los padres son responsables de los daños que causen sus hijos

Petardos, balonazos … si los niños provocan accidentes, los padres han de indemnizar a las personas perjudicadas.

Es normal que los niños cometan travesuras. Sin embargo, a veces estos actos desembocan en accidentes que afectan a personas u objetos con mayor o menor gravedad y por los que debe responder alguien. Sobre todo, si el perjudicado decide denunciar los hechos ante los tribunales. De acuerdo con el Código Civil, cuando los chicos tienen menos de 16 años, los padres están obligados a afrontar todas las consecuencias de sus actos. Por ejemplo, si varios niños están jugando con una pelota en la calle y golpean con ella a una persona, causándole una herida, han de correr con los gastos sanitarios que suponga su recuperación e indemnizarla con la cantidad que estime el juez. Según la ley, los padres pueden eludir esta responsabilidad, si demuestran que han educado bien al niño y que controlan su conducta adecuadamente. Aunque en la práctica esto es casi imposible, pues los tribunales exigen que se pruebe tal circunstancia de forma extremadamente rigurosa. Por otro lado, para los hijos que son mayores de 16 años y menores de 18, la responsabilidad civil se imputa de acuerdo con la naturaleza de los hechos. Si se consideran de carácter leve, los responsables continúan siendo los padres. Sin embargo, en el caso de que el juez estime que el joven es culpable de un delito, la responsabilidad civil podría recaer sobre él, teniendo que asumir gastos médicos o indemnizaciones. En este sentido, es muy importante que la persona perjudicada descubra si el chico tiene recursos para responder, pues de no ser así se quedaría sin recibir una compensación. Para evitar que esto ocurra, hay que informar a los tribunales de la situación y solicitar que sean los padres los que respondan de las sanciones económicas. Esto no quiere decir que el joven no sea castigado. Como culpable de un delito, y de acuerdo con la Ley de Tribunales Tutelares de Menores, el juez podrá privarlo de su libertad o indicarle tareas que repercutan en beneficio de la comunidad. ∎

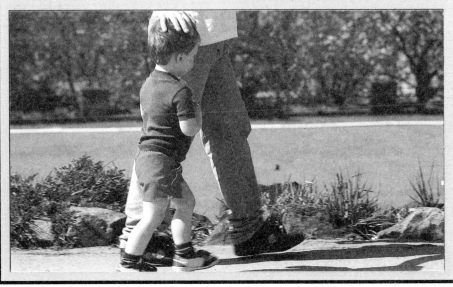

C *Cara a cara*

Persona A: Eres el padre/la madre de un niño/una niña que, mientras jugaba con una pelota, ha roto sin querer la ventana de la casa del vecino/de la vecina. Estás en casa, tranquilamente, cuando éste/ésta llama a la puerta …

Persona B: Eres el vecino/la vecina. Estabas mirando la televisión cuando la pelota del hijo/de la hija de tus vecinos rompió la ventana del salón. Estás muy enfadado/a. Te has presentado en casa de los padres del niño/de la niña para quejarte. Explica lo que vas a hacer. Exige una indemnización.

D *¡Tu turno!*

Cuándo tú eras pequeño/a, ¿qué travesuras hacías? Describe en unas cincuenta palabras en español alguna historia que recuerdes. ¿Qué pasó? ¿Cómo se solucionó?

2.4

Cuando la escuela te agota

El romper ventanas te puede causar problemas, ¡pero también pueden los deberes escolares ser muy problemáticos!

DEBERES AGOBIANTES

Organizarse después de clase no es fácil. Ayuda a tu hijo con paciencia para que hacer los deberes no le resulte una tarea agobiante.

No existe un gran acuerdo entre el profesorado sobre la conveniencia de asignar tareas para casa. Algunos opinan que la escuela debería ser suficiente para desarrollar todo el aprendizaje, sobre todo en el ciclo inicial. Pero la mayoría considera que los deberes son también una manera más de aprender. La legislación actual en materia de educación determina que la escuela debe ayudar a los alumnos a trabajar por sí mismos y a madurar desarrollando también su propio trabajo individual. Los deberes corresponden al esfuerzo diario de cada chico para completar los conocimientos explicados en clase.

Problemas de tiempo

En general, los profesores suelen acordar para cada ciclo la cantidad de tareas que los niños llevarán a casa.

Pero los problemas principales no se deben tanto a las grandes cantidades de deberes como a la falta de tiempo. Cuando un niño tiene dificultades para seguir con normalidad las tareas en casa hay que tener en cuenta dos cosas:

✓ Si realiza demasiadas actividades fuera de la escuela que lo agotan y le hacen descuidar sus deberes.

✓ Si realiza un número de actividades extraescolares y de ocio normales pero no se organiza bien.

Agenda escolar

Es importante adquirir hábitos de trabajo en casa. Además de contar con unas buenas condiciones físicas (luz, espacio, silencio) y ganas de estudiar, es conveniente que los niños que no consiguen ''ir al día'' elaboren un plan de estudios semanal en una libreta. Servirá para planificar el trabajo teniendo en cuenta:

✓ Todos los deberes y cuándo se entregarán, sin olvidar ninguna asignatura, para llevar al día las lecciones.

✓ El tiempo de dedicación variará según la edad y el curso de los chicos. No ha de ser un tiempo rígido y dependerá de las dificultades que vayan surgiendo. ∎

los deberes (escolares)	*homework*
agobiante	*oppressive, overwhelming*
acordar	*to agree*
el ocio	*leisure*
(tener) ganas de estudiar	*to feel like studying*
no ir al día	*to be behind*
ponerse al día	*to catch up*
(estar al día	*to be up to date, trendy)*
la libreta	*notebook*
la asignatura	*(school) subject*
la ortografía	*spelling*

A
Lee el texto hasta "no se organiza bien" y completa las frases de acuerdo a lo que hayas entendido.

1 No están de acuerdo todos los profesores en que …
2 Unos piensan que, para los jóvenes, las clases proporcionan …
3 Un problema que tienen muchos chicos es que …
4 Los que realizan muchas actividades extraescolares a menudo …

B Ahora lee hasta el final del artículo. Completa el párrafo siguiente con una palabra en cada espacio. Hay una lista de palabras al final, aunque no las vas a necesitar todas.

Tienes que **(1)** ___ a estudiar por tu propia cuenta. No sólo **(2)** ___ un ambiente adecuado y ganas de trabajar, sino también un buen **(3)** ___ de estudios. Es aconsejable apuntar todas las **(4)** ___ que tienes para hacer y también la **(5)** ___ de entrega. No **(6)** ___ saber exactamente cuánto tiempo va a durar cada ejercicio: depende de lo **(7)** ___ que sea.

aprender	fecha
deberes	horario
día	lista
difícil	necesitas
dificultad	puedes
enseñar	tareas

C *Cara a cara*

Persona A: Eres el padre/la madre de un niño/una niña de doce años. Él/Ella hace muchas actividades extraescolares – va a gimnasia, toca el piano, etcétera – y a veces no tiene suficiente tiempo para hacer todos los deberes que le da el profesor/la profesora. Vas a la escuela para pedir al profesor/a la profesora que no le exija tanto.

Persona B: Eres el profesor/la profesora. Te has dado cuenta de que el chico/la chica a veces no ha hecho sus deberes, o los ha hecho mal. Crees que realiza demasiadas actividades extraescolares y que sus padres son excesivamente exigentes. Intenta explicarle al padre/a la madre el porqué de la importancia de los deberes.

EJERCICIOS *de* CONSOLIDACIÓN

 Lee: 2.4 Cuando la escuela te agota

 Estudia: *Grammar Section 5.1.2: Verbs used with the infinitive*

 Haz

Los hechos que vienen a continuación se encuentran, con unas pocas diferencias, en el artículo. Encuéntralos. Luego, traduce las frases de manera que los cambios respecto al artículo sean mínimos (el vocabulario que necesitas se encuentra todo en el texto).

1 Some think that school should be enough.
2 Two things must be taken into account when a child has problems with his/her homework.
3 Schools must help students to develop their individual capacities.
4 Problems are mostly due to lack of time.
5 The amount of time assigned to homework does not always have to be the same.

2.5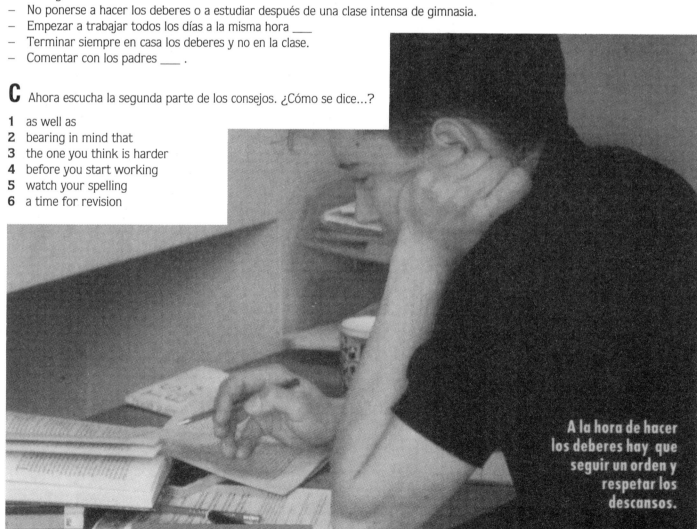

Técnicas de estudio

No te desanimes: aquí tienes algunos consejos de utilidad.

A Ⓥ Escucha la cinta y toma notas sobre lo siguiente:

1 con qué asignaturas debes empezar los deberes
2 con qué asignaturas debes acabar
3 qué hacer cuando acabes

B Aquí tienes el texto de lo que dice el presentador. Escucha la primera parte y completa los espacios con las palabras que faltan.

Vamos a hablar de unos métodos que te pueden ayudar a realizar ___ y que se llaman "técnicas de estudio".

    ___ hacer los deberes, los especialistas aconsejan:
– Tomar nota ___ de las tareas para casa y subrayarlas o ponerlas en un recuadro o en una agenda escolar.
– No ponerse a hacer los deberes o a estudiar después de una clase intensa de gimnasia.
– Empezar a trabajar todos los días a la misma hora ___
– Terminar siempre en casa los deberes y no en la clase.
– Comentar con los padres ___ .

C Ahora escucha la segunda parte de los consejos. ¿Cómo se dice...?

1 as well as
2 bearing in mind that
3 the one you think is harder
4 before you start working
5 watch your spelling
6 a time for revision

A la hora de hacer los deberes hay que seguir un orden y respetar los descansos.

2.6 📖 ✍

El mundo al revés

Los deberes puede que sean una lata, pero para algunos jóvenes la escuela representa un gran desafío a causa de la dislexia.

armarse de paciencia	*to summon up all one's patience*
torpe	*clumsy*
la grabadora	*recorder*
evaluar	*to assess*

DISLEXIA, cómo educarla

Uno de los objetivos principales de la DDA – la asociación de padres de niños con Dislexia y otras Dificultades de Aprendizaje – es orientar y sensibilizar a los padres y al personal docente para que puedan identificar cuanto antes casos como el de Marta, que tiene ocho años y cuyo rendimiento escolar está muy por debajo de su capacidad, dado que su inteligencia es superior a la media de su clase. Un día aprende algo y dos días después, e incluso dos horas más tarde, ya no se acuerda. Le cuesta mucho prestar atención en clase y se distrae con gran facilidad.

También le cuesta mucho leer. Siempre se para en la misma palabra y, a veces, hasta se inventa lo que lee. Marta, como muchos otros niños, es disléxica y tiene miedo a la profesora y a que se rían de ella. "Es muy importante que los padres sean comprensivos y sobre todo que se armen de paciencia; que acepten a los niños tal y como son y los apoyen. Tendrán que practicar el autocontrol y evitar en lo posible el uso de palabras negativas como "tonto", "perezoso" o "torpe", porque son niños muy, muy sensibles que soportan mal la frustración. Conforme se van haciendo conscientes de las dificultades que tienen para aprender y utilizar el lenguaje, se sienten más desdichados, lo que puede repercutir en su carácter y en su relación con el entorno", nos comenta Luz Sánchez, madre de un niño disléxico y miembro de la DDA.

Los padres pueden ayudarlos dejándoles un espacio en casa para que organicen sus cosas, vigilando que tengan el descanso necesario, no obligándolos a leer si no quieren y no sobrecargándolos con actividades extraescolares. También les son de gran ayuda los relojes digitales para leer la hora, las grabadoras para suplir su falta de concentración o los métodos audiovisuales para captar mejor su atención. Una vez que se ha enseñado a los niños a superar sus dificultades, su vida adulta será totalmente normal. Porque el problema está en la etapa escolar, cuando se pone a prueba el rendimiento intelectual siguiendo un determinado sistema educativo. Personajes de la talla de Leonardo Da Vinci, Winston Churchill, Albert Einstein o Salvador Dalí fueron disléxicos.

Un sistema educativo inadecuado

Aproximadamente el 15% de nuestra población en edad escolar sufre dificultades de aprendizaje y, aunque no se puede decir que la dislexia sea la única causa del fracaso escolar, sí es una de las más importantes. Estos niños, que son inteligentes, son incapaces de aprender de la forma convencional. Por eso, si no se les presta la ayuda y el apoyo que necesitan, pueden terminar convirtiéndose en fracasados escolares expulsados de los colegios por su conducta antisocial, se vuelven violentos al ver que nadie les comprende. Entre los objetivos de la DDA están el formar al personal docente para que sea capaz de tratar adecuadamente a estos niños, especialmente a los grupos sociales menos atendidos, y crear centros especializados.

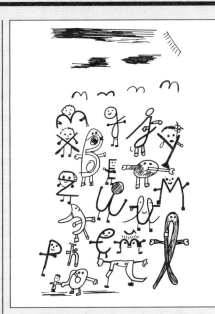

Su escritura se caracteriza por la desorganización de letras y números, la imposibilidad de respetar los márgenes y la dificultad de mantener la línea recta.

"La gran lucha es conseguir el reconocimiento oficial del Ministerio de Educación y Ciencia de la condición de "niño disléxico" y "niño con dificultad de aprendizaje", para que al evaluar exámenes estén en igualdad de condiciones respecto al resto de los niños. Esto ya se lleva a cabo en países como EE UU, Inglaterra, Suecia o Dinamarca", nos dice Sandra Marone, presidenta de la DDA. ◼

A Lee con atención este artículo. ¿Son las frases que siguen verdades o mentiras?

1 La DDA quiere enseñar a los padres a reconocer los síntomas de la dislexia.
2 Marta tiene un nivel muy bajo de inteligencia.
3 Tiene muchas dificultades a la hora de distraerse.
4 No le gusta leer porque siempre teme que la profesora se burle de sus errores.
5 Los niños disléxicos tienen que aprender a controlarse mejor.
6 Cuando un disléxico se da cuenta de que sus compañeros no tienen los mismos problemas con el aprendizaje, se siente muy infeliz.
7 Los padres no deben exigir demasiado a sus hijos.
8 Los niños que tienen estas dificultades siempre tienen más problemas de mayores.
9 Lo mejor es que sigan un plan rígido de estudios.

B Las palabras siguientes aparecen en el artículo. Debes completar la tabla con la forma necesaria en cada caso. Puedes utilizar el diccionario si es preciso.

Sustantivo	Verbo
(1)	orientar
facilidad	**(2)**
(3)	leer
frustración	**(4)**
(5)	apoyar
concentración	**(6)**
(7)	practicar
rendimiento	**(8)**
(9)	enseñar
descanso	**(10)**
(11)	distraer(se)

C Aquí tienes un resumen de una parte del artículo (desde "Aproximadamente el 15%" hasta "centros especializados"). ¿Puedes completarlo, rellenando cada espacio con una palabra?

Más o menos el 15 por **(1)** ___ de alumnos españoles encuentra **(2)** ___ educativos en la escuela, a veces **(3)** ___ por la dislexia. A estos niños, les resulta **(4)** ___ aprender de la misma **(5)** ___ que sus compañeros de clase. Si **(6)** ___ les ayuda, **(7)** ___ posible que acaben por fracasar en sus **(8)** ___ por completo. **(9)** ___ de los fines de la DDA es formar a los **(10)** ___ para que sepan reconocer casos de dislexia.

D Traduce al inglés la última parte del artículo, desde "La gran lucha es conseguir".

2.7

¿Un mundo mejor?

La mayoría de los chicos y las chicas de hoy en día sabe mucho más que sus padres a su edad. Sin embargo, algunos están en peligro. Aquí está el testimonio de Elena, una madre cuya hija cayó en manos de una secta de fanáticos.

tragar   *to put up with, to swallow*

Primera parte

LOS PELIGROS DE LA ADOLESCENCIA

Vivimos en Soria, una ciudad de provincia. Mi hija, desde que era niña, quiso estudiar en Madrid. Desde el primer día que fue al colegio estuvo por delante de sus compañeras. La consecuencia fue que ella aprendía todo en cinco minutos, y el tiempo que le sobraba de los estudios lo dedicó a otras cosas: leer, escribir, pintar y pensar. Pensaba mucho y tenía un interior muy denso. A causa de ello fue muy infeliz, no creía en religiones, se daba cuenta de que el mundo está básicamente dividido entre los pocos que mandan y los muchos que tragan. Quería hacer algo por los demás, empezando por sí misma.

Sólo faltó que a los dieciséis años se enamorara por primera vez, con toda la fuerza de esa edad. En lugar de enamorarse de alguien de su nivel, hizo lo más natural: enamorarse de alguien muy distinto a ella. La consecuencia fue que él la engañó, le hizo lo que quiso, y cuando se cansó, la dejó, marcada para siempre.

Mi hija buscaba algo superior, algo en qué creer, porque necesitaba aferrarse a algo en la vida. No le bastaba con estudiar y tener una carrera. La espiritualidad le importaba mucho. Cuando acabó los estudios, tuvo que matricularse en Madrid. Primero compartió un apartamento con una amiga, donde mi marido y yo íbamos regularmente a visitarla. El primer año, no pasó nada. ■

A Lee la primera parte de la historia y contesta en español a las preguntas que siguen.

1 ¿Qué quería hacer la hija de Elena desde pequeña?

2 ¿Le costaban mucho los estudios en el colegio?

3 ¿Cómo solía pasar su tiempo?

4 ¿Por qué no estaba contenta?

5 ¿Qué pasó cuando tenía dieciséis años?

6 ¿Cómo acabó la relación?

7 ¿Cómo sabemos que esto la trastornó?

8 ¿Por qué los padres no tenían motivos para preocuparse durante el primer año?

B ¿Cómo dice Elena las siguientes frases?

1 she was ahead

2 the time remaining

3 she realised that

4 the last thing we needed was

5 instead of

6 studying wasn't enough for her

EJERCICIOS *de* CONSOLIDACIÓN

 Lee: 2.7 ¿Un mundo mejor?

 Estudia: *Grammar Section 5.3.4: Imperfect*

 Haz

1 Haz una lista de todos los casos de verbos en imperfecto que hay en el texto.

2 Ahora, lee con atención el siguiente párrafo. Marca los verbos en imperfecto y fíjate en el diferente uso del imperfecto y el pretérito. Luego, escribe una historia semejante, donde aparezcan ambos tiempos verbales.

Cuando vivía en Santa Isabel, un pueblecito cercano a Vigo, tenía una vecina muy guapa, Rosalía. Me gustaba muchísimo. Siempre iba a su casa con una excusa u otra, sólo para verla, y a menudo le preguntaba a su hermano, que estudiaba conmigo, cosas sobre ella. A él eso le divertía y me llamaba "tonto enamorado". Sólo pensaba en ella, día y noche. Hasta que un día, mientras paseaba por la calle principal, la vi pasar por la acera de enfrente, con un chico del pueblo de al lado, cogidos de la mano... Recuerdo que hacía un sol radiante, ese día... Sí, ese fue mi primer y más doloroso desengaño amoroso.

2.8 📼

La desaparición

Ahora escucha a Elena contándonos lo que pasó a continuación.

A ¿Verdad o mentira?

1 Cayó bajo la influencia de la secta el mismo día que el marido de Elena tuvo un accidente.

2 La policía no podía hacer nada para ayudarlos.

3 Seis meses más tarde su hija telefoneó a Elena.

4 Sabían que su hija estaba drogada por la manera en que hablaba.

5 Algunas semanas más tarde descubrieron dónde estaba su hija.

6 Cuando la vieron, su hija había cambiado totalmente de personalidad.

B Escucha otra vez lo que dice Elena. ¿Cómo dice ...?

1 when she started the second year

2 she was an adult

3 she wasn't going to carry on with her studies

4 it gradually dawned on us

5 it was frightening

6 we almost went mad

2.9

¿Un final feliz?

Y... ¿cómo se resolvió la situación?
Lee la última parte de la historia.

la chusma	*mob, riffraff*
el abogado	*lawyer*
raptar	*to abduct, kidnap (a person)*
secuestrar	*to abduct, kidnap (a person); to hijack ; to confiscate*
hipotecar	*to mortgage*
hechizado	*bewitched*
con el cerebro al revés	*completely confused, brainwashed (lit. 'with his/her brain the wrong way round')*
salir adelante	*to get on (with one' s life)*

Tercera parte

Teníamos que actuar con urgencia, salvarla, no íbamos a dejarla en manos de aquella chusma. Al salir, hablamos con uno que nos dijo que allí nadie retenía a nadie y, si mi hija quería irse, era libre – pero mi hija no quería irse, claro.

Prácticamente dejamos de vivir, lo dejamos todo para recuperarla. No fue fácil, y nos costó más detectives, denuncias a la policía y actividades con abogados y ex-miembros de sectas que nos aconsejaron. Estábamos dispuestos a todo: hasta fuimos a ver a su primer novio para que nos acompañara, pero se negó. Finalmente, no tuvimos otra opción que raptarla. ¡Sí, secuestramos a nuestra propia hija! Ella, como otras, salía a hacer proselitismo, y el detective se encargó de meterla en un coche y cloroformizarla. La llevamos a casa dormida. Luego, la pusimos en manos de psiquiatras, hipotecamos la casa, nos arruinamos pero lo logramos.

Mi hija al comienzo no quería vernos, decía que éramos crueles, que la habíamos apartado de ÉL, aunque no sabíamos quien era ese él, probablemente el jefe de la secta. Sin embargo, cuando mi hija empezó a dar señales de recuperación, comprendió que estaba hechizada, con el cerebro al revés, y finalmente puso todo su corazón en recuperarse. Pero en total, perdió ella tres años, que ahora está recuperando y estudia para salir adelante. ■

A *Cara a cara*

Persona A: Eres el padre/la madre de un chico/una chica que ha sido capturado/a por una secta. Acabas de hablar con él/ella. Quieres convencerle/la de que su nueva "familia" no es nada buena y de que el jefe de la secta piensa sólo en su propio bien. Quieres que tu hijo/hija te acompañe a casa.

Persona B: Eres el hijo/la hija. Es evidente que tu padre/madre no entiende nada. Explícale por qué no quieres irte y dejar tu recién encontrada felicidad.

B

Con la ayuda del testimonio de Elena, traduce este texto al español.

I gave up everything to save my daughter. I was prepared to do anything. In the end I had to kidnap her in order to take her home. At first she called me callous because I had taken her away from the leader of the sect. But finally she understood and is now making up for all the time she lost.

EJERCICIOS *de* CONSOLIDACIÓN

 Lee: 2.9 ¿Un final feliz?

 Estudia: *Grammar Section 4.2: Possessive pronouns and adjectives*

 Haz

Completa estas frases con una palabra de entre las de la lista. No las vas a necesitar todas.

1 Naturalmente, mi marido y yo nos preocupamos mucho por ___ hija.
2 Una amiga ___ me aconsejó que me tomara las cosas con calma.
3 ¿Con calma? ¿Qué diría ella si se tratara de uno de ___ hijos?
4 Los adolescentes piensan que ___ vida no es asunto de ___ padres.
5 A mis hijos siempre les digo: 'Yo ya he vivido ___ vida; la ___ está empezando. No arriesguéis ___ futuro por un ideal falso'.
6 A un adolescente le recuerdo lo siguiente: ' ___ porvenir está en ___ manos, pero ___ padres sienten que es también responsabilidad ___'.

   nuestro   mía   sus   nuestra
   tuya   mi   vuestra   vuestros
   tus   suya   tu   vuestro   su

2.10

¡Déjame estudiar!

La hija de Elena tuvo problemas con sus estudios, pero no es la única. Algunos tienen que superar muchas dificultades causadas por motivos de las que no son responsables: los prejuicios sociales. En España hay muy pocos estudiantes gitanos en la universidad y muchos se ven obligados a abondonar sus estudios – y sus esperanzas para el futuro.

Los gitanos también van a clase, pero menos

Conseguir un título universitario, algo que para cualquier niño de papá constituye un hecho lógico y rutinario, se convierte en una carrera de obstáculos para muchos jóvenes gitanos.

NICOLAS JIMÉNEZ, ESTUDIANTE DE SOCIOLOGIA EN LA UNIVERSIDAD COMPLUTENSE DE MADRID: "Cuando yo empecé a estudiar, en nuestra casa no existía ni un libro. Hasta entonces, todo lo que habían recibido de los papeles mis padres y mis abuelos habían sido multas y citaciones judiciales. Fue muy difícil convertir los papeles, origen de persecuciones, en fuente de progreso y superación personal."

CARLOS MUÑOZ, ESTUDIANTE DE DERECHO: "Por las mañanas vendo flores con mi madre, como he hecho desde niño. Siempre he tenido que ➤

contra la Policía Municipal, para evitar que nos requisen la mercancía que nosotros hemos comprado.

Tengo gustos similares a cualquier otro joven de mi edad: el fútbol, el cine, la música… Pero muchas veces me he visto marginado a la hora de cultivar mis aficiones por el hecho de ser gitano. Espero poder aprovechar mi futura condición de abogado para luchar contra este tipo de hechos."

ENCARNA SALCEDO: "También curso Sociología en la Universidad Complutense. Vivo con una familia no gitana que me adoptó cuando tenía ocho años. Mis hermanos mayores son médico, enfermera y abogado, por tanto nunca he tenido ningún problema con mis estudios. En casa siempre me han animado para que los hiciera. Sin embargo, mi etapa en el colegio no fue un camino de rosas. Algunas niñas me decían que no podían jugar conmigo porque sus padres no se lo permitían. Además, cada vez que ocurría cualquier incidente o desaparecía una cosa,

automáticamente me inculpaban: ha sido la niña gitana. Incluso tuvieron que cambiarme de colegio, porque una profesora me cogió manía y me pegaba todos los días."■

ayudar a mis padres; por eso ha sido muy difícil para mí estudiar y llegar a donde estoy ahora. Siempre llego a clase con la lengua fuera, alterado, después de haber tenido que luchar

A Indica en la tabla la respuesta adecuada.

¿Quién …	Nicolás	Carlos	Encarna
1 … ha recibido mucha ayuda de su familia?			
2 … divide su tiempo entre los estudios y la venta callejera?			
3 … tiene parientes que tenían una actitud muy negativa hacia la letra impresa?			
4 … espera combatir el racismo y los prejuicios con lo que habrá estudiado?			
5 … tenía que luchar contra la discriminación en la escuela?			
6 … ha sido rechazado/a cuando quería divertirse?			
7 … tiene una familia que casi no leía?			

B Explica con tus propias palabras lo que quieren decir las siguientes frases del texto:

1 niño de papá
2 citaciones judiciales
3 llego a clase con la lengua fuera
4 me he visto marginado
5 me inculpaban
6 una profesora me cogió manía

2.11

Una experiencia inolvidable

El mejor modo de aprender un idioma es estudiarlo en un país donde se habla. El siguiente artículo te propone algunas ideas para aprovechar bien una estancia en el extranjero.

ESTUDIAR EN EL EXTRANJERO
UNA EXPERIENCIA INOLVIDABLE

Estudiar en el extranjero es una actividad que permite mejorar el dominio de otro idioma sin perder un año de estudios. Para que sea beneficiosa la experiencia debe contar con la total voluntad del alumno.

Aunque existe la creencia de que el nivel de estudios es más bajo en otros países, como Estados Unidos, no es cierto y depende de la escuela escogida. Eso sí, siempre que se vaya a estudiar y no a huir de otros problemas como malas actitudes o malas notas.

Requisitos
La mayoría de escuelas extranjeras exige a sus alumnos un considerable dominio previo del inglés, un buen expediente académico y una carta de recomendación de su anterior escuela. No es fácil que se acepten niños especialmente problemáticos o malos estudiantes. Estos cursos son ideales para muchachos que tengan ya cierta madurez, deseen perfeccionar un idioma y conocer otra cultura sin perder un curso. La forma en que los alumnos viven la experiencia depende en gran manera del régimen de la estancia escogido:

– **En Residencias y Colegios Privados.** La vida se desarrolla entre compañeros y con una disciplina bastante estricta de estudio, sin olvidar las actividades extraescolares. El contacto con la cultura del país es bastante limitado.

– **En familias seleccionadas.** Pueden recibir éstas un importe por la manutención de los estudiantes o hacerlo de manera prácticamente ''altruista'' (aunque les permite en algunos casos desgravar de sus impuestos). Es importante que la selección esté a cargo de una organización profesional que responda en el caso de que el alumno se sienta inadaptado. Si se da una buena comunicación, la experiencia del curso es aún más interesante y provechosa.

Pasar un año fuera de casa, convivir con otra cultura y aprovechar el curso es una experiencia compartida cada vez por más estudiantes españoles. Infórmate bien para que resulte perfecta.

Planificar con tiempo
Pasar un año fuera de casa no es una decisión que pueda tomarse en el último momento. El periodo ideal para preparar un curso en el extranjero es de dos años y la matrícula suele admitirse hasta el mes de abril anterior al inicio del curso. Esto permite meditar bien la idea, ''entrenarse'' acudiendo a cursos de verano e informarse sobre las costumbres que encontrará allí. La edad ideal para realizar un curso fuera de casa depende del país elegido y del régimen escogido para vivir allí. Si se opta por un país europeo y en régimen cerrado, en Residencia o Colegio Mayor, lo mejor es hacerlo cuanto antes, mientras el niño comienza la enseñanza secundaria. Si se escoge Estados Unidos o Canadá en régimen de familias anfitrionas, será preferible que los chicos sean algo mayores, tengan cierta madurez y responsabilidad. ∎

A Lee la primera parte de este artículo, hasta "interesante y provechosa". Luego escribe un resumen de unas 150 palabras en español.

B **V** Traduce al inglés desde "Pasar un año fuera de casa" hasta "comienza la enseñanza secundaria".

C Completa la tabla con los sustantivos, verbos y adjetivos que faltan.

Sustantivo	Verbo	Adjetivo
(1)	**(2)**	provechoso
recomendación	**(3)**	**(4)**
(5)	mejorar	**(6)**
(7)	**(8)**	elegido
creencia	**(9)**	**(10)**
(11)	perfeccionar	**(12)**
(13)	**(14)**	fácil
madurez	**(15)**	**(16)**

EJERCICIOS *de* CONSOLIDACIÓN

Lee: 2.11 Una experiencia inolvidable

Estudia: *Grammar Section 5.4.1: Present subjunctive*

Haz

Los siguientes verbos aparecen en el texto. Completa la tabla.

	IR	ACEPTAR	TENER	SENTIR
Yo	vaya		tenga	
Tú		aceptes		sientas
El/ella/Vd.	vaya			sienta
Nosotros	vayamos		tengamos	
Vosotros		aceptéis		
Ellos/ellas/Vds.	vayan	acepten	tengan	

D *¡Tu turno!*

¿Y a ti? ¿Te gusta la idea de estudiar en el extranjero? ¿Por qué (no)? ¿Qué método escogerías?

Graba tus opiniones en una cinta para tus compañeros de clase. A continuación, intercambia cintas con tu compañero/a, escucha su cinta sin pararla y toma notas en español de lo que él/ella ha dicho. Una vez hayas terminado, cuéntale lo que ha dicho – él/ella te corregirá en caso necesario.

EJERCICIOS *de* CONSOLIDACIÓN

Lee: 2.11 Una experiencia inolvidable

Estudia: *Grammar Section 5.4: Es ... que+ subjunctive*

Haz

Te damos el principio de seis frases y el verbo a utilizar. También te ayudamos con unas sugerencias, entre paréntesis, para completar las frases. El resto es tu responsabilidad. ¡Si te ves capaz de escribir más frases, no te cortes!

Ejemplo: Es normal que + independizarse (de sus padres).

Es normal que los jóvenes se independicen de sus padres.

1 Es normal que + tener (inquietudes)
2 No es fácil que + aceptar (los profesores/un mal comportamiento en clase).
3 Es importante que + conocer (los niños/las reglas).
4 Es conveniente que + aprender (los estudiantes/idiomas extranjeros).
5 No es deseable que + ir (un chico muy joven/solo al extranjero).
6 Es preferible que + encargarse (una organización/los trámites de inscripción).

2.12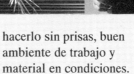

Estudiar para encontrar trabajo

Estudiar oposiciones puede ser una buena preparación para conseguir
un trabajo. Pero aprobar no es fácil.

Durante el año pasado se ofertaron sólo en el ámbito de la administración estatal casi 14.000 plazas de trabajo. La selección de este personal se realiza mediante el sistema de oposiciones. El número de plazas es importante pero bastante inferior al convocado en anteriores años. Todos los ciudadanos españoles que reúnan los requisitos de la convocatoria pueden participar en igualdad de condiciones.

¿PARA QUÉ UNA ACADEMIA?

Un examen-oposición es competencia pura, así que el esfuerzo y mérito de aprobarlo son del alumno. No hay que desanimarse ante el número de participantes, pues se estima que sólo el 40% está realmente preparado. Si te presentas por primera vez tienes que mentalizarte de que no es un regalo y de que te exigirá concentración y un buen número de horas. Hay

PREPARACIÓN DE OPOSICIONES

Sólo el 40% de los opositores está realmente preparado

que prepararse en serio.

Una academia te ayudará a seguir un ritmo de estudios, ejercitarte con tests, solucionar dudas de los temarios y mejorar tus habilidades en materias como informática o mecanografía. Si dedicas de 4 a 6 horas semanales puedes estar preparado/a en 7 ó 9 meses.

EN CASA

Muchas personas se preparan en sus casas con éxito. Es básico un buen plan de estudios y disciplina férrea para seguirlo, tiempo para

hacerlo sin prisas, buen ambiente de trabajo y material en condiciones.

PREPARADORES

Algunas oposiciones de larga preparación – de 2 a 3 años para plazas de Categoría A – Licenciados, Cuerpos Superiores de la Administración – suelen prepararse con la ayuda de un preparador o tutor, que

impone la disciplina y el ritmo de estudio y aconseja al opositor sobre su preparación. Puede contratarse privadamente y contactar con él a través de la propia Administración o de una academia especializada. Esta preparación es común en oposiciones a Magistratura, Notarías, Registradores e Inspección de Hacienda. ■

A Después de leer este artículo, contesta a las siguientes preguntas.

1 Escribe en español con tus propias palabras y sin copiar del texto a qué se refieren las siguientes cifras.
   a 14.000
   b 40%
   c 4 a 6 horas
   d 7 o 9 meses
   e 2 a 3 años

2 Explica lo que son *las oposiciones*.

B En el texto, ¿cómo se dice ...?

1 by means of
2 somewhat lower
3 who fulfil the requirements
4 there is no reason to be discouraged
5 you have to come to terms with
6 prove yourself
7 you must have
8 do it without rushing
9 which take a long time to study for
10 the candidate

2.13

La gente no es siempre lo que parece

Puede que sea difícil de creer, pero tus profesores de verdad quieren que saques buenas notas.

Les tenía horror a mis maestros

Loretta es una chica mejicana. De pequeña era una niña tímida e insegura. En la escuela trataba de sentarse siempre en la última fila, pues no le gustaba estar cerca de los profesores. El peor de todos era el profe de química, que se ponía a dar gritos escalofriantes cada vez que un alumno hacía un error en clase. Un día el profesor dijo a los alumnos que tenían que hacer un trabajo muy importante. Loretta y su amiga Carola decidieron ponerse a estudiar para no fallar, pero durante la clase siguiente Loretta tuvo que hacer unas fórmulas en la pizarra. Esta es su historia:

Las manos me temblaban, el corazón parecía un caballo desbocado ... Empecé a escribir la fórmula de los elementos químicos, pero llegué a la mitad. Estaba asustada y no podía concentrarme en lo que hacía.

"¿Ven que tengo razón en lo que les digo? Ustedes no estudian. Quieren aprobar la clase sin esfuerzo, sólo les interesa disfrutar de la vida", decía una y otra vez. "Por eso, estoy seguro de que pocos aprobarán mi clase. Y tú, Loretta López, trata de estudiar más y de entregar un buen trabajo. Esta es tu oportunidad para subir la nota. Les recuerdo que hoy es viernes y que la fecha de entrega es el próximo lunes ... ¡ni un día más!"

Me fui a sentar ... roja y pálida a la vez, pues me sentía avergonzada.

"Debo hacer el mejor trabajo de la clase, Carola", le dije en voz baja. "Tengo que aprobar la asignatura, para perder de vista a ese tipo tan pesado. ¡Lo detesto con toda mi alma!"

Esa noche salí a comer con Jaime, mi novio. Estaba muy serio.

"Loretta, yo ...", me dijo cuando estábamos comiendo el postre. "Lo siento, pero creo que no te quiero lo suficiente para continuar juntos".

El mundo se hundió bajo mis pies. Yo estaba enamoradísima de Jaime y pensé que sin él la vida no tenía sentido para mí. Pero como soy bastante orgullosa, acepté el golpe sin demostrar mucho dolor. Eso sí, cuando llegué a mi casa, me derrumbé.

"¿Qué te pasa, Lore?", me preguntó mi hermana asustada, cuando me oyó llorar amargamente.

"Es que hoy ha sido el peor día de mi vida", le expliqué entre lágrimas. "Por la tarde el profe de química me dio un ultimátum, y por la noche mi novio me dio el pasaporte. Me dejó y yo lo amo. Me siento muy desdichada".

"No seas tonta", me dijo abrazándome para consolarme, después de que yo le hube contado lo que había sucedido. "Todo en la vida pasa, y dentro de poco ya ni te acordarás de Jaime. En cuanto a tu profe, lo que tienes que hacer es un trabajo de película, para subir la nota y ya".

Era fácil decirlo, pero en las circunstancias tristes que yo estaba atravesando, sólo quería morir. Lo que menos me importaba era la clase de química y ese super-pesado del profesor.

"Quiero hablar contigo, Loretta. ¿Puedes ir a mi oficina después?"

No respondí. ¿Para qué? Sabía que iba a decirme que no le había entregado el trabajo, pero en el estado de depresión en que yo estaba, nada me importaba.

Cuando entré, él estaba sentado detrás de su escritorio y me miró fijamente. Después me dijo:

"Fuiste la única alumna de la clase que no entregó el trabajo, y quiero saber por qué", me dijo con un tono de voz suave. "Me parece que te pasa algo, pues estás triste, ausente ... y eso no es normal en ti".

No sé qué me pasó. Los ojos se me llenaron de lágrimas y le confesé que el viernes había terminado con mi novio.

"Comprendo tu situación, pues eso es muy duro para una chica, pero no debes desesperarte. ¿Sabes? Voy a darte unos días más para que entregues esa tarea. No acostumbro a hacer este tipo de concesiones, pero lo que te ha sucedido es un caso especial y yo quiero ayudarte. ¿Entendido?

¡No podía creerlo! ¡El "profe" comprendía el problema amoroso de una alumna! En ese momento me di cuenta de que los maestros no son unos ogros. Son seres humanos que deben imponer su autoridad, su disciplina ... pero que también tienen corazón. ∎

A Estas frases pueden encabezar varias partes del texto. ¿Las puedes poner en el orden correcto?

1 El enfado del maestro
2 Palabras de consuelo
3 Una noticia fatal
4 Una cita con el "profe"
5 Mucho miedo
6 Catástrofe doble
7 Deseo de superar
8 Simpatía inesperada

B Tienes que poner una palabra en cada espacio en blanco de manera que la segunda frase signifique lo mismo que la primera.

Ejemplo: Llegué a la mitad = No *podía* escribir la fórmula *completa*.

1 Estoy seguro de que pocos aprobarán mi clase =
___ que la ___ de ustedes no tendrá ___ en los exámenes.
2 Sin él la vida no tenía sentido para mí =
Si no ___ a Jaime, no podía ___.
3 Como soy bastante orgullosa, acepté el golpe sin demostrar mucho dolor =
Porque tengo bastante ___, acepté lo que ___ y no le dejé ver que me ___.
4 Dentro de poco ya no te acordarás de Jaime =
___ te habrás ___ de Jaime.
5 Fuiste la única alumna de la clase que no entregó el trabajo =
___ los otros alumnos ya me han ___ el trabajo.
6 Los ojos se me llenaron de lágrimas =
___ que iba a ___.

C *Cara a cara*

Persona A: Eres profesor(a). Un alumno/una alumna no te ha entregado sus deberes a tiempo, y no es la primera vez. Estás harto/a de su pereza y decides reñirle/la.
Persona B: Eres el alumno/la alumna. Admites tu pereza, pero esta vez no ha sido tu culpa. Explica al profesor/a la profesora lo que te ha pasado y la razón por la cual no has podido hacer la tarea.

2.14

Ejercicios de repaso

A [V] Quieres ir a estudiar a un país donde se habla español y has recibido este formulario. Rellénalo.

Nombre: _____ Apellido: _____
Fecha de nacimiento: _____ Edad: _____
Nacionalidad: _____
Lugar de nacimiento: _____
Estado civil: _____
Nivel de conocimiento del castellano:
      alto
      mediano
      bajo
Clase de alojamiento preferido: _____
Duración del curso solicitado: _____ semanas
Fechas: desde _____ hasta _____
Por favor, infórmenos por escrito sobre cualquier requisito especial (necesidades dietarias, alergías, condiciones médicas, etcétera) y sus intereses. Indique también en cuál de nuestros centros preferiría realizar el curso y por qué.

B [V] Escribe la carta solicitada en el formulario. No olvides empezarla y terminarla de la forma correcta.

Unidad **3**

Guía del ocio

Una buena educación puede que sea importante, pero no es la única cosa en el mundo. Ahora damos un vistazo a las distintas maneras en que la gente disfruta de su tiempo libre.

3.1

Gastar dinero – ¿el pasatiempo preferido?

Los niños necesitan descansar y poder hacer lo que les gusta. Pero … ¿cuánto cuestan sus hobbys?

gasto y ahorro	*spending and saving*
caer la baba	*to drool*
la pandilla	*group of friends, gang*

Los niños LOCOS por el dinero

Luis, como muchos niños de su generación, está obsesionado por el dinero: lo que cuestan las cosas y lo rica que es la gente. Cree que el precio de un juguete es directamente proporcional a su atractivo.

Es difícil tomar una postura frente a un materialismo tan descarado sin convertirse en un aguafiestas total. Pero la aceptación de que la cartera de papá dista mucho de ser el cuerno de la abundancia siempre ha sido una lección fundamental de la infancia. Entender que la familia puede gastarse una cantidad de dinero determinada en las necesidades básicas del hogar, y que solamente le sobra un poquito para gastar en lujos, es parte del proceso por el cual un niño aprende a aceptar su posición dentro de la sociedad.

La actitud de los padres respecto al gasto y al ahorro influye decisivamente en el concepto que los hijos tengan del dinero. La madre de Luis admite que gastar dinero es uno de sus pasatiempos favoritos. "No puedo pretender", dice, "que a mis niños no se les caiga la baba con los catálogos de juguetes si yo me paso horas embobada mirando escaparates." Sin embargo, su amiga Encarna nunca ha comprado por placer y, por tanto, anima a sus cuatro hijos a considerar si realmente necesitan o quieren algo y para qué van a utilizarlo.

No obstante, para todos los padres, el mayor enemigo en la batalla contra el consumo juvenil es la presión de los compañeros de clase. "La amistad se valora en parte con arreglo a las posesiones", dice Encarna. "Si no tienes la última novedad de la semana, te quedas marginado respecto a la pandilla." ■

A Estas frases forman un resumen del texto. ¿Las puedes poner en orden?

1 Los niños deben aprender que sus padres no pueden comprarles todo lo que quieren.

2 Los amigos tienen mucha influencia en los gustos de los niños.

3 Los hijos aprenden de sus padres sus actitudes hacia el dinero.

4 Los padres tienen que gastar la mayor parte de su dinero en cosas imprescindibles.

5 Muchos niños creen que los juguetes más caros son los mejores.

B En el texto, ¿cómo se dice...?

1 a killjoy
2 is far from being
3 the horn of plenty
4 I can't claim they aren't thrilled
5 I spend hours gaping
6 therefore

C *Cara a cara*

Persona A: Eres el padre/la madre de un niño/una niña que quiere 'la última novedad de la semana'. Explícale por qué no se la vas a comprar: es demasiado cara, no la va a utilizar, etcétera. Intenta llegar a un compromiso.

Persona B: Eres el hijo/la hija. Quieres una cosa que tiene tu mejor amigo/amiga. Te parece que tu padre/madre es muy tacaño/a. Intenta convencerle/la de que lo necesitas de verdad.

3.2

¿Vamos de tapas?

Escucha a Pilar contándonos lo que le gusta hacer en su tiempo libre.

A Escucha con atención. Pilar habla de varias tapas. Aquí tienes una lista de ellas, y de otras. ¿Cuáles menciona Pilar y cuáles no?

		Sí	*No*
1	almendras		
2	mejillones		
3	berberechos		
4	calamares		
5	tortilla de patatas		
6	albóndigas		
7	olivas		
8	jamón serrano		
9	queso		
10	chorizo		
11	boquerones		
12	ensaladilla rusa		
13	croquetas		

B Escucha a Pilar otra vez. ¿Cómo se dice...?

1 an amusement park
2 I love
3 in fact
4 small chunks
5 it's all washed down with
6 we go and watch

3.3 ⬦⬦⬦

Una tarde en casa

Ver la televisión resulta siempre un modo fácil, barato y entretenido de pasar el tiempo. Las telenovelas sobre todo son muy populares.

Marielena no sabe que Luis Felipe está casado

QUÉ ESTÁ PASANDO

Carmela, a punto de dar a luz, toma la decisión de huir junto a su marido de Cuba, pues la policía los está buscando para apresarlos. En una barcaza, en medio de la noche, perseguidos por los disparos, se oye el llanto de una criatura. Carmela ha logrado huir, y en la fuga ha parido a su primera hija, Marielena.

Transcurridos varios años, se ve a la niña convertida en una preciosa jovencita. Ella, junto a sus hermanos, han sobrevivido gracias a los esfuerzos y a la fe de su madre, una mujer de convicciones muy estrictas. Yoli, la hermana pequeña de Marielena, está a punto de casarse, y en la recepción de su boda le ofrecen a Marielena un puesto de trabajo en una importante agencia de publicidad.

MARIELENA TRABAJA SIN DESCANSO

Marielena está encantada, pues piensa que con el dinero podrá ayudar a su hermano Quique a estudiar Medicina.

Las pruebas de selección son un desastre, y su futuro jefe, Luis Felipe, un hombre muy atractivo y exigente, considera conveniente no contratarla. Pero Marielena, una mujer de carácter, no se amilana, y antes de salir se enfrenta a Luis Felipe y le acusa de no tener compasión hacia una persona sin experiencia. El joven, admirado por su valentía, decide contratarla.

Secretaria y jefe comienzan a trabajar sin descanso, y poco a poco va surgiendo entre ellos una peligrosa atracción. Marielena se siente feliz, pues aún no sabe que Luis Felipe está casado.

Claudia, la mujer de Luis Felipe, se encuentra en el extranjero recuperándose de una operación de cirugía estética. ■

A Estas frases forman un resumen del texto que acabas de leer, pero las primeras mitades no se corresponden con las segundas. ¿Puedes unirlas de nuevo?

1 Marielena nace …	a … unos años más tarde.
2 La volvemos a ver …	b … sin cesar.
3 Recibe una oferta de empleo …	c … al darse cuenta de su determinación.
4 Pero se decepciona …	d … que él no está soltero.
5 Su futuro jefe cambia de opinión …	e … en una clínica extranjera.
6 Los dos trabajan …	f … poco antes de la boda de su hermana menor.
7 Ella aún no sabe …	g … cuando sus padres escapan de Cuba.
8 Su esposa se ha operado …	h … tras ser entrevistada para el puesto.

B *¡Tu turno!* V

¿Qué opinas tú de las telenovelas? ¿Para qué tipo de público son? ¿Te gustan o te parecen una pérdida de tiempo? ¿Por qué? ¿En qué ocasiones las ves? Habla con tus compañeros de clase y escribe un resumen en español de unas 120 palabras sobre lo que hayáis dicho.

C

Ya sabes lo que ha pasado en la vida de Marielena hasta ahora, pero … ¿qué le va a pasar en el futuro? Aquí tienes un resumen del próximo capítulo. Pon la palabra adecuada de la lista en cada uno de los espacios en blanco. No vas a necesitar todas las palabras.

Carlos, el hermano de Claudia, alerta a **(1)** ___ de que Luis Felipe ha contratado a una **(2)** ___ secretaria bellísima. Claudia regresa de inmediato a su país, y desde que ve a Marielena los **(3)** ___ la torturan. Vigila sin **(4)** ___ a su marido y secretaria, pues sospecha que **(5)** ___ amantes. Pero, a pesar de que están muy unidos, su **(6)** ___ sigue siendo de jefe y empleada. Sin embargo, Marielena se **(7)** ___ cada día más atraída por Luis Felipe y acaba confesando a Yoli que está enamorada **(8)** ___ él. Yoli, mientras tanto, descubre que su **(9)** ___ no es lo que ella pensaba y teme que su marido esté metido en algún negocio **(10)** ___ legal.

boda	muy
celos	nueva
cielos	otra
con	poco
de	relación
descansar	relato
descanso	sienta
ésta	siente
está	son
matrimonio	tienen

EJERCICIOS *de* CONSOLIDACIÓN

 Lee: 3.3 Una tarde en casa

 Estudia: *Grammar Section 6.1.1: Verbs that take 'a'*

 Haz

1 Traduce las siguientes frases al inglés:
   (a) Vemos a la niña convertida en una preciosa joven.
   (b) En una boda, le ofrecen a Marielena un puesto de trabajo en una agencia de publicidad.
   (c) Ella quiere ayudar a su hermano Quique.
   (d) Marielena se enfrenta a Luis Felipe.

2 Ahora, escribe diez frases en español que describan el argumento de una o de varias telenovelas que tú conozcas, utilizando los verbos que siguen a continuación:

conocer a
ayudar a
encontrar a
amar a
descubrir a
ver a
abrazar (o besar) a
llamar a
odiar a

3.4

Males ajenos

Se supone que las telenovelas imitan la vida real - pero,
¿debería la vida real imitar las telenovelas?

¿Por qué tienen tanto éxito los 'reality shows'?

Su éxito ha sido sorprendente y, en la mayoría de los casos, los índices de audiencia de las principales cadenas televisivas del país se han disparado. No todos son iguales, pero la fórmula que explotan forma parte de la misma base: hacer del dominio público hasta las parcelas más íntimas de algunos ciudadanos, en la mayoría de los casos con bastantes problemas. El morbo está servido en bandeja de plata para tres, cuatro, cinco, seis e incluso hasta siete millones de espectadores, como ocurrió el día en que cierta despechada ex de un conde italiano se despachó a gusto contra la nueva amante de su ex. Al día siguiente no había español que no hablase o pidiese información sobre el tema. Alimentar nuestro morbo y

jugar con él es la fórmula de su éxito. El cohete de salida lo lanzó Nieves Herrero cuando, en directo desde Alcácer, nos mostró a los familiares y vecinos del pueblo de las niñas brutalmente asesinadas. El programa dirigido y presentado por Paco Lobatón, *¿Quién sabe dónde?*, procura tratar los temas con bastante sensibilidad, aunque cae frecuentemente en la sensiblería.

Olvidamos nuestros problemas al ver los de los demás

Los españoles invertimos un promedio de tres horas y cuarto al día en ver la televisión, y la mayor parte la dedicamos a este tipo de programas. ¿Por qué nos gusta ver esa procesión de víctimas y verdugos desfilando ante nuestros ojos? Pues bien, entre las razones que podemos encontrar podríamos enumerar éstas:

• Son una forma de olvidar nuestros verdaderos problemas. Al interesarnos por la vida de personas a las que ni siquiera conocemos, nuestra propia vida pasa durante un rato a un segundo plano.
• Alimentan la necesidad de conocer males ajenos para tener temas de los que hablar. Antes de existir los medios de comunicación de masas era mucho más frecuente *cotillear* sobre la vida y milagros de los vecinos y familiares. Ahora, cada vez tenemos menos oportunidades de hacerlo; pero, gracias a la televisión tenemos información de primera mano sobre todo tipo de desastres. Últimamente han pasado al primer plano otros *reality shows* más tiernos que tienen al amor como protagonista, y cuyo contenido se basa en manifestaciones de amor en vivo y en directo ... éstos alimentan nuestro romanticismo además de nuestra curiosidad. ■

morbo	*unhealthy curiosity about other people's lives, secrets, etc.*
despechado	*spiteful*
el cohete de salida	*starting point*
la sensibilidad	*sensitivity*
la sensiblería	*sentimentality*
promedio	*average*
cotillear	*to gossip*
la vida y milagros	*'the life and wonders' – details about someone's life (public and intimate)*
en vivo y en directo	*live*

A Lee el texto y contesta a estas preguntas:

1 ¿Cuáles son los temas principales de estos programas?
2 ¿Por qué tienen tanto éxito?

B Con la ayuda del artículo, traduce el texto siguiente al español.

Most Spaniards spend an average of three and a quarter hours a day watching television. Viewers devote most of this time to 'reality shows', which recently have been very successful. These programmes feed our need to know about other people's lives and, by interesting us in their problems, help us to put our own lives into the background.

EJERCICIOS *de* CONSOLIDACIÓN

 Lee: 3.4 Males ajenos

 Estudia: *Grammar Section 5.3.6: Perfect; 5.3.3: Preterite*

 Haz

En el siguiente texto, donde una mujer nos habla sobre la influencia de un 'reality show' en la vida de un amigo, los espacios correspondientes a los verbos están por rellenar. Completa el texto.

Su vida [(**1**) cambiar] por completo desde que [(**2**) salir] en la tele. Sus amigos [(**3**) distanciarse] mucho, e incluso algunos [(**4**) romper] toda relación inmediatamente después de su aparición en el programa. La razón principal es que no creen que sea alguien en quien confiar. Incluso su mujer, de la que está separado, [(**5**) decidir], después de mucho pensárselo, restringirle el acceso a su hijo pequeño. Él [(**6**) ofrecerse] a aparecer en el programa porque creía así obtener la atención y comprensión de su familia, pero desde ese día fatídico, no [(**7**) tener] noticias de ellos.

3.5

¿Ves mucho la televisión?

Escucha la opinión de Isabel sobre la televisión.

A Escucha con atención y rellena los espacios en blanco. (No necesitas escribir frases completas.)

1	Cuánto ve la televisión.	
2	Cuándo la ve.	
3	Lo que le gusta ver (x3).	
4	Lo que no le gusta ver.	
5	Lo que hace cuando no la ve (x2).	

B Aquí tienes el texto de lo que dice Isabel. Escúchala otra vez y completa los espacios con las palabras que faltan.

Oh, bueno, yo soy una auténtica forofa de los programas **(1)** ___: de los telediarios, de los programas centrados en algún **(2)** ___ de actualidad, er ... de todo tipo de documentales. También veo las noticias **(3)** ___ con los deportes; también todo tipo de deportes: baloncesto, fútbol ... er ... , natación. Y las tertulias también me gustan, **(4)** ___ las - las que son de tema político, que son bastante **(5)** ___, a veces. Pero sí, las veo. Pero lo que no **(6)** ___ son estos programas importados, americanos, de bajísima calidad llamados ... en España los llaman 'reality shows' y alguna gente los **(7)** ___ *telebasura*. Y están basados en una curiosidad morbosa **(8)** ___ los problemas o las tragedias de la gente. Er ... gente va allí y explica los problemas que tienen. Pero, si te digo la verdad, muchas veces me **(9)** ___ un buen libro y escucho una buena **(10)** ___ de clásica, de música clásica.

3.6

Una gran afición

Isabel nos ha dicho que le gusta la música clásica. Margarita nos habla ahora sobre la ópera, que es para ella casi una obsesión.

el forofo	fan
la hemeroteca	newspaper and magazine archive

«LA OPERA ES ABSORBENTE»

Hace ya más de 15 años que Margarita Alvarez, una joven arquitecta, descubrió su pasión por la música. «En mi familia siempre ha existido afición musical. De hecho, cuando tenía 11 años, mis padres me regalaron mis primeros discos de música clásica. Años más tarde asistí con mi padre a la primera representación operística». Fue a finales de los setenta cuando Margarita, aún estudiante, comenzó a asistir asiduamente a los conciertos del Teatro Real de Madrid. «Desde el primer concierto me sentí tan impresionada que decidí aprender todo lo que pudiera sobre ese mundo. Pasaba tardes enteras en la Hemeroteca consultando antiguas revistas musicales.

«Las primeras veces asistía sola, pero con el tiempo conocí a los que desde entonces se convirtieron en mis únicos amigos: otros forofos». Su gran afición le llevó a concentrar todo su tiempo libre en la música, llevándole incluso a viajar al extranjero tan sólo para asistir a una representación de ópera.

Cuando empezó a trabajar tuvo que dejar un poco de lado su afición. «Ya nada es como antes porque no tengo tiempo, pero si Teresa Berganza canta una ópera, hago lo imposible por verla». ∎

A ¿Puedes poner una palabra adecuada en cada espacio de acuerdo con el artículo?

1 Cuando era joven, Margarita descubrió que tenía verdadera ___ por la música.
2 A toda su familia le ___ la música.
3 A la ___ de once años, sus padres le dieron unos discos como ___.
4 Algunos años más tarde, asistió a una ópera por primera ___.
5 Después, ___ aprender todo lo que pudiera sobre la ópera.
6 Pasaba mucho ___ consultando revistas musicales.
7 ___ sus amigos son forofos de la ópera.
8 Fue a otro ___ para asistir a una representación de ópera.
9 No ha tenido tanto tiempo para su afición ___ que empezó a trabajar.

B *¡Tu turno!*

¿A ti te gusta la ópera? ¿o los musicales? ¿Por qué (no)? Escribe unas 50 palabras explicando tus razones.

C Ahora completa cada espacio en blanco del texto siguiente con una palabra de la lista. ¡Cuidado! Hay algunas que no vas a necesitar.

«Si **(1)** ___ tus amigos son también grandes aficionados **(2)** ___ la ópera, ésta puede llegar a **(3)** ___ un tema muy **(4)** ___. He conocido gente muy diversa, algunos auténticos fanáticos un poco **(5)** ___, otros auténticos **(6)** ___ y en su mayoría todos muy interesantes.»

a	especialistas
absorbente	locos
absorbiendo	ser
de	tener
especiales	tímidos

EJERCICIOS *de* CONSOLIDACIÓN

 Lee: 3.6 Una gran afición

 Estudia: *Grammar Section 6.1:* desde, desde hace, hace...

 Haz

Traduce al español las frases que siguen a continuación. La lista al final te servirá de ayuda.

1 I loved music school from day one.
2 It's been more than ten years since I last went to the opera.
3 From the very first moment, I was captivated by the young singer's voice.
4 I haven't played for a long time.
5 I've been fond of music since I was a child.
6 Years ago, I went to a concert by Montserrat Caballé.
7 When I was fifteen, my father gave me his collection of old records.
8 I do not have time for music anymore. Nothing is like it used to be.

... desde el (primer) ...
En los años ochenta...
Hace.... desde que...
Desde hace mucho...
Años atrás...
Desde pequeño...
... como antes
... la última vez
Cuando tenía X años...
...ya...
desde que...
En la década de...

3.7

Tortura musical

Sin embargo, hay gente que no comparte las opiniones de Margarita.

No soporto la música

He terminado por admitirlo: soy un bicho raro. Particularmente raro, quiero decir. Rarísimo: no soporto la música. Comprendo que hay muchos tipos de música y que cuando alguien dice que adora la música (lo dice todo el mundo) en realidad se refiere a una música determinada y siempre acaba por confesar incomprensión o rechazo hacia otro tipo de música. Hay quienes adoran la música sinfónica y detestan el rock, y *viceversa.* Cualquiera de ellos dirá que le gusta muchísimo la música. Lo mío, sin embargo, es más grave y singular: la música que no me bloquea me aburre, o me estorba, o me saca de quicio. Ahora mismo, mi vecino tiene puesto a todo trapo *Carmina Burana* y estoy a punto de cometer un disparate.

Durante años, me ha dado una vergüenza espantosa confesar que la música y yo somos incompatibles. En contadas ocasiones, en situaciones muy íntimas, tuve la debilidad de revelar mi pecado y la otra persona siempre consiguió que me sintiera como un monstruo de insensibilidad. Y, sin embargo, soy un ciudadano medianamente culto, me gasto al mes una fortuna en libros, aprecio el cine delicado y misterioso, visito con frecuencia museos y exposiciones, me emociono con facilidad y me esfuerzo por ser cordial y solidario. Pero con la música no puedo. Lo único que me reconciliaría un poco con ella sería encontrar alguna música capaz de torturar a mi vecino como él ahora me tortura a mí con su *Carmina Burana* a todo trapo. ■

A Lee las opiniones de Eduardo sobre la música y contesta a las preguntas que siguen.

1 ¿Por qué se considera rarísimo?
2 ¿Cómo reaccionan sus amigos al descubrir su secreto?
3 ¿Cómo suele pasar su tiempo libre?

B ¿Cómo dice Eduardo las siguientes frases y palabras?

1 una persona extraña
2 aversión
3 en cuanto a mí
4 me irrita
5 a un volumen muy alto
6 pocas veces
7 simpático

3.8

Mi deporte favorito

Si estas actividades no son lo suficientemente movidas para ti, siempre puedes practicar un deporte.

A Escucha lo que dice Iván, un chico colombiano, sobre sus recuerdos de niñez y luego completa las frases siguientes.

1 El primer deporte que …
2 Los fines de semana …
3 Lo empezó a jugar cuando …
4 No ha sido miembro de un equipo desde …
5 Le era muy difícil …
6 No obstante, sigue …

B Traduce estas frases al español. La cinta puede ayudarte.

1 When Iván was studying at university, his football team won several championships.
2 He found it difficult to run because he was overweight.
3 Nowadays he plays football and also rugby.

3.9

Un juego para todos

En la actualidad, el interés de las mujeres por el fútbol va más y más en aumento.

el árbitro	*referee*
soberanamente	*supremely*
montar un lío	*to make a mess of*

«EL ESTADIO BULLE»

Mónica Luengo es una de las pocas mujeres valientes que se reconoce adicta al fútbol. «Me fue gustando poco a poco, aunque siempre me han apasionado los deportes. Lo que sí digo con total sinceridad es que para que te guste el fútbol hay que saber de fútbol, y más si eres mujer, porque los hombres no suelen respetar nuestras opiniones. Si no sabes lo que es un penalti, difícilmente vas a poder discutir con tus amigos si el árbitro ha estado acertado o no, y éste es uno de los motivos por los que hay mujeres de forofos que se aburren soberanamente viendo un partido». Los domingos no suele salir, y mucho menos si hay partido del Real Madrid: «La verdad es que, aunque parezca ilógico, mi afición es por el Real Madrid, no por el fútbol. Me gusta estar al tanto de la Liga porque de cómo vayan los demás depende también que gane mi propio equipo.»

Esta afición ilógica, como ella misma la llama, le llevó a pasar uno de los peores momentos de su vida. «Fue el año pasado, la famosa última jornada de Liga. Cuando acabó el partido con el Tenerife creía que me moría, fundamentalmente porque esto suponía que el Madrid perdía la Liga ¡y que la ganaba el Barcelona! Las dos peores cosas que le pueden pasar a un buen aficionado del Real Madrid. Esa noche no quería saber absolutamente nada del mundo, decidí meterme en el cine para no tener que soportar que mi mejor amiga, que es aficionada del Barça, me llamara por teléfono».

Reconoce que lo que más le emociona es ir al campo porque «el estadio bulle, no se siente una sensación así en ninguna otra parte, la solidaridad con los de tu equipo es impresionante y descargas todas las tensiones que has vivido durante la semana. Esto lleva a algunos, sobre todo a los más jóvenes, a comportarse de una forma violenta en las gradas, aunque la verdad es que son pocos ... pero montan tanto lío que acaba pareciendo que todos los aficionados al fútbol somos unos exaltados fanáticos que montamos bronca por cualquier motivo. El problema no está en tener una gran afición por este deporte, sino en no saber controlarse. Yo simplemente he encontrado en el fútbol una buena razón para divertirme». ■

...el fútbol

A Lee la opinión de Mónica sobre el fútbol. ¿Expresa o no las siguientes ideas? Si no, ¿qué es lo que dice?

1 A Mónica siempre le ha gustado el fútbol.
2 Una mujer tiene que saber mucho de fútbol para ganarse el respeto de los hombres.
3 Muchas mujeres no entienden de fútbol.
4 Sólo sale los domingos si hay partido del Real Madrid.
5 Su afición siempre le ha proporcionado mucha satisfacción.
6 Una vez se escondió de su mejor amiga.
7 Lo que más le gusta es el ambiente especial del estadio.
8 Cree que los aficionados al fútbol son todos violentos.

B Antes de escribir este artículo, el periodista tuvo que hacer a Mónica muchas preguntas. Ahora es tu turno. Tus preguntas deben ser lo más variadas posible.

¿qué?	¿por qué?
¿cómo?	¿dónde?
¿cuándo?	¿quién?

C ¿Puedes traducir el siguiente texto al español? El artículo original te ayudará.

"One has to admit that, in Spain, there are not many women who understand football," says Mónica's friend. "I usually go to the stadium when I want to get rid of tension. I am not a football fanatic, but I like to sit in the stands with the young Barça fans. When my team won the league, I phoned Mónica but she had gone out. I think that she didn't want to speak to me."

EJERCICIOS _de_ CONSOLIDACIÓN

 Lee: 3.9 Un juego para todos

 Estudia: _Grammar Section 6.2:_ Pero _and_ sino

 Haz

Completa estas frases con 'pero', 'sino' o 'sino que'.

1 No es que a las mujeres no nos guste el fútbol, ___ la mayoría no conocemos las reglas del juego.
2 No voy muy a menudo al fútbol, ___ cuando voy me lo paso muy bien.
3 Mi pasión no es por el fútbol en sí, ___ por el Real Madrid.
4 Hay algunos que se comportan de forma violenta en el estadio, ___ son pocos.
5 No sé si mi afición por el fútbol es exagerada, ___ con ella no hago daño a nadie, ___, por el contrario, me divierto muchísimo.
6 Algunos de mis amigos no comprenden mi afición ___ la respetan.
7 Me desahogo de las tensiones de la vida cotidiana no en casa, ___ en las gradas.
8 Soy una entusiasta seguidora del Real Madrid, ___ ello no afecta a mi amistad con seguidores del Barcelona.

3.10

Un trabajo con marcha

Algunos no tienen bastante con ser espectadores de un deporte:
quieren participar e incluso ganarse la vida con su hobby.

Monitor de deportes de aventura

Si te gusta el deporte, la aventura y estás en buena forma física, ser monitor de aventura puede ser una interesante salida profesional.
La oferta de deportes de aventura es muy amplia:

1 El afán por subir montañas cada vez más altas es el principal atractivo de este deporte. Combina preparación física y equilibrio psíquico.
2 Se trata de trepar por paredes de roca completamente verticales. Existe una modalidad que se practica en "rocódromos" de paredes artificiales.
3 Descenso por cuevas y grutas. Es una actividad altamente peligrosa que requiere un perfecto conocimiento del medio en el que se practica.

4 Se salta desde un puente o una grúa cogido por los tobillos con cuerdas elásticas. Aquí el monitor debe verificar el estado del material que se utiliza en cada salto.
5 Vehículos todoterreno preparados para realizar recorridos por caminos de montaña. El instructor enseña las distintas técnicas de conducción.
6 Los monitores de esta especialidad enseñan cómo se mantiene el equilibrio encima de la moto y los trucos para maniobrar con seguridad.
7 La emoción está en bajar ríos de alta montaña, sorteando saltos de agua. Los monitores deben conocer los tramos del río por los que se desciende.

8 Los monitores de esta especialidad deben tener conocimientos de aeronáutica y ser titulados en esta especialidad.
9 Hay monitores que enseñan cómo pilotar estos pequeños aviones y que preparan alumnos para que puedan obtener la licencia necesaria para volar.
10 Además de conocer la técnica necesaria para montar, hay que saber cuáles son los cuidados que necesita un caballo.
11 Esta es una de las actividades más divertidas. Se trata de bajar por los cañones de ríos de alta montaña haciendo "rappel". ■

A Aquí tienes los nombres de once deportes. ¿Los puedes emparejar con su definición?

a Espeleología
b 4 x 4
c Descenso en barrancos
d Equitación
e Escalada deportiva
f Alpinismo
g Hidrospeed
h Motos de agua
i Puenting
j Ultra ligeros
k Vuelo sin motor

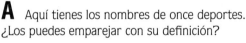

B *¡Tu turno!* **V**

Cada persona debe escoger uno (o más) de los deportes arriba mencionados y convencer a los demás del grupo de que su elección es la más divertida y emocionante.

3.11 📖

Esta es mi vida

Se necesita mucho coraje para practicar cualquiera de estos deportes, pero Álvaro
Delgado necesitó aún más cuando decidió aprender a jugar al tenis.

Primera parte

N ací hace 21 años en Madrid. Soy el menor de una familia de siete hermanos. Desde un principio, la vida se presentó para mí llena de limitaciones, mucho más complicada que la de cualquier otro recién nacido. Mi nombre es Álvaro Delgado, y sufro parálisis cerebral de nacimiento. Los médicos les aseguraron a mis padres que nunca podría ponerme de pie, que siempre estaría postrado en una silla de ruedas. Sin embargo, desde que tuve uso de razón, me rebelé contra esta posibilidad, intentando, por todos los medios, llevar una vida normal.

LUCHA DIARIA
Fuerza de voluntad y afán de superación han caracterizado todos estos años. Horas de rehabilitación, de lucha diaria,

¿Quién dijo imposible?
Una parálisis cerebral le ató a una silla de ruedas. Sin embargo, Álvaro ha marcado un «set» al destino, ganando así el «juego» de su vida.

de esperanzas y desilusiones. A los ocho años, me sometí a dos operaciones quirúrgicas, con el fin de mejorar mi estado general. Las predicciones no eran muy positivas: un cincuenta por ciento de posibilidades de conseguir una mejoría notable.
Poco a poco, lo fui consiguiendo. Ni que decir tiene el esfuerzo - físico y psicológico - que tenía que esgrimir para lograr superarme. Cada paso (nunca mejor dicho) era una batalla ganada. Aunque, todo hay que

decirlo, a cada una de ellas contribuyeron de forma decisiva mi familia y mis amigos, quienes con su apoyo moral y comprensión y, lo que es más importante, con su trato igualitario, me brindaron un apoyo decisivo. Sentirte uno más, cuando luchas por serlo, resulta fundamental. Los

resultados empezaron a dejarse notar. Conseguí, con gran dificultad, ponerme en pie y abandonar mi silla de ruedas. Así, se abrían multitud de posibilidades de las que hasta ese momento había carecido. Una de ellas, de máxima importancia para mí, era el deporte. ∎

A ¿Cómo dice Álvaro las siguientes frases y palabras?

1 el más joven
2 bebé
3 determinación
4 lentamente
5 logró
6 muchas

B ¿Puedes completar estas frases de acuerdo con lo que has leído sobre Álvaro?

1 Álvaro tiene ___ hermanos que ___ mayores que ___.
2 Desde ___ nacimiento ha ___ muchas limitaciones.
3 No ___ lo que le ___ los médicos.
4 A la ___ de ocho años se ___ a dos operaciones ___ mejorar su estado general.

3.12

Un futuro alentador

A pesar de todos los obstáculos, la historia de Álvaro concluye con un final lleno de esperanzas.

A Traduce este texto al inglés.

B Lo que sigue es el último párrafo de la historia de Álvaro, pero hay algunas palabras que faltan. ¿Puedes elegir la palabra adecuada de la lista para cada espacio en blanco?

Mi **(1)** ___ por el deporte, llega hasta **(2)** ___ punto que, como no pude estudiar Educación Física, **(3)** ___ por hacer Periodismo, al ser una carrera que **(4)** ___ estar también relacionada con actividades deportivas. Este año **(5)** ___ la carrera, ¡si no lo hago, mis padres me matan! Lo **(6)** ___ es el tenis, pero, quién sabe, a lo mejor **(7)** ___ de un tiempo estoy dedicado al **(8)** ___. Ahora, mi vida la llenan el deporte, mis estudios, mis amigos … **(9)** ___ siento uno más, y si tropiezo y me caigo soy el **(10)** ___ que se ríe.

acabé	mismo
acabo	opté
afición	periodismo
aficionado	periodista
dentro	primero
detrás	puede
lo	quiere
logré	tal
me	tan
mío	último

Segunda parte

Siempre me había apasionado jugar al tenis. Mi padre, que también es un gran aficionado, jugaba desde hacía años. Por eso, consciente de mi afición, me animó a practicarlo y así lo hice. Al principio, y aunque cueste creerlo, jugaba de rodillas. Entonces contaba con el apoyo incondicional de mi padre, quien me animaba diciendo que nunca había visto un jugador de tenis tan bueno que jugara de rodillas.

Lo que comenzó siendo una afición, y una buena forma de mejorar mi estado, se ha convertido con el tiempo en una pasión. Y, tras jugar como *amateur* durante cuatro años, cuando cumplí los diecinueve decidí tomármelo más en serio. Ahora, entreno tres horas diarias y, aún siendo consciente de la dificultad, mi sueño es ser capitán del equipo de Copa Davis. ∎

3.13

Ejercicios de repaso

A Escribe en 200 palabras en español la razón por la que te gusta tu deporte favorito.

B La actitud de los padres respecto al gasto y al ahorro influye en el concepto que los hijos adquieren del dinero. ¿Estás de acuerdo? Escribe tus opiniones en 200 palabras en español.

Animales: ¿adversarios o amigos?

4.1

Los animales y el mundo del trabajo

Desde tiempos remotos, los animales han jugado siempre un papel muy importante en la vida del hombre.

A   Algunos animales pueden resultar ser algo distintos de lo que uno se piensa.

Aquí tienes todas las palabras que forman el texto del chiste, pero están mal ordenadas. ¿Las puedes poner en orden?

____ ____ _____, __' __ ____
_____ _____ ___
_____.

| diferente |
| imaginaba |
| lo |
| me |
| muy |
| para |
| perro |
| policía |
| pues |
| ser |
| sincero |
| un |
| yo |

B   *¡Tu turno!* **V**

Hay muchos animales que trabajan para el hombre. Habla con tu profesor/profesora sobre las distintas funciones de los animales.
¿Qué animales sirven al hombre? ¿Qué hacen? ¿Por qué muchas veces se emplea un animal en vez de una máquina?

Lee: 4.1 Los animales y el mundo del trabajo

 Estudia: *Grammar Section 4.1.2: Personal object pronouns*

 Haz

1 Lee este diálogo entre dos amigos. Luego, llena los espacios en blanco con un pronombre de los de la lista.

'[(**1**)] servimos de los animales para muchas y variadas actividades,' [(**2**)] dije a mi amigo. '[(**3**)] hemos usado desde la Antigüedad, como fuerzas de carga, por ejemplo.'
'Con eso, ¿tú estás diciendo que tenemos derecho a usar[(**4**)] a conveniencia?' [(**5**)] preguntó.
'No, claro.' [(**6**)] respondí. 'No es eso lo que [(**7**)] estoy tratando de decir. Pero sí que nuestra responsabilidad hacia ellos [(**8**)] otorga ciertas prerogativas y autoridad. Esa autoridad es importante, aunque debemos saber cómo ejercer[(**9**)].'

-la	te	-los
nos	le	los
le	nos	me

2 A continuación, traduce estas frases al español:
(a) I told her to treat them with kindness.
(b) They asked us what we thought of their new pet.
(c) We left her (our cat) with him, and he let us down.
(d) They don't want to tell me their dog's name.
(e) Don't leave it (the cage) open. They (the birds) may fly away.

4.2

Pedagogos sin saberlo

Los animales domésticos son capaces de enseñar a los pequeños las bases del respeto a los demás.

Un animal, sea perro o gato, no es un simple compañero de juegos para un niño. Es el confidente que no le traiciona, con el que se siente en pie de igualdad, el amigo que siempre le acompaña y le comprende. Se acercan espontáneamente porque se ven igual de débiles frente a los adultos. La prueba es que los animales domésticos suelen comportarse de distinta forma con los niños o con los mayores. Y por regla general, se entienden mucho mejor con los más pequeños de la casa.
Menos dócil que el perro, el gato necesita que se le domestique: es preciso ganarse su confianza y sus demostraciones de cariño, ya que nunca está dispuesto a regalarlas alegremente. Por ello, el niño que lo

EL GATO Y EL NIÑO: una amistad instructiva

consigue se siente gratificado, sobre todo si el gato no acostumbra a prodigar sus afectos con el resto de la familia. Ambos necesitan sentirse los *preferidos*. De ahí la complicidad que les une. Animal gracioso y delicado, al que horrorizan el ruido y los gestos bruscos, el gato es considerado a menudo

como *femenino* en contraposición al perro, más ruidoso y *viril*. Los gatos parecen sentirse más atraídos afectivamente por las mujeres que por los hombres, y aprecian el lado maternal de las niñas, que los acunan y los cogen en sus brazos. Los perros se adaptan mejor a los niños, que buscan compañeros más enérgicos con los que poder jugar al aire libre. Sin embargo, esta visión convencional está hoy bastante superada. Es preferible olvidar los estereotipos y tener en cuenta las personalidades de cada niño y cada animal en concreto. Un niño de carácter extrovertido, inquieto, celoso de su independencia, elegirá la compañía de los perros. Uno más tranquilo y discreto, probablemente se sentirá atraído por los gatos, aunque lo ideal sería que pudiera convivir con ambos animales a la vez. ■

A Estas frases pueden encabezar varias partes del texto, pero están mal ordenadas. Ponlas en el orden correcto.

1 Un compañero de juegos tranquilo
2 Personalidades opuestas
3 Pruebas de confianza
4 Juegos tumultuosos
5 Un comportamiento distinto
6 Ganarse su cariño
7 Amigos en igualdad de condiciones

EJERCICIOS *de* CONSOLIDACIÓN

  Lee: 4.2 Pedagogos sin saberlo

  Estudia: *Grammar Section 5.3.8: Future*

  Haz

1 Aquí tienes más argumentos sobre la conveniencia de tener mascotas. Haz una lista de todos los verbos en futuro.
Con toda probabilidad, tu hijo te pedirá, tarde o temprano, la compañía de una mascota. Piensa que no será sólo un compañero de juegos muy bueno, sino que además el contacto con el animal ayudará a tu hijo a desarrollar su imaginación e inteligencia y le enseñará a relacionarse con otros más débiles que él. Tendrás que explicar a tu hijo las 'reglas' asociadas con el hecho de tener un animal en casa, lo que sin duda le hará entender mucho mejor el concepto de responsabilidad. Él se encargará de atender a las necesidades del animal (tales como su alimentación), lo que te servirá para mostrarle la importancia del orden y de la disciplina.

2 Ahora, por separado, escribe los infinitivos de esos verbos y completa la tabla.
Ejemplo. pedirá

Infinitivo	Pedir
Futuro	
	pediré
	pedirás
	pedirá
	pediremos
	pediréis
	pedirán

3 Y ya para terminar, traduce los siguientes consejos para tu amigo inglés:
  (a) Una mascota te alegrará la vida.
  (b) Será tu amigo para siempre.
  (c) Nunca te dejará de lado.
  (d) Descubrirás un nuevo modo de comunicarte con los demás.
  (e) Pronto se desarrollará una maravillosa relación de complicidad.

B Lee la primera parte del artículo otra vez, hasta "la complicidad que les une". ¿Cómo se dice…?

1 cómplice
2 entiende
3 delante de
4 de otra manera
5 adultos
6 normalmente
7 hay que
8 escogido
9 los demás
10 los dos

C Ahora lee de nuevo la segunda parte del artículo, desde "Animal gracioso y delicado". En la siguiente lista, cada segunda frase significa lo mismo que la primera, pero faltan algunas palabras. ¿Puedes rellenar los espacios?

1 Animal al que horroriza el ruido
= Animal que tiene ___ del ruido.
2 Los gatos parecen sentirse más atraídos por las mujeres que por los hombres = ___ los gatos les resultan ___ atractivos los hombres que las mujeres.
3 Los perros se adaptan mejor a los niños, que buscan compañeros más enérgicos = Los perros son ___ para los niños porque tienen más ___.
4 Un niño celoso de su independencia elegirá la compañía de los perros = Un niño de carácter ___ elegirá ___ con un perro.
5 Lo ideal sería que el niño pudiera convivir con ambos animales a la vez. = En la ___ perfecta, el niño ___ sentirse a gusto ___ con los perros como con los gatos.

D *Cara a cara*

Tus padres piensan comprar una mascota. Os han dicho a tu hermano/a y a ti que podéis elegir entre un perro y un gato.
Persona A: Tú preferirías uno de los animales y tu hermano/a el otro. Habla con tu hermano/a e intenta convencerle/la de que tú tienes la razón.
Persona B: Tienes varias razones para tu preferencia. Explica a tu hermano/a por qué sería mejor comprar el animal que tú quieres.

4.3

Una nueva mascota llega a casa

Sin embargo, las mascotas no son siempre dulces y cariñosas.
Escucha la historia de Iván.

A ¿Cuánto has entendido? (No necesitas escribir frases completas.)

1 ¿Dónde vivían las palomas?
2 ¿Cuántas había?
3 ¿Qué suceso afectó la tranquilidad de las palomas?
4 ¿Cómo cambió la apariencia de la recién llegada?
5 ¿A qué fue debido?
6 ¿Cómo reaccionaron las palomas?

B Aquí tienes un resumen de lo que cuenta Iván. Faltan algunas palabras. ¿Puedes elegir una palabra para cada espacio de entre las de la lista?

La madre de Iván solía **(1)** ___ palomas. Tenían sus **(2)** ___ en el tejado de la casa. Todo iba bien hasta que uno de sus hijos encontró una **(3)** ___ callejera y se la llevó a casa. Iván y su hermano la **(4)** ___ y el animal se puso gordo y bonito. Al mismo **(5)** ___, las palomas empezaron **(6)** ___ desaparecer. Toda la familia prestó atención a lo que **(7)** ___ pasando y **(8)** ___ descubrieron que su nueva mascota se estaba comiendo los **(9)** ___ de las palomas. Éstas se asustaban y **(10)** ___ de la casa.

a	huían
alimentaban	mañana
de	nidos
estaba	paloma
gata	pronto
había	tener
huesos	tiempo
huevos	volvían

C *¡Tu turno!*

¿Te acuerdas de tu primera mascota? ¿O de la de un amigo/una amiga? ¿Hizo alguna travesura? ¿Qué pasó? Cuenta la historia en español en unas 130 palabras.

4.4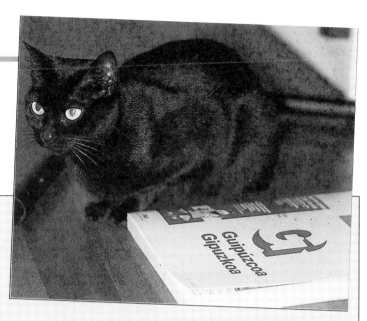

¿Anuncio de felicidad o mal presagio?

Unas veces venerado y otras maldito, el gato negro ha representado, a lo largo de los siglos y según el país, el bien o el mal.

GATO NEGRO, *una presencia inquietante*

Las supersticiones son difíciles de eliminar y muchas veces contradictorias. En España, en Francia o en Estados Unidos el gato negro es acusado de traer desgracia, mientras que en Gran Bretaña o en Bélgica se lo considera portador de la buena suerte. Puestos a elegir, ¡elijamos la versión optimista! ¡Al menos al gato le traerá suerte! Desde el punto de vista científico, el veterinario te confirmará que el color del gato no confiere ningún poder sobrenatural. Dulce y fiel, el gato negro es tímido y tierno.

Por regla general, el más enigmático de los gatos, de mirada dorada o verde esmeralda, es también el más tierno, pues ninguno de sus hermanos ha sufrido tanto la crueldad de los hombres y a pesar de todo ha seguido al lado del ser humano siglo tras siglo con diversas funciones dentro del hogar. Al principio, todo empezó bien. «El gato fue domesticado, en Egipto, y luego introducido en las casas, hace menos de 5000 años», nos informa el historiador Robert Delort. Junto con el conejo es, pues, el más reciente de nuestros animales domésticos. A menudo criado junto con los niños, el gato egipcio libraba a los habitantes de la casa de ratones y desagradables serpientes.

Por tan preciosos servicios, y por su facultad de ver en la oscuridad, se lo consideraba enviado de los dioses, dotado de poderes sobrenaturales. En el Egipto de los faraones, matar a un gato era castigado con la pena capital. Particularmente venerado fue el gato negro, pues éste era el color de la felicidad y la resurrección. En Occidente, sin embargo, el triunfo del cristianismo acabó con los cultos paganos. Sin duda por reacción, el negro se convirtió en color del diablo, las tinieblas y el infierno. ∎

A Aquí tienes unas frases relacionadas con el texto, pero las primeras mitades no se corresponden con las segundas. ¿Las puedes unir de nuevo?
(¡Ojo! Hay algunas segundas partes que sobran.)

1 En muchos países el gato negro se considera …	**a** … un puesto doméstico importante.
2 Los científicos reconocen que el gato negro no tiene …	**b** … la casa libre de animales peligrosos.
3 A menudo, estos gatos misteriosos son …	**c** … todas las enfermedades.
4 A través de la historia, los hombres han sometido a los gatos a …	**d** … los más cariñosos.
5 El gato negro siempre ha ocupado …	**e** … pruebas científicas.
6 El lugar donde los gatos negros fueron domesticados por primera vez fue …	**f** … portador de mala suerte.
7 El gato egipcio mantenía …	**g** … un trato cruel.
	h … el dueño de la familia.
	i … poderes mágicos.
	j … el Oriente Medio.

EJERCICIOS *de* CONSOLIDACIÓN

 Lee: 4.4 ¿Anuncio de felicidad o mal presagio?

 Estudia: *Grammar Section 5.7: Passive*

 Haz

1 Estos ejemplos de formas pasivas salen en el artículo. ¿Las puedes cambiar, utilizando el pronombre reflexivo 'se'?
  a El gato negro es acusado de traer desgracia.
  b El gato fue domesticado en Egipto, y luego introducido en las casas.
  c Matar a un gato era castigado con la pena capital.
  d Particularmente venerado era el gato negro.

2 Y ahora, al revés. Aquí tienes las frases con verbo reflexivo. Escríbelas de nuevo, utilizando la fórmula ser/estar + participio.
  a Se lo considera portador de la buena suerte.
  b En las sociedades cristianas, el color negro se asoció con el diablo.

3 Finalmente, traduce estas frases al español, utilizando ambos modos de hacer la forma pasiva.
  a Some years ago, a black cat was seen prowling around in the streets of a small Spanish town.
  b That was interpreted as a sign of bad luck.
  c The animal was found hidden in an old house.
  d It was taken to the vet, where it was confirmed that it was a harmless animal.

B Aquí tienes un resumen de la última parte del artículo pero faltan algunas palabras. A ver si puedes completarlo, escribiendo una palabra apropiada en cada espacio en blanco.

Debido a que **(1)** ___ hacer cosas especiales y también ver en la oscuridad, la gente **(2)** ___ que era un animal **(3)** ___. En Egipto se **(4)** ___ a las personas que habían matado a un gato. Los gatos negros eran los más **(5)** ___ porque su color **(6)** ___ la felicidad. Fue el triunfo del cristianismo lo que lo **(7)** ___ en color **(8)** ___.

4.5

¿Eres supersticioso?

Los gatos negros y la superstición han estado siempre estrechamente relacionados. Escucha lo que Javier nos cuenta a continuación.

A ¿Puedes relacionar la consecuencia con la acción de estas supersticiones?

Consecuencia	Acción
1 Mala suerte (4 motivos)	**a** Llevar ropa interior amarilla
	b Romper un espejo
	c Tirar pedazos de un espejo roto a un río
	d Ver una mariposa negra
2 Evitar la mala suerte	**e** Pasar debajo de una escalera
3 Viajar mucho	**f** No santiguarse delante de una iglesia
4 La muerte de alguien cercano a ti	**g** Ver pasar por tu lado un gato negro
5 Tener un año muy bueno	**h** Dar una vuelta con una maleta a fin de año

B *¡Tu turno!* **V**

Javier menciona ocho supersticiones. ¿Cuántas más conoces? Habla con tus compañeros de clase y haz una lista de supersticiones existentes hoy en día. ¿Cuáles son las más comunes? ¿En cuáles crees tú? ¿Por qué?
Luego, escribe un texto de unas 200 palabras sobre lo que has averiguado.

4.6

el champú	*shampoo*
las toallitas	*wipes*
con regularidad	*regularly*

¡Perro peligroso!

Los animales son excelentes compañeros, pero pueden convertirse en enemigos para nuestra salud si no tomamos las medidas necesarias.

Enfermedades que transmiten los animales domésticos

Virus, bacterias, hongos, gusanos y parásitos cuyos portadores sean los animales que tengamos en casa pueden resultar muy perjudiciales para nuestra salud. Desde una reacción alérgica al pelo de un gato hasta la temible rabia de un perro, existe un amplio catálogo de enfermedades que puede padecer el hombre cuya transmisión se realiza a través de animales.

Si tomamos las medidas higiénicas y sanitarias necesarias, nuestra mascota no tiene por qué suponer riesgo alguno para nuestra salud. Es aconsejable tener un espacio reservado para el animal que se encuentre bien limpio y libre de parásitos. En el caso de los perros, debemos lavarlos con frecuencia (una o dos veces cada quince días es suficiente) con un champú específico para él que lleve incorporada alguna sustancia antiparasitaria. Tanto a los gatos como a los perros hemos de cepillarles bien el pelo con regularidad, y limpiarles las orejas, los ojos y el hocico con productos y toallitas especialmente indicadas para esta tarea, de venta en tiendas del sector. Entre las medidas sanitarias, debes tener en regla la cartilla sanitaria de tu mascota, en la que se cumplan estrictamente todas las vacunas anuales (contra la rabia, el moquillo, las infecciones respiratorias por virus …) que deberán realizarse, en circunstancias normales, con regularidad. ■

A Lee el artículo y contesta a las preguntas siguientes.

1 ¿Por qué pueden ser los animales domésticos perjudiciales para nuestra salud?
2 ¿Qué medidas podemos tomar para evitar problemas?
3 ¿Por qué hay que utilizar un champú especial para lavar a los perros?
4 ¿Cómo se puede mantener limpios a los gatos?
5 ¿Por qué se debe acudir al veterinario aunque el animal no esté enfermo?

B Lee el texto de nuevo. ¿Cómo se dice…?

1 dañinos
2 terrible
3 por medio de
4 precisas
5 recomendable
6 sin
7 a menudo
8 especializadas

EJERCICIOS *de* CONSOLIDACIÓN

Lee: 4.6 ¡Perro peligroso!

Estudia: *Grammar Section 4.4: Relatives*

Haz

Completa las siguientes frases:

1 La rabia, ____ transmisión se realiza por contacto con animales infectados, es una enfermedad mortal.
2 Cuando visitó la residencia para animales, ____ patio era alegre y espacioso, perdió todos sus temores.
3 Pedro, ____ estado de salud empeoraba, decidió regalarle el gato a su madre.
4 Y en sus manos tenía un pequeño gato, ____ gracia, tan indefenso, me llegó al corazón.
5 El perro vagabundo, ____ vida había sido tan dura, no resistió el frío del pasado invierno.
6 Los visitantes, ____ no habían vacunado a sus perros, fueron multados.

C Aquí tienes la última parte del artículo, pero con algunos espacios en blanco. ¿Rellénalos con palabras de la lista?

Según afirma Raúl Torrego, veterinario de Madrid, el 80 ó 90 por ciento de las **(1)** ____ que estos expertos **(2)** ____ son sobre parásitos **(3)** ____ (garrapatas, mosquitos, pulgas …), y **(4)** ____ son excelentes **(5)** ____ de transmisión de **(6)** ____ al hombre. Asegúrate siempre de que tu perro o gato **(7)** ____ un **(8)** ____ insecticida, que deberás renovar **(9)** ____ cuatro o cinco meses, y de esta forma **(10)** ____ sorpresas desagradables.

cada	evitarás
collar	externos
consultas	lleva
cuello	marcha
dificultades	medios
enfermedades	métodos
enfermeras	reciben
estos	sufren
cuales	tendrás
eternos	todos

4.7

Un tipo distinto de pasión por los animales

Los animales preferidos de Maisi Sopeña son los toros.

«Los toros son algo visceral»

Esta mujer pasó su infancia rodeada de un cierto ambiente taurino. Su padre, un reconocido ginecólogo de Madrid, era un gran aficionado a los toros. Maisi Sopeña define su pasión por los toros como un don que le vino de familia: «Cuando era pequeña y llegaba a casa desde el colegio siempre estaba puesta la televisión porque mi padre, entre consulta y consulta, salía al salón para seguir la corrida de la tarde. Yo soñaba con ir a la plaza un día a ver aquello que a mi padre conseguía entusiasmarle de aquella manera. Recuerdo que la primera vez que mi sueño se hizo realidad fue en El Puerto de Santa María, en Cádiz. Ahora ya hace

siete años que tengo abono en la Feria de San Isidro, y no hay nada con lo que disfrute tanto como con una buena tarde de toros».

Aparte de entusiasmarse en la plaza, disfruta también con las críticas taurinas de Vidal y Zabala y asegura haberse leído la enciclopedia taurina de Cossío de arriba abajo. Otros buenos ratos que le proporciona su afición son las charlas con los amigos después de la corrida. «Solemos reunirnos todos a la salida en un bar cercano a las Ventas, cada uno expone sus inquietudes, habla de sus decepciones o alaba a su torero favorito. Todos entendemos mucho de toros y nuestras discusiones dan pie para que también aprendamos muchas más cosas. Realmente los toros para mí son como un patrimonio, algo visceral, ➤

aunque reconozco que haya gente a quien la lidia le parezca repugnante. Sin ir más lejos, todos mis alumnos del Instituto Británico coinciden en detestar dos detalles básicos de mí: que fume y que me gusten tanto los toros». **A la pregunta de qué estaría dispuesta a hacer por su afición** nos contesta: «Cada año, cuando llega mayo, soy capaz de dejarlo todo por ver una buena corrida. No olvido nunca que a los toros les debo algunos de los momentos más felices de mi vida.

Entre mis recuerdos favoritos está aquella tarde en la que se me saltaron las lágrimas viendo torear a César Rincón, fue algo inolvidable e irrepetible, una de esas cosas que no se repiten dos veces en una vida. Al fin y al cabo los toros son para mí una forma fácil de ser feliz. No es escapismo del tedio de la vida diaria. En una época en la que hay tan pocas personas o cosas a las que admirar, una afición tan sana como ésta resulta siempre muy placentera». ■

A Las siguientes frases forman un resumen de la primera parte del artículo, hasta "me gusten tanto los toros". Completa las frases con una palabra adecuada en cada espacio.

1 Un ambiente taurino ___ a Maisi Sopeña cuando era ___.
2 ___ su niñez, ___ vez que llegaba a casa su padre ya había puesto la televisión para ___ la corrida.
3 Desde hace siete años ___ abono a la fiesta de San Isidro y nada le gusta ___ que una buena tarde de toros.
4 Después de ___ de la corrida ___ charlar con sus amigos.
5 Maisi y sus amigos ___ mucho de toros, aunque ellos ___ que a ___ gente le ___ la lidia.

B Los sustantivos y verbos de la siguiente tabla aparecen en la misma parte del artículo. ¿Puedes encontrar la forma correspondiente? Busca en el diccionario si hace falta.

Sustantivo	Verbo
pasión	(1)
(2)	entusiasmar(se)
realidad	(3)
(4)	recordar
crítica	(5)
(6)	leer
inquietud	(7)
(8)	reunir
decepción	(9)
(10)	reconocer
discusión	(11)

C Traduce al inglés el último párrafo del artículo, desde "A la pregunta".

EJERCICIOS *de* CONSOLIDACIÓN

 Lee: 4.7 Un tipo distinto de pasión por los animales

 Estudia: *Grammar Section 5.4.1: Present subjunctive*

 Repasa: 2.11

 Haz

Los alumnos de Maisi Sopeña coinciden en detestar dos cosas de ella: que fume y que le gusten los toros. Escribe diez frases contándole a tu amigo español qué es lo que tus amigos detestan de ti. ¡No olvides utilizar el 'que'!
Ejemplo: Mis amigos detestan que me muerda las uñas a todas horas.

EJERCICIOS *de* CONSOLIDACIÓN

 Lee: 4.7 Un tipo distinto de pasión por los animales

 Estudia: *Grammar Section 5.2: Participles used as adjectives*

 Haz

Traduce las siguientes frases al inglés:
1 Estoy rodeado por gente que no entiende mi pasión.
2 Es un hecho conocido: a muchos les repugna la lidia.
3 Las corridas de la temporada pasada fueron muy aburridas.
4 En una fiesta, estoy aburrida hasta que se habla de toros.
5 César Rincón es un torero muy admirado.
6 Un alumno, muy enfadado, me dijo que el toreo es inmoral.

4.8

Tardes de gloria

Una espectadora nos ha contado lo que opina sobre las corridas, pero … ¿cómo es la vida de un torero?

ENRIQUE PONCE
«Este año triunfo en Sevilla»

ROJO y oro. Enrique Ponce tiene el corazón bordado de diminutas y brillantes lentejuelas, como un capote de fiesta. Desde que era un chiquillo y no levantaba un palmo del suelo, fue siempre el mejor y en esa lucha consigo mismo, jugando con la muerte, ha demostrado encontrarse entre los grandes.

Ahora, en su recién acabada temporada en América, ha conseguido un triunfo que se puede calificar de espectacular. «Sí -dice-, la verdad es que he tenido mucha suerte y allí he triunfado en todas las ferias. Para mí, la tarde más importante fue en Bogotá, en un mano a mano con César Rincón, donde conseguí un gran éxito. Lo mismo pasó en Cali, aunque la verdad es que el público me recibió con las uñas muy afiladas.» Días antes, la prensa había aireado una serie de declaraciones en las que se hacía referencia a una especie de duelo entre estos dos diestros, que debían encontrarse frente a frente en la arena. Y el ambiente se calentó hasta extremos insospechados. «Fue terrible, porque yo no había hecho ninguno de aquellos comentarios sobre nuestra rivalidad -asegura-. Todo eran enredos y equívocos. Una cosa es encontrarse con un ambiente frío y otra darse de bruces con una tremenda injusticia. Al final, corté tres orejas y el público se volcó.»

No todo han sido tardes de gloria. El 13 de diciembre del pasado año sufrió en México una cogida, con cornada en el muslo derecho. Sin embargo, continuó dando pases naturales y mató al toro. «La herida tuvo dos trayectorias, una de quince centímetros hacia arriba y otra de seis. Menos mal que fue una cornada muy limpia, porque si me llega a coger la arteria femoral hubiera sido más complicado. Afortunadamente, no pasó nada de eso y en quince días me recuperé.»

Pero ha sido en Valencia, en su propia tierra y en la primera corrida de la temporada, donde el torero ha dado lo mejor de sí mismo. En tres tardes cortó seis orejas y salió dos veces a hombros por la puerta grande. «Ahora, el 25 y el 28 de abril tengo dos corridas en Sevilla, una con Curro Romero y Chamaco, y la otra con éste último y Joselito. Voy con muchísima ilusión, porque en la Maestranza es donde más me está

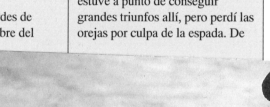

costando destacar. El año pasado estuve a punto de conseguir grandes triunfos allí, pero perdí las orejas por culpa de la espada. De todas formas, el público se entregó. Ahora me encuentro mejor que nunca y creo que este año triunfo en Sevilla. Más tarde iré a la feria de San Isidro, que, junto a la de Sevilla, es la que nos quita el sueño a los toreros.»

Mientras tanto, juega al fútbol con sus amigos, caza cuando puede, sigue de cerca con los albañiles la construcción de su casa y contempla con asombro cómo crece esa brava familia de toros que hoy es su propia ganadería. ∎

el capote	*bullfighter's cloak*
la lentejuela	*sequin*
el chiquillo	*young boy*

EJERCICIOS *de* CONSOLIDACIÓN

 Lee: 4.8 Tardes de gloria

 Estudia: *Grammar Section 5.3.7: Pluperfect*

 Repasa: 3.4 (Perfect)

Haz

1 Haz una lista de todos los ejemplos de perfecto y pluscuamperfecto que hay en el texto. Fíjate bien en el uso de estos dos tiempos verbales, especialmente en las frases donde se utilizan ambos.

2 Ahora, pon los tiempos verbales adecuados (perfecto, pretérito, pluscuamperfecto) en los espacios en blanco en este párrafo:

Tras años de duro trabajo, [(**1**) demostrar] estar entre los mejores de mi profesión. En la actualidad, soy lo que se puede decir rico: [(**2**) invertir] mi primer millón de pesetas hace ya más de diez años. Aunque últimamente no [(**3**) ganar] mucho debido a la recesión, [(**4**) tener] más suerte que otros que conozco. Pero no todo [(**5**) ser] un camino de rosas, a lo largo de mi carrera: hay mucha competitividad en el mundo del toreo. El mes pasado [(**6**) aparecer] falsas noticias anunciando mi retirada en todos los periódicos nacionales. Yo no [(**7**) decir] a nadie nada parecido, aunque es verdad que mi mujer [(**8**) dar] una entrevista a un periodista poco serio y parece ser que él [(**9**) sacar] las ideas de su contexto. ¡Y nosotros que creíamos que nos [(**10**) asegurado] de sus credenciales!

A Lee el artículo. ¿Las siguientes frases son verdades o mentiras?

1 Cuando era pequeño, Enrique no parecía tener aptitudes para el toreo.
2 Acaba de tener mucho éxito en América.
3 En Cali, el público se mostró bastante hostil.
4 Admite haber criticado mucho a César Rincón.
5 El año pasado recibió una herida grave.
6 Continuó toreando a pesar de su herida.
7 Tuvo que pasar dos semanas recuperándose.
8 Recibió dos heridas en el hombro en abril.
9 El año pasado se destacó en la Maestranza de Sevilla.
10 La feria de San Isidro es mucho más importante para los toreros que la de Sevilla.
11 Tiene varios pasatiempos aparte del toreo.

B Explica en español lo que quieren decir las siguientes frases:

1 no levantaba un palmo del suelo
2 el público me recibió con las uñas muy afiladas
3 darse de bruces
4 el público se entregó
5 nos quita el sueño a los toreros

C Traduce al español el siguiente texto. Puedes utilizar el artículo para ayudarte.

Enrique Ponce dices with death every time that he finds himself face to face with a bull in the ring. He says that he has been very lucky. It is true that last year he suffered an injury when he was gored but, fortunately, he recovered within a fortnight. The new season is about to start and next week he will be going to Seville where he thinks he will be triumphant.

4.9

Tauromaquia

Ana tiene una opinión sobre las corridas de toros algo diferente. Escucha lo que nos dice sobre el tema.

A Escucha la cinta y decide si estas frases son verdades, mentiras o si no aparecen en el texto.

1 Cuando era más joven, a Ana le gustaban mucho los toros.
2 Fue a una corrida porque una amiga suya quería ir.
3 Ana se puso su traje más bonito para acudir a la corrida.
4 Al principio disfrutó del espectáculo.
5 No le gustó ver la sangre del animal.
6 La experiencia le ha ocasionado pesadillas.
7 Quiere establecer una organización antitaurina.

B ¿Cómo se dice...?
1 I wasn't for (it) or against (it).
2 I think it's called...
3 Everyone remains silent.
4 I don't usually sleep so well.
5 to attend this organisation

C *¡Tu turno!*

Imagina que eres Ana. Escribe una carta en español a una organización antitaurina explicando la razón por la que quieres inscribirte.

4.10

Una corrida de toros diferente

En Madrid, nadie quiere perderse las tradicionales corridas de San Isidro.

Carabanchel se viste de luces

Los reclusos celebran desde el lunes su feria de San Isidro en una plaza portátil

Los planes de Curro Valencia, el diestro colombiano que llegó a España contratado para torear en la plaza de Valdemorillo, se truncaron cuando la policía le detuvo hace cuatro meses por tráfico de drogas. Su encarcelamiento (y también el de su paisano y colega Manolo Valencia) ha reavivado la afición por los toros entre los internos de Carabanchel. En esta prisión funciona desde hace casi dos años una modesta escuela de tauromaquia.

Curro Valencia se enfrentó ayer a la becerra sin su traje de gala: lucía unos vaqueros, zapatillas blancas de deporte y una camisa a cuadros. Lo que no fue obstáculo para demostrar que los barrotes no han achicado su buen hacer taurino. También capeó sin traje de luces, pero coreado por su compañero de cautiverio, Manolo Valencia.

La faena de Curro y Manolo mereció, en opinión del ocasional presidente del festejo (el director de la cárcel), dos orejas. Ambos compartieron cartel con los alumnos de la Escuela de Tauromaquia de Madrid, que se repartieron otras tres orejas.

'Mulilla mecánica'
Los alrededor de 300 presos que ocupaban ayer buena parte de las gradas (entre los que había acusados de todo tipo de delitos) aplaudieron y se divirtieron sin tregua. Pero cuando más disfrutaron, cuando más

cerca sintieron la libertad, fue cuando salió la cuarta becerra: se les permitió bajar a la arena, que ellos mismos habían ayudado a instalar, para zarandear al animal y *correrlo*. Por lo menos saltaron 40 internos. Uno de ellos vestía un mono blanco, otro no tuvo empacho en retozar con la ropa del domingo y, la mayoría, con chándal.

La de ayer fue la tercera becerrada que, desde el pasado lunes, se celebra en la prisión madrileña de Carabanchel. Lo único llamativo fue la ausencia de mulillas: el arrastre del toro lo hizo una especie de tractor pequeño, un *dumper*.

Risas
Los comentarios y críticas ocasionales que vertían algunos presos desde la grada arrancaron momentos de hilaridad. El reiterado desacierto de un alumno de la escuela de tauromaquia a la hora de la verdad, al entrar a matar, fue contestado con ironía y en voz alta por un espontáneo. "Llévala [a la becerra] a la garita que te la maten allí", gritó un preso entre las sonrisas de sus compañeros. No obstante, las faenas de los alumnos fueron muy vitoreadas y henchidas de estilo. ∎

¡Sigue!

vestirse de luces	to wear bullfighter's clothes
truncar	to ruin (plans, hopes...)
la becerra	yearling calf
achicar	to intimidate
el mono	overalls, jumpsuit
el chándal	tracksuit

A Aquí, tienes tres frases, las cuales forman la introducción al artículo, divididas en mitades y desordenadas. ¿Puedes juntar las mitades y luego ordenar las tres frases resultantes?

1 El reciente ingreso, por presunto tráfico de drogas de varios novilleros profesionales, ha caldeado el ambiente taurino,

2 nunca antes había entrado un ruedo en esta prisión madrileña.

3 hasta el punto de que los internos han organizado su propia feria de San Isidro.

4 Una plaza de toros portátil, instalada en el patio,

5 Que recuerde su actual director,

6 ha roto la opresión de las rejas de Carabanchel.

B Las siguientes palabras aparecen en el texto. ¿Puedes completar la tabla con las formas que faltan?

Sustantivo	Verbo
arrastre	(1)
(2)	permitir
tráfico	(3)
(4)	detener
libertad	(5)
(6)	llegar
presunto	(7)
(8)	demostrar
encarcelamiento	(9)
(10)	instalar

C 🅥 Traduce al inglés desde "Los alrededor de 300 presos" hasta "saltaron 40 internos".

4.11

Ejercicios de repaso

A Decides dar tu opinión en un programa de radio abierto a los oyentes donde se debate la crueldad existente en el toreo. Básate en tu propia experiencia o en el material de esta unidad. Tu participación debe durar alrededor de un minuto.

B Muchas mascotas son abandonadas por sus dueños, especialmente aquéllas que fueron regaladas por Navidad. Escribe un artículo de unas 130–150 palabras para una revista, dando tu opinión sobre las causas de este hecho y cómo podría prevenirse.

Unidad 5

¡Buen viaje!

Después de trabajar todo el año te mereces un buen descanso.
Te damos varias pistas para que optes por el lugar más adecuado.

5.1

Un país idílico

España es un buen destino para las vacaciones. Aquí tienes
múltiples opciones para satisfacer tus sueños.

CLAVES PARA ELEGIR (SIN EQUIVOCARTE)

EL MEJOR DESTINO EN VACACIONES

a ▲ Mar limpio y cálido. Ambiente muy animado.
Buena infraestructura turística. Mejores tarifas de
avión.

▼ Playas abarrotadas, sobre todo en Ibiza. Para
conocer bien las islas es necesario alquilar un coche.

b ▲ Muy próximo a Francia. Playas muy limpias.
Variedad de alojamiento. Buen clima mediterráneo.

▼ En algunos núcleos los servicios son caros. Excesiva
afluencia de gente, sobre todo de extranjeros.

c ▲ Las playas son poco profundas, por lo que son
adecuadas para los niños. Buen ambiente nocturno.

▼ Exceso de gente en determinadas playas, como San
Juan. Grandes atascos los días punta.

d ▲ El carácter de los andaluces es entrañable. Grandes
posibilidades de ocio. Alojamientos variados.

▼ Clima muy caluroso. Imposible aventurarse sin
haber reservado hotel. Demasiada gente.

e ▲ Servicio esmerado. Tiene una de las mejores ofertas
hoteleras del mundo. Siempre es primavera.

▼ Puede lloverte en zonas montañosas. Los precios
son elevados. Playas volcánicas, de arena negra.

f ▲ Clima fresco. Ideal para practicar deportes al aire
libre. Muy buenos precios durante el verano.

▼ Carreteras difíciles, con curvas y puertos de
montaña. Riesgo de lluvias. Hay que reservar hotel.

el atasco	*traffic jam*
la jet	*jet society*
esmerado	*attended, looked after*

A ¿Puedes relacionar los sitios con sus descripciones?

1 Canarias: temperatura de ensueño
2 Costa del Sol: paraíso de la *jet* y los toros
3 Pirineos: Andorra - compras y deporte
4 Levante: diversión día y noche
5 Baleares: un refugio de aristócratas
6 Costa Brava: el favorito de los extranjeros

EJERCICIOS *de* CONSOLIDACIÓN

 Lee: 5.1 Un país idílico

 Estudia: *Grammar Section 2: Adjectives*

 Haz

Completa estas frases con los adjetivos de la lista. Pero ve con cuidado, porque tal vez no todos los adjetivos aparecen en la forma que necesitas.

1 Una ___ cantidad de plazas hoteleras se reservan con meses de antelación.

2 ___ gente piensa que las vacaciones son sólo para ponerse moreno.

3 Un ___ número de extranjeros prefiere la Costa Brava al sur de España.

4 Una ___ manera de ahorrar es ir de camping.

5 ___ de los lugares que aparecen en el artículo está poco frecuentado en verano.

6 Viajar con avión al ___ de los sitios mencionados, Baleares, es relativamente barato.

7 No hay nada peor en verano que pasarse horas parado en un ___ atasco.

8 Es ___ idea aventurarse sin haber reservado hotel.

9 Encontrar una ___ oferta no es nada fácil.

10 ___ de los mayores problemas que afectan a la industria turística es el ___ funcionamiento de algunos servicios.

uno	buen	malos	grandes
buena	ningún	mala	primer
alguna	gran	bueno	

B Explica con tus propias palabras lo que quieren decir las siguientes expresiones sacadas del texto.

1 buena infraestructura turística
2 excesiva afluencia de gente
3 los días punta
4 grandes posibilidades de ocio
5 servicio esmerado
6 carreteras difíciles

C *Cara a cara*

Persona A: Tienes muchísimas ganas de ir a uno de los lugares de vacaciones mencionados en el artículo, y quieres que tu amigo/a te acompañe. Él/Ella tiene otras ideas. Intenta convencerle/la de que tu elección es la mejor.

Persona B: Tú quieres ir a otro de los sitios de la lista. Intenta convencer a tu amigo/a de que ése sería el lugar más apropiado.

¿Quién ganará? ¿O iréis a un sitio completamente distinto?

5.2

Dinero, documentación ...

Ya has decidido adónde ir. Al preparar tu maleta, no olvides guardar en ella los papeles que vas a necesitar.

Todo lo que necesitas llevar si viajas por Europa

Pese a la entrada en vigor del Mercado Único Europeo, la supresión definitiva de las aduanas entre los estados miembros no es todavía una realidad. Por eso, aunque lo más probable es que no te lo pidan al pasar la frontera, si vas a visitar cualquier país de la Comunidad Europea debes llevar toda tu documentación personal y familiar. Basta con el DNI o pasaporte de cada uno, y el libro de familia. Los menores de edad, si no viajan acompañados de sus padres, necesitan, además, una autorización de éstos o, de su tutor legal para pasar la frontera. En cuanto al coche, es preciso llevar toda la documentación en regla acompañada de la carta verde (que actualmente suelen incluir todas las pólizas de seguro de automóviles) y, por supuesto, el carné de conducir. Además, si quieres que en tus vacaciones te acompañe tu animal preferido, debes llevar contigo los certificados de vacunación correspondientes, debidamente sellados con todos los controles veterinarios en regla. En todo caso, conviene informarse previamente en la embajada del país que vas a visitar sobre los trámites y papeles que te van a exigir en la aduana, ya que pueden variar de un lugar a otro.

En relación a cuál es el tipo de moneda más adecuado que puedes llevar, esto dependerá del número de países que vayas a recorrer y de cómo desees afrontar los gastos. Si decides llevar el dinero en metálico, conviene que, antes de salir, compres las divisas en el banco del cual eres cliente, ya que te saldrá un poco más barato. Otra posibilidad es que utilices durante el viaje tarjetas de crédito para efectuar el pago en tiendas y establecimientos hoteleros; es un sistema muy cómodo y seguro. Pero el cambio de moneda se realiza según la cotización del país donde has efectuado la compra, resultando siempre un poco más caro. ■

A ¿Cuánto has entendido?

	Verdad	Mentira
1 Un resultado del Mercado Único Europeo es que ya no existen aduanas entre los estados miembros.		
2 No es siempre necesario enseñar tu documentación en la frontera.		
3 Para conducir en el extranjero, no basta con el carné de conducir.		
4 Cada país tiene leyes diferentes por lo que se refiere a los animales.		
5 Es siempre mejor llevar dinero en metálico.		
6 Son muy pocos los hoteles y tiendas que aceptan tarjetas de crédito.		

B ¿Con qué palabras se expresa en el texto lo siguiente?

1 a pesar de
2 para siempre
3 por lo tanto
4 en lo tocante a
5 desde luego
6 por otra parte
7 puesto que

C Utilizando el artículo para ayudarte, traduce el siguiente texto al español.

To cross the border of any country in the European Community, you must carry an identity card or a passport. If minors are travelling alone, they need the written permission of their parents or guardian. During the trip you can pay by credit card or cash. It is cheaper if you change money in the bank before you leave.

5.3

¿Vacaciones con o sin padres?

Cuando viajas con tus padres no tienes que preocuparte demasiado, pero cuando vas solo ...

A

V Según Iván, ¿cuáles son las ventajas y las desventajas de ir de vacaciones con los padres?

Ventajas	Desventajas

B

¿Cómo dice Iván las frases siguientes?

1 my father always took us on holiday
2 that's a big plus point
3 we had a very good time as a family
4 that's what annoyed me a little

C *Cara a cara*

Persona A: Quieres ir de vacaciones con tus amigos/amigas este año, pero necesitas el permiso de tus padres. Hablas con tu padre/madre.
Persona B: Eres el padre/la madre de A. A ti te parece una muy mala idea. Tu hijo/hija es demasiado joven. Intenta señalarle las dificultades que puede tener.

D *¡Tu turno!*

Fuiste ido de vacaciones sin tus padres. Escribe en unas 150 palabras en español lo que sucedió.

```
     RECEIPT
THOMAS COOK
36 TAVERN STREET
IPSWICH
SUFFOLK
IP1 3AP
01473 230699

    31/JUL/98  11:46
    IPSW 0185 00083603
Cashier:  2/118557 ID: IP2

SELL
SPANISH PESETAS
      Notes
AMT:                49,000.00
RATE:   242.000000        202.48
        COMM                4.05
    ------------------------------
ROM CLIENT                206.53
    ------------------------------

ONT FORGET YOUR TRAVEL INSURANCE
```

miniprecio

tener en cuenta.

más barato

■ Antes de comprar un billete, conviene preguntar cuál puede ser la tarifa o tarifas más ventajosas para

...terRail ...enes de ...ños ...mente en ... ...ante un

tu viaje. Quizá al informarte descubres que el vuelo menos atractivo a primera vista resulta el más barato.

■ Barco gratis a cambio de trabajo a bordo: para encontrar un barco dispuesto a aceptar un pasajero en estas condiciones, hay que ➤

frecuentar las escuelas de vela, visitar las ferias y muestras del sector y leer las revistas especializadas.

■ Los organismos de turismo facilitan pases que, por un precio global y decididamente más barato que si se cogieran entradas individuales, te permitirán entrar en museos, parques, utilizar medios de transporte urbano e interurbano, etc.

■ Servir copas en pubs de Gran Bretaña, limpiar las cubiertas de los más lujosos yates caribeños, plantar tulipanes en Holanda, enseñar a la población de Zimbabue…, las opciones son de lo más variado y, aunque hay actividades voluntarias, en la mayoría de los casos están remuneradas.

■ En casi todos los países existen albergues especiales para jóvenes y estudiantes. La YMCA y YWCA tienen instalaciones en muchas ciudades europeas, asiáticas y americanas.

■ Existe la posibilidad de alojarse en casas de payeses. Se comparte con ellos la vivienda y puede acordarse también el desayuno y la comida. Las casas son cómodas y suelen estar situadas en parajes de gran belleza. Aunque modestas, todas tienen agua caliente y calefacción.

■ Viajar por libre no siempre es sinónimo de viajar barato. Se venden numerosos y estupendos destinos a precios de verdadera ganga a través de las agencias de viaje. ■

EJERCICIOS *de* CONSOLIDACIÓN

 Lee: 5.4 Supervacaciones a miniprecio

 Estudia: *Grammar section 5.1: Infinitives*

 Haz

Escribe cinco frases en español utilizando las expresiones que te ofrecemos a continuación en inglés:

1 Staying in a youth hostel... (very cheap holiday)
2 Travelling on one's own... (expensive)
3 Lodging on a farm... (comfortable way of enjoying nature)
4 ... travelling with my family
5 Sunbathing in Spain... (a perfect holiday)

EJERCICIOS *de* CONSOLIDACIÓN

 Lee: 5.4 Supervacaciones a miniprecio (y 5.1 Un país idílico)

 Estudia: *Grammar section 2.4: Superlatives*

 Haz

1 Escribe una lista de todos los superlativos que hay en los dos artículos mencionados.
2 Ahora, traduce las siguientes frases al español...
  (a) One of the best ways to travel is by plane:
  (b) but maybe the cheapest is by train.
  (c) Maybe the most attractive way to travel is by ship.
  (d) The worst holiday of my life was the one last summer.
  (e) The most interesting museums are often the more expensive ones.
  ...y las siguientes expresiones:
  (f) The best opportunities
  (g) One of the most luxurious hotels
  (h) The less comfortable option
  (i) The most beautiful Caribbean island
  (j) The worst traffic jam of the season

A Aquí tienes los títulos que encabezan los puntos mencionados en el texto – y otros que no tienen nada que ver con ellos. ¿Puedes unir cada título correcto con su punto?

1 El barco-stop
2 Compartir casa con amigos
3 Descuentos en trenes
4 Arrimando el hombro
5 Recurrir a las agencias de viajes
6 Pases-ahorro
7 Aunar transporte y alojamiento
8 Alquilar un yate
9 Hospedarse con lugareños
10 Albergues para jóvenes
11 Los países más económicos
12 Ahorrar en las tarifas aéreas

ferias y muestras	*trade fairs*
interurbano	*intercity*
remunerado	*paid (work)*
el albergue para jóvenes	*youth hostel*
el payés	*Catalan peasant*
la ganga	*bargain*

B También puedes ahorrar dinero en algunos grandes hoteles. Pon la palabra adecuada en cada espacio para descubrir cómo.

Grandes hoteles a mitad de precio: Muchos hoteles de gran lujo programan estancias especiales en las **(1)** ___ en que suelen estar más **(2)** ___, esto es, vacaciones y fines de **(3)** ___ en temporada baja. La promoción permite **(4)** ___ a cuerpo de rey pagando la tarifa de un hotel de categoría muy **(5)** ___. Incluye desayuno, cena de gala, copa de bienvenida, **(6)** ___ al casino, deportes …

billete	gastar
desocupados	inferior
despreocupados	mes
días	semana
entrada	superior
fechas	vivir

5.5

Aventuras de estudiante

Carlos optó por pasar sus vacaciones en una tienda de campaña para ahorrar dinero.
Escucha lo que le pasó …

A Cada una de estas frases contiene un error. Escríbelas de nuevo, corrigiendo los errores.

1 Carlos pasó sus vacaciones con su amiga.
2 La primera noche alguien les robó la tienda.
3 Pasaron mucha hambre.
4 A las tres de la madrugada decidieron acampar en una montaña.
5 Los gritos de Carlos despertaron al granjero.
6 El granjero vio que eran unos ladrones.
7 El granjero iba con su hija.
8 La hija llamó a la policía.
9 El policía les obligó a que lo acompañaran.
10 Pasaron la noche con la familia del granjero.
11 La segunda noche acamparon a orillas del mar.
12 Pasaron el resto de sus vacaciones en una pensión.

B ¡Tu turno!

Las vacaciones de Carlos empezaron bastante mal, pero a la larga todo se resolvió.
Remedios también tuvo problemas cuando fue de vacaciones con unos amigos. Pensaron que sería buena idea hacer camping y después de leer unos folletos sobre los lugares más accesibles, todos se pusieron de acuerdo …
¿Puedes continuar su historia, empleando todas las palabras siguientes? ¿Cómo acabó?
(Escribe unas 160 palabras.)
pedir prestado … tienda … comprar … saco de dormir … ponerse en camino … armar la tienda … caerse … pensión … dueño … ayudar … encontrar … campo … ver … letrero … puerta … perro peligroso … despertar … ladrar … huir … esperar … calle … granjero … levantarse … reclamar … tienda … perro … comer … provisiones … estropear … todo.

5.6

Viajes compartidos

Las vacaciones de Carlos resultaron agradables y baratas a la vez. También tú puedes economizar los gastos del viaje.

la última moda	*latest trend*
Dedo Express (hacer dedo)	*to hitch-hike*
el trotamundo	*globetrotter*
con creces	*amply*
el contestador automático	*answering machine*
el importe	*total to pay*

A Aquí tienes un resumen de la primera parte del texto, hasta "acuerden la tarifa". Pon la palabra adecuada en cada espacio en blanco.

Si **(1)** ___ de coche pero deseas viajar, ahora puedes utilizar los **(2)** ___ de una agencia que te ayudará a contactar **(3)** ___ conductores que **(4)** ___ al mismo destino que tú. En algunas agencias, tienes que **(5)** ___ una comisión y también una tarifa por kilómetro, mientras otras te cobran un **(6)** ___ fijo por sus servicios. Luego, tienes que llegar a un **(7)** ___ con el conductor. Es un sistema que no te **(8)** ___ mucho.

a	faltas
acuerdo	lugar
ahorrará	pagar
billete	precio
careces	recibir
con	servicios
costará	van
dirigen	vehículos

B Ⓥ Traduce al inglés la última parte del texto, desde "La mayoría de los clientes".

Si compartes el coche, el viaje te resultará más barato y divertido

ES LA ÚLTIMA MODA: AGENCIAS QUE PONEN EN CONTACTO A PERSONAS CON COCHE CON OTRAS QUE CARECEN DE ÉL PERO DESEAN VIAJAR.

Ahora puedes dirigirte a alguna de las agencias que utilizan el sistema de viaje compartido. Te saldrá bastante barato y, si tienes suerte, podrás elegir, incluso, la fecha. En estas agencias se pone en contacto a viajeros sin coche con conductores con plazas libres que se dirijan al mismo lugar en los mismos días. Agencias como Iberstop (Málaga y Granada), Barnastop (Barcelona) o Comparte Coche (Sevilla), cobran comisión y una tarifa por kilómetro. El resto es para el conductor. Otras agencias, como Dedo Express (Salamanca) o En Ruta (Valladolid), establecen una cuota fija por sus servicios y dejan que las dos partes acuerden la tarifa.

La mayoría de los clientes son jóvenes *trotamundos*. Dicen que consiguen coche rápidamente y que sólo tienen que llamar un día o dos antes. Además de viajar de forma económica, es una buena posibilidad para hacer amigos. El principal problema es que el número de viajeros supera con creces la cantidad de conductores que ofrecen su coche. El español es reacio a ofrecer su coche para viajar con extraños, por eso en estas agencias hay todavía más propietarios de vehículos extranjeros que españoles. La inscripción se puede realizar en los locales de la agencia o mediante un simple mensaje en su contestador automático. Si el viajero no encuentra coche, no tendrá que abonar importe alguno. Conductor y pasajero deben indicar los siguientes datos: fecha del viaje, punto de cita, itinerario y paradas, cantidad de equipaje, si llevan algún animal y, por último, si son fumadores. ■

EJERCICIOS *de* **CONSOLIDACIÓN**

 Lee: 5.6 Viajes compartidos

 Estudia: *Grammar Section 2.4: Comparatives*

 Repasa: 5.1

 Haz

Aquí tienes diversas frases con superlativos. Entre paréntesis te damos un nuevo elemento con el que construir comparaciones. Debes escribir dos frases en cada caso, una con la fórmula 'mas/menos … que' y la otra con la fórmula 'tan/tanto … como'. ¡Utiliza tu imaginación!

Ejemplo:
Los visitantes de Ibiza son los más ruidosos de las islas Baleares. [Mallorca]
Los visitantes de Mallorca son menos ruidosos que los de Ibiza.
Los visitantes de Mallorca no son tan ruidosos como los de Ibiza.

1 La opción más divertida es viajar en coche. [avión]
2 Andalucía es la región que recibe el mayor número de visitantes. [Galicia]
3 Los españoles son los más reacios a ofrecer su coche para viajar con extraños. [holandeses]
4 Los jóvenes trotamundos son los viajeros más amigables. [las parejas de jubilados]

5.7

Los peligros del autostop

Alguna gente está dispuesta a viajar con menos seguridad. Escucha a Jaime y a Carlos hablando sobre el autostop.

A Contesta a estas preguntas:

1 ¿Cuál es la opinión de Carlos sobre el autostop?
2 ¿Por qué no está de acuerdo Jaime?
3 ¿Qué clase de autostopista ha recogido Jaime a menudo?
4 ¿Por qué solía Jaime ir en autostop cuando era más joven?
5 ¿Adónde fue hace dos años?
6 ¿Era la primera vez que iba allí? ¿Cómo lo sabes?
7 ¿Cuánto tiempo necesitó para ir a ese lugar en autostop?

B *Cara a cara*

Persona A: Tu amigo/a y tú queréis ir a una fiesta en un pueblo vecino. Desafortunadamente no hay autobuses y vuestros padres no os quieren llevar.
Tú quieres hacer autostop. Se lo sugieres a tu amigo/a.
Persona B: Tienes tantas ganas como tu amigo/a de ir a la fiesta, pero la idea de hacer autostop no te gusta nada. Has oído que hoy en día es muy peligroso. Intenta convencer a tu amigo/a de que sería mejor ir con otro medio de transporte.

5.8

Playas azules

Alfonso pasó sus vacaciones en Santiago de Compostela, pero para muchos turistas europeos las costas mediterráneas ofrecen más alicientes.

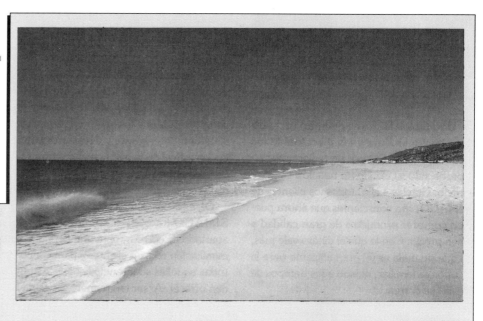

NUESTRAS COSTAS,

las mejores de Europa para este verano

A la espera del inminente verano, la mayoría de los españoles y bastantes extranjeros ya estamos pensando en nuestro equipaje para ese mes, único al año, en el que podremos disfrutar de unas tranquilas vacaciones a la orilla de las playas españolas. Pero son pocos los que se preocupan por la situación de mayor o menor salubridad de las aguas en las que nos bañaremos.

Grecia, mejores playas pero peores puertos

En esta ocasión estamos de suerte y nos ha correspondido ser el país de la Comunidad Europea que más banderas azules lucirá este año. Concretamente serán 229 playas y 51 puertos españoles en los que ondeará este distintivo comunitario, garantía de limpieza de las aguas y de un mínimo de servicios para los bañistas, pese a que fueron 450 los candidatos que lo solicitaron. El año pasado los puntos de nuestra costa con bandera azul fueron 245 (206 playas y 39 puertos). Globalmente, España cuenta con más distintivos comunitarios, en número de

playas. La supera Grecia, con un total de 237, aunque en puertos sólo ha conseguido seis. El siguiente país comunitario en cuanto a número de concesiones se refiere es Italia, con 215 playas y 39 puertos "azules".

Los criterios de concesión fueron fijados y son revisados por consenso en el Comité de Coordinación Europeo, integrado por la Fundación Europea de Educación Ambiental (FEEE) y la D.G. XI de la Comisión de la CE, tras la discusión con los operadores nacionales de la campaña.

Cada año estos criterios se han ido haciendo más exigentes, especialmente en lo relativo a la calidad de las aguas.

Pero, además, estos puntos marítimos deben contar con información y educación ambiental, limpieza de arenas y recogida de basuras, vigilancia y socorrismo, accesos fáciles y seguros, primeros auxilios y una adecuada señalización, agua potable, servicios sanitarios, y en ellos estarán prohibidas las acampadas incontroladas, la circulación de vehículos a motor y la presencia de animales domésticos; y, por supuesto, han de cumplir la legislación litoral.

Andalucía, la comunidad con más puntos negros

Sin embargo, no todas las playas españolas gozan de aguas en óptimas condiciones; son casi un centenar los "puntos negros" del litoral español. Andalucía es la comunidad que más acumula, y Cádiz la provincia más castigada, con nueve playas destacadas por su contaminación.

Por comunidades autónomas, un año más la valenciana es la que acaparará un mayor número de banderas azules; le sigue la comunidad balear; por contra, las comunidades menos favorecidas son Asturias y País Vasco.

Sin embargo, el Ministerio de Obras Públicas y Transportes pretende mejorar el litoral español mediante el Plan de Costas para que, en un futuro próximo, podamos disfrutar no sólo de playas de mejor calidad, sino también de un mayor número de ellas. Dentro de este Plan, el Ministerio tiene previsto la rehabilitación de 500 kilómetros de costa. ■

A Completa la tabla de acuerdo con el artículo, utilizando las cifras dadas.

	España	*Italia*	*Grecia*
Número de banderas azules			
Playas			
Puertos			
Total			

6	237
9	243
39	245
51	254
206	280
215	450
229	500

B Explica con tus propias palabras las siguientes expresiones:

1 a la espera del inminente verano
2 la supera Grecia
3 se han ido haciendo más exigentes
4 deben contar con información y educación ambiental
5 han de cumplir la legislación litoral

5.9

Un oasis de diversión

Uno de los puntos de veraneo más nuevos se encuentra en la Costa del Sol y asegura atender a todos los gustos.

Parque Acuático Mijas

Uno de los mayores problemas que tienen las zonas turísticas es saber cómo llenar el tiempo libre y el ocio de los turistas. En la Costa del Sol, este problema se ha resuelto al contar con atracciones de gran calidad y planificar los Ayuntamientos de la zona una serie de actividades culturales, musicales, de teatro y recreativas que permiten al turista disfrutar de algo más que de sol y playas.

De todas estas atracciones que gozan de gran preferencia del turismo internacional, hay que señalar el Parque Acuático de Mijas que, como dicen quienes lo disfrutan, es un oasis de diversión.

Lo primero que llama la atención es su localización, en pleno corazón de la Costa del Sol, en la misma carretera nacional 340, a su paso por Mijas Costa, justo al lado del municipio de Fuengirola. Una perfecta señalización dirige al turista a un parque acuático que ofrece unas características muy distintas a las habituales de las zonas turísticas.

VERDE QUE TE QUIERO VERDE
El Parque Acuático de Mijas es como un perfecto juego donde se mezclan de forma sabia el verde de sus jardines, plantas, cuidado césped y árboles con el azul del agua de sus piscinas, de sus toboganes, de la gran «playa» de olas, del impresionante *kamikaze* o del lago azul. Una magnífica mancha de verde y azul que relaja, descansa y llena el ocio

de quienes lo visitan. Hay otro dato digno de reseñar: el Parque Acuático de Mijas permite disfrutar de todas las atracciones acuáticas sin perder mucho tiempo. Todas están cerca pero todas están, también, lo suficiente separadas como para que cada una tenga vida propia. En el Parque Acuático de Mijas, por muchos que sean sus visitantes, no se pierde tiempo. Se está en una permanente variación de atracciones que hacen la delicia de todo el mundo, de los niños a los mayores. Es un parque acuático con un marcado acento en lo familiar. ➤

EJERCICIOS *de* CONSOLIDACIÓN

Lee: 5.8 Nuestras costas, las mejores de Europa para este verano

Estudia: *Grammar section 4.3: Demonstrative adjectives*

Haz

Completa las siguientes frases:
1 ___ playa está muy limpia. Sí, pero mira ___ mujer allí, tirando cáscaras de fruta al agua. Debería hacer como ___ chica allá a lo lejos, vaciando los desperdicios en la papelera.
2 ___ aquí, en ___ mapa, muestran los puntos del litoral sin contaminar.
3 ___ chicos ahí son los que han dejado las botellas de cerveza vacías.
4 ¡Cómo ha cambiado ___ pueblo! Hace ya más de diez años desde la última vez que lo visité. En ___ tiempos sus aguas eran cristalinas.
5 ___ que ves allí es una medusa. En ___ playas hay muchas.

DIVIÉRTETE SEGURO

Si hay algo que en este parque se tiene como norma sacrosanta, es la seguridad. Con palabras bíblicas se podría decir que en el parque no se mueve ni una brizna sin que los servicios de seguridad la controlen. Seguridad, especialmente, en todas las atracciones acuáticas. El Parque Acuático de Mijas tiene el récord nacional: es el que menos accidentes ha padecido desde su entrada en funcionamiento.

Para su director, José Baquedano, la seguridad es la norma en la que jamás se podrá bajar la guardia. Cerca de cada atracción siempre hay quien vigila, ordena el «tráfico» de los bañistas y da entrada a quienes pretenden tirarse por el tobogán, el *kamikaze* o «perderse» por los meandros del laberinto.

La diversión necesita de un clima adecuado. El Parque Acuático de Mijas lo tiene. Una música ambiental, por lo general, suave, sin estridencias, acompaña a quienes dejan pasar las horas con un libro en las manos, un periódico o la simple charla entre amigos, antes de darse un remojón.

La limpieza es otro de los puntos claves del Parque Acuático de Mijas. No se permite ni una colilla en el suelo. Y mucho menos en el agua. Todos los días se hacen diversos controles sobre el estado del agua de las piscinas. Las más modernas y sofisticadas técnicas hacen que las aguas estén siempre limpias y sanitariamente por encima de las exigencias legales.

Hay juegos, seguridad, buena música, excelentes instalaciones acuáticas, servicios de primera y hasta un minigolf para quien quiera emular a Severiano Ballesteros o Nick Faldo. El servicio de restauración, con un self-service de gran calidad y precios adecuados a cualquier bolsillo permite que cualquier visitante del Parque Acuático de Mijas se encuentre en el mismo centro de la diversión de la Costa del Sol o, como dicen quienes lo han visitado, en un oasis de diversión. ∎

A Estas personas han oído hablar del Parque Acuático Mijas. De acuerdo con lo que dicen, ¿crees que les gustaría o no? ¿Por qué?

1 **Ángel, 19 años, estudiante:** Yo busco un sitio movido. Me gusta poder hacer algo nuevo en todo momento: nadar, jugar, conocer a gente, lo que sea …

2 **Teresa, 34 años, ama de casa:** Tengo tres hijos pequeños. Claro, ellos no quieren hacer las mismas cosas que mi marido y yo, y necesito saber que no corren ningún riesgo si los pierdo de vista.

3 **Luis Miguel, 24 años, periodista:** Para mí, las vacaciones ideales serían en un lugar casi desierto, donde podría descansar con un buen libro o dar una vuelta sin encontrar a nadie conocido.

4 **Ana, 46 años, recepcionista:** Lo que no aguanto es la suciedad. Hoy en día se encuentra basura por todas partes, sobre todo en las costas donde hay muchos turistas, y no quiero pasarme las vacaciones rodeada de los desperdicios de los demás.

5 **Felipe, 29 años, médico:** Siempre he querido probar "puenting" o "rappel". Son deportes bastante peligrosos, pero sólo si no tomas las medidas de seguridad necesarias.

B Lee el texto otra vez. Ahora, crea un folleto publicitario destacando los puntos más importantes del parque para:

1 niños pequeños
2 jóvenes de 18 a 30 años
3 gente mayor

C Traduce el siguiente texto al español. El artículo puede servirte de ayuda.

Last year my family and I visited the Mijas Water Park, right in the heart of the Costa del Sol. I enjoyed it very much because there was a great variety of water rides and no time was wasted. My father spent his time playing minigolf or chatting with friends. My mother, who usually prefers to relax with a newspaper [in her hands], went for a dip in the pool. Only my sister didn't like the park, and that was because she got lost in the labyrinth.

5.10

7 *de julio*

El Parque Acuático Mijas es una novedad, pero si quieres experimentar una de las más famosas tradiciones españolas, que tiene lugar cada verano, tendrás que ir a Pamplona.

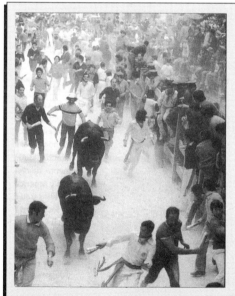

Las fiestas de San Fermín

Las fiestas de Pamplona tienen un carácter sin igual en cuanto a su colorido y fama se refiere. A continuación describimos los cinco elementos principales de esta mundialmente conocida celebración.

«EL CHUPINAZO»

Desde el año 1941, el comienzo de las fiestas de San Fermín se anuncia mediante un cohete que se lanza desde el balcón central de la Casa Consistorial de Pamplona, a las doce en punto del mediodía del seis de julio. Un concejal es quien prende la mecha del cohete y pronuncia los clásicos ¡Viva San Fermín. Gora San Fermín! ➤

LA COMPARSA DE GIGANTES Y CABEZUDOS

Son de cartón, pero cualquiera diría que albergan un corazón humano, a juzgar por el cariño que profesan los pamploneses a este conjunto de figuras grotescas que acompaña a la Corporación Municipal y que hace las delicias de chicos y grandes en las mañanas sanfermineras.

Ocho parejas de gigantes, cinco cabezudos, seis "kilikis" y seis "zaldikis" o "caballicos", integran esta comparsa solemne y jaranera imprescindible en las fiestas de San Fermín. Además de acompañar al Ayuntamiento en los actos protocolarios como la Procesión y la Octava, parten cada día a las 9.30 de la mañana de su "hogar" en la Estación de Autobuses y recorren, al son de la gaita, txistu y tamboril, diversas calles céntricas de Pamplona durante más de cuatro horas.

Los gigantes fueron construidos en 1860 por el artesano Tadeo Amorena, quien, poco ducho en geografía, quiso representar con ellos "las cuatro partes del mundo". Así los concibió y así perviven en la actualidad: cuatro parejas, respectivamente, de reyes europeos, asiáticos, africanos y americanos. Los cabezudos, creados por Félix Flores quince años después, responden a los nombres de Alcalde, Concejal, Abuela, Japonés y Japonesa. Los "kilikis" salieron a principios de siglo de talleres barceloneses y valencianos.

LA PROCESIÓN

La culminación de las actividades de San Fermín en Pamplona la compone sin lugar de dudas la celebración religiosa de la procesión de San Fermín que tiene lugar el día siete de julio a las 10 de la mañana, y, hora y media después, la Misa Solemne en la capilla de San Fermín.

Concluida la celebración litúrgica, el Ayuntamiento acompaña al cabildo a la Catedral. La llegada al templo catedralicio, conocido como el "momentico", es uno de los episodios más entrañables de la fiesta, por la confluencia desbaratada de gigantes, txistus, gaitas, corporativos, clarines …

LAS PEÑAS

Las peñas sanfermineras, nacidas a partir de cuadrillas de amigos de diversos barrios de Pamplona, son el rostro joven, colorista y desenfadado de la fiesta. Actualmente están integradas por unos cinco mil socios, cuyo derecho principal es el ➤

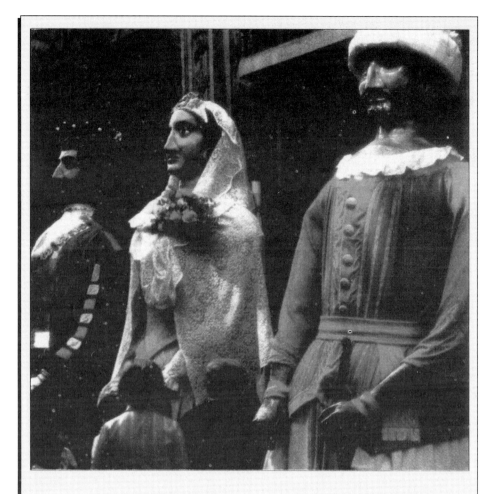

la Casa Consistorial	town hall
el concejal	town councillor
¡Viva /¡Gora S. Fermín!	Long live S. Fermín! (Gora = Basque)
el cabezudo	'big head' - carnival figure made of cardboard
la comparsa	festive procession
jaranera	merry
el corralillo	small stockyard
el chiquero	bull pen

A Escribe con tus propias palabras una frase para explicar el significado de:

1 el «chupinazo»
2 los gigantes y los cabezudos
3 la procesión
4 las peñas
5 el encierro

B Vuelve a leer la parte del artículo titulado "La comparsa de gigantes y cabezudos". Luego, rellena los espacios en blanco con palabras de la lista.

Tadeo Amorena **(1)** ___ los gigantes en 1860. Representan los **(2)** ___ de las cuatro partes del mundo. Los cabezudos y los "kilikis" se **(3)** ___ durante los cincuenta años **(4)** ___. Todos son muy feos, pero la gente de Pamplona les tiene gran afecto, como si fueran **(5)** ___ humanos y no sólo figuras de **(6)** ___. Durante las fiestas, salen cada **(7)** ___ de la Estación de Autobuses y desfilan por las calles de la ciudad **(8)** ___ la hora de comer.

cartón	hora
construidos	mañana
construyó	parejas
corazón	profesores
crearon	próximos
creyeron	reyes
durante	seres
hasta	siguientes

abono para asistir a las corridas de toros desde la salida del sol, aportando a la plaza de Pamplona ese ambiente característico que no puede hallarse en ninguna otra arena del mundo.

EL ENCIERRO

Con más de cuatrocientos años de historia, el encierro es el acto central de las fiestas de San Fermín, y también el más peligroso. Tiene lugar cada día, a las 8 de la mañana, del 7 al 14 de julio, ambos inclusive.
Los seis toros que van a lidiarse en la plaza por la tarde, acompañados de mansos o cabestros, corren desde los corralillos de Santo Domingo, pasando por la plaza Consistorial, calles Mercaderes y Estafeta

y diversos callejones hasta los toriles del coso taurino, donde después tiene lugar el espectáculo de la suelta de vaquillas.
El comienzo del encierro es anunciado por el estampido de un cohete, al que sigue un segundo disparo cuando toda la manada ha abandonado los corralillos. Otro cohete anuncia la entrada de todos los toros en la Plaza y el último, con el que Pamplona suspira de alivio, pregona que la torada está ya en los chiqueros y que el encierro ha terminado.
Las puertas de la Plaza de Toros se abren para los espectadores a las seis de la mañana, y se cierran cuando se estima que las localidades han sido ocupadas totalmente por el público.
No lo dudéis y acudid a las fiestas de ... ¡San Fermín! ■

C **V** Traduce al inglés toda la parte del artículo titulada "El encierro".

D Las palabras que ves en esta tabla aparecen en el texto. Completa la tabla con los sustantivos y verbos correspondientes.

Sustantivo	Verbo
comienzo	(1)
(2)	albergar
celebración	(3)
(4)	recorrer
nombre	(5)
(6)	concebir
abertura	(7)
(8)	anunciar(se)
disparo	(9)
(10)	componer
encierro	(11)
(12)	construir
fiesta	(13)
(14)	lidiar

5.11

Ejercicios de repaso

A Describe tu viaje ideal a un país que quieras visitar. Explica por qué quieres visitar ese país, cómo irías, con quién, por cuánto tiempo y lo que harías allí. Tu exposición oral debe durar alrededor de un minuto.

B ¿Cómo te imaginas las vacaciones ideales? ¿En qué se diferenciarían de las de tus padres? Cuéntalo en unas 130–150 palabras, en español.

Unidad 6

¿**C**ómo ganarse la vida?

6.1

Un impulso importante

¿La ambición es un estímulo que te ayuda a conseguir tus objetivos o un impulso obsesivo? Responde a las siguientes preguntas y descubrirás aspectos nuevos de una importante faceta de tu personalidad.

¿**Cómo andas de ambición?**

1 ¿Tienes a menudo la sensación de no haber hecho nada durante el día por culpa del cansancio o de cualquier otro malestar?
Sí No

2 ¿Piensas que el deporte y los hobbys son inútiles pérdidas de tiempo?
Sí No

3 Si haces alguna cosa, ¿te gusta hacerla bien o si no, no la haces?
Sí No

4 ¿Estás de acuerdo con el refrán "no dejes para mañana lo que puedas hacer hoy"?
Sí No

5 ¿A menudo haces comparaciones entre los resultados de tu trabajo y los obtenidos por los demás?
Sí No

6 ¿Piensas que la ropa y el aspecto externo de una persona no influyen para nada cn su éxito personal?
Sí No

7 ¿Acabada la jornada, te complaces en recordar lo que has hecho durante el día?
Sí No

8 ¿Piensas que para evitar desilusiones es preferible no apuntar muy alto?
Sí No

9 ¿Alguna vez has envidiado profundamente a alguien?
Sí No

10 ¿Según tú, hacer siempre lo que se debe es lo que cuenta en la vida?
Sí No

11 ¿Si te dan a elegir entre un puesto de trabajo que te gusta y otro que no te gusta pero que tiene más prestigio y está mejor remunerado, optas por el primero?
Sí No

12 ¿En Navidad, si pudieras escoger, preferirías recibir una apetecible cantidad de dinero, en vez del habitual regalo?
Sí No

13 ¿Dedicar tiempo a ancianos, niños y familiares te parece que es sólo una pérdida de tiempo?
Sí No

14 ¿Piensas que sin un buen puesto y una carrera no se es nada en la vida?
Sí No

15 ¿Para ti es más importante el amor que una carrera profesional?
Sí No

A Contesta a las preguntas y luego pide a tu profesor/a la puntuación y las respuestas. ¿Cómo andas tú de ambición?

B *¡Tu turno!*

¿Y tú? ¿Cuál es tu ambición? ¿Cómo vas a conseguirla? Prepara un pequeño discurso de un minuto y léeselo a tu compañero/a o grábalo en una cinta y pásaselo. Él/Ella tomará notas y luego te contará en español lo que le has dicho. A continuación, cambiaréis de papeles (tú pasarás a ser el oyente).

EJERCICIOS *de* CONSOLIDACIÓN

 Lee: 6.1 Un impulso importante

 Estudia: *Grammar section 4.1: Personal pronouns*

 Haz

Completa estas frases con palabras de la lista:

1 ___ ___ es más importante conseguir un buen empleo que casarme.
2 ___ ___ no me gusta que la gente me diga lo que debo hacer.
3 ___ ___ no te van a ofrecer un puesto importante. Los jefes confían más ___ ___ que ___ ___.
4 Él no quiere trabajar ___. Dice que soy demasiado perfeccionista.
5 Si tienen que elegir entre ___ y ___, me elegirán ___ ___, no lo dudes.
6 Me dijo que ___ ___, sin mi ayuda y apoyo, estaba perdida.
7 ___ ___, a Diana, no la ayudó su cuidado aspecto en su carrera profesional.
8 No me compares ___. Yo no tengo tanta ambición como ___.

Para	a	ti	tú	mí	mí
ella	en	mí	yo	mí	a
tú	contigo	a	ti	en
mí	sin	conmigo		

6.2

La situación de la mujer

Tradicionalmente, se daba por supuesto que las mujeres carecían de ambición. Escucha esta conversación.

A Tras escuchar la conversación, completa en español las siguientes frases:

Hace veinte años …
1 la mujer solía trabajar solamente …
2 no había muchas mujeres que tuvieran …
3 el marido no quería …
Sin embargo, en la actualidad …
4 la situación de la mujer ha …
5 la mujer ya no es …

B ¿Cómo se dicen en la conversación las siguientes frases?

1 Women have taken a major step forward.
2 They used to stay at home and look after the children.
3 Once she was married she had no reason to work.

C *¡Tu turno!*

¿Qué piensas tú respecto a que la mujer trabaje fuera de casa? ¿Cuáles son tus razones? Explica tu opinión en un texto de unas 120 palabras.

6.3

Mi marido se opone a mis deseos

Hoy en día todavía hay maridos que quieren tener la sartén por el mango.
Un experto responde a una mujer que se queja de su marido.

'Quiero ser militar, pero mi marido no me deja'

E ntiendo que todavía no es demasiado usual en España que una mujer sea militar, y sospecho que lo que sucede es que tu marido teme lo que puedan decirle los amigos, las bromas pesadas que puedan gastarle y el hecho de pensar que como son tan pocas las mujeres que hoy son militares, te vas a encontrar demasiado rodeada de hombres, atendida, mirada, piropeada, etc.

Si pudiéramos meternos dentro del cerebro de tu marido, estoy seguro de que las *razones* que él aduciría seguramente irían en esa línea; pero debe comprender que tú eres libre de ejercer la profesión que te plazca y que no puede poner en una balanza el amor y en otra la profesión que tú deseas ejercer. No debería chantajearte o amenazarte con quitarte la custodia del niño. Mejor sería decir que si él te quisiera de verdad, no te pondría dificultad alguna para ejercer la profesión que te venga en gana y respetaría tus deseos y el hecho de que eres una persona libre.

Por lo que se refiere a las amenazas que te hace diciéndote que él se quedaría

con la custodia del niño y no podrías verle, tú sabes que eso es imposible y absurdo, pero su temor es tal que no se le ocurre otra medida más inteligente que amenazarte y chantajearte. No creo que eso sea amor, sino un miedo tremendo a que tú triunfes, a que te realices como persona y él se sienta ofendido y deshonrado por estar casado con una mujer militar.

Pienso que no debe meter al niño por medio y éste es un tema que debéis aclarar entre vosotros, mejor con la ayuda de terceras personas.

Si conoces a otras mujeres que ya son militares, casadas con hombres que lo aceptan y que son felices, te sería de gran ayuda que tu marido los conociera. Creo que acabaría por perder ese miedo (ten en cuenta que pueden hacerle preguntas como «¿quién lleva los pantalones en tu casa?»), y empezaría a ver con buenos ojos, o al menos aceptar, que fueras militar. ∎

A Lee primero la respuesta del experto y contesta con tus propias palabras a estas preguntas.

1 ¿Por qué, según el experto, no quiere el marido que su mujer sea militar? (Dos motivos.)
2 ¿Por qué considera el experto que la conducta del marido es injusta?
3 ¿Cómo debería actuar el marido?
4 ¿Por qué hace el marido esas amenazas tan absurdas?
5 ¿Cuál es el consejo del experto? (Dos detalles.)

B Ahora, lee la carta, en la cual hay varios espacios en blanco. Luego complétala con una palabra en cada uno de ellos.

Tengo 26 años, estoy **(1)** ___ y tengo un hijo de tres años. Desde **(2)** ___ pequeña he deseado ser militar, pero hasta **(3)** ___ poco tiempo eso no **(4)** ___ ser. Ahora que tengo la oportunidad **(5)** ___ conseguir mi sueño, mi marido se **(6)** ___ de forma tajante. Asegura que si le quiero **(7)** ___ olvidarme de la idea. Me amenaza con separarse y con **(8)** ___ con la custodia de mi hijo. Dice que no lo volveré a ver **(9)** ___ más. ¿Qué cree que puedo **(10)** ___?

la broma pesada	*practical joke*
piropear	*to make flirtatious remarks to*
el chantaje	*blackmail*
ver con buenos ojos	*to look favourably upon*

EJERCICIOS *de* **CONSOLIDACIÓN**

 Lee: 6.3 Mi marido se opone a mis deseos

 Estudia: *Grammar sections 5.3.10: Conditional; 5.4.2: Imperfect subjunctive*

 Haz

1 Estas frases aparecen en el texto. Rellena los espacios en blanco y escribe al lado, entre paréntesis, el tiempo verbal correspondiente.

(a) Si___ meternos dentro del cerebro de tu marido, estoy seguro de que las razones que él ___ seguramente ___ en esa línea.

(b) Mejor___ decir que si él te ___ de verdad, no te ___ dificultad alguna para ejercer la profesión que te venga en gana y ___ tus deseos.

(c) Él se ___ con la custodia del niño y no ___ verle.

(d) Si conoces a otras mujeres que ya son militares, casadas con hombres que lo aceptan, te ___ de gran ayuda que tu marido los ___.

(e) Creo que ___ por perder ese miedo y ___ a ver con buenos ojos que ___ militar.

2 Ahora, construye al menos tres frases con cada uno de estas expresiones:

(a) Si me casara con un militar...

(b) Si yo fuera rico/a...

(c) Si él/ella me amara de verdad...

(d) Si yo conociera mi futuro...

C *Cara a cara*

Los padres no siempre están de acuerdo con las ideas que sus hijos tienen sobre su futuro profesional.

Persona A: Eres un chico/una chica que quiere ser el día de mañana… (escoge una carrera poco usual, peligrosa, etc.). Trata de convencer a tu padre/madre de lo acertado de tu elección. Responde con energía y convicción a los "peros" que él/ella te ponga.

Persona B: Eres el padre/la madre. Lo que te dice tu hijo/a no te gusta nada. Da respuestas lógicas a sus disparatados argumentos y proponle otras posibilidades más convencionales que la suya.

6.4

Empleo, imagen y educación

A Marina Subirats le preocupa que en el futuro las mujeres sufran aún más discriminación en el mundo laboral.

"Las mujeres nos conformamos con menos"

Marina Subirats, la nueva directora del Instituto de la Mujer, estrenó su cargo advirtiendo del riesgo de que las mujeres paguen una factura más alta por la crisis.

Varias semanas después, la II Cumbre de Mujeres Europeas alertaba de lo mismo: la situación económica y las reformas del mercado de trabajo amenazan con incrementar la segregación social de las mujeres.

MARIE CLAIRE: (1)
MARINA SUBIRATS: Todavía no los hay, en términos de mayor pérdida de trabajo por las mujeres que por los hombres. Ahora, sí he notado algunos indicios de un discurso que me conozco: «Si falta trabajo, las mujeres podrían trabajar a tiempo parcial y así tendrían tiempo para cuidar de los hijos, de la casa …» Se va creando un clima en el que parece natural empujar a las mujeres a que cedan los trabajos a los hombres. Y eso es una idea errónea. Tenemos que entender que el trabajo es un derecho individual y no un derecho familiar.

M.C.: (2)
M.S.: El II Plan de Igualdad de Oportunidades, aprobado por el Consejo de Ministros este año, prevé una serie de medidas respecto al empleo que vamos a desarrollar: impulso a la formación profesional de las mujeres, medidas de apoyo y ayuda a la búsqueda de trabajo, y también de impulso a las mujeres hacia los sectores más altos, ➤

porque cuantas más mujeres haya en esos puestos—que son los más visibles—, con más naturalidad verá la sociedad la incorporación profesional de la mujer, a todos los niveles.

M.C.: (3)

M.S.: No, no. La igualdad legal está formalmente conseguida, pero la igualdad real todavía no la tenemos. Las mujeres tienen trabajos más precarios, hay, proporcionalmente, más mujeres paradas y, sobre todo, hay un tema clarísimo: cobramos menos.

M.C.: (4)

M.S.: Es importante cambiar la mentalidad de los empresarios, pero también debe cambiar la mentalidad de las mujeres, en la medida en que, como fruto de la educación recibida, nos conformamos con menos. Tenemos que luchar por estar al mismo nivel. Y también es necesario que elijamos estudios y carreras no devaluados.

M.C.: (5)

M.S.: Hay varias razones. Una es el machismo, el sexismo, que hace que la figura de poder se asimile al hombre. Otra es que, como las mujeres compartimos el mundo de lo doméstico con el del trabajo, muchas se retraen de asumir demasiadas responsabilidades, y no porque no sean capaces, sino porque están muy sobrecargadas. Pero sólo en la medida en que compartamos mucho más lo doméstico podremos integrarnos a las responsabilidades del mundo de lo público. Aquello tan aprendido por las mujeres, como apañarse con menos dinero, organizar un equipo, manejar las relaciones para que no haya fricciones..., se puede trasponer al mundo del trabajo. ■

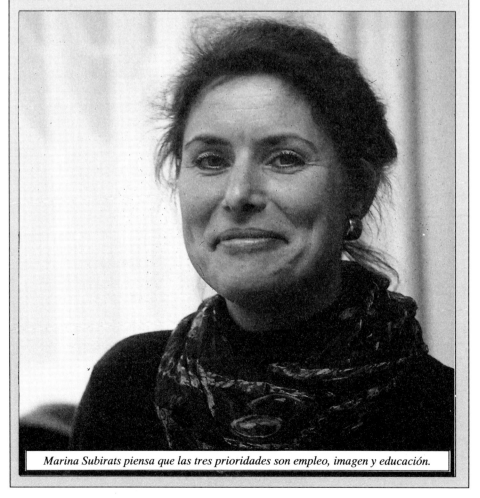

Marina Subirats piensa que las tres prioridades son empleo, imagen y educación.

A ¿Qué le preguntó la periodista a Marina para recibir las respuestas que acabas de leer? Une cada respuesta con la pregunta adecuada. Pero ¡ojo! No vas a necesitarlas todas.

a ¿Y qué va a hacer el Instituto para evitarlo?

b ¿Existen hombres que se oponen con fuerza a que sus esposas trabajen?

c ¿Y cómo se acaba con la discriminación salarial?

d ¿Son muchas las mujeres que tienen miedo al acoso sexual por parte de sus jefes?

e ¿Hay indicios de que esta marcha atrás se está produciendo ya?

f ¿Hay muchas mujeres que dejan de trabajar si se consideran en una situación de desigualdad?

g Teniendo en cuenta que las mujeres forman el 50% de la población universitaria, ¿por qué hay tan pocas mujeres en los órganos de decisión?

h ¿La mujer está incorporada al trabajo en condiciones de igualdad?

B Las palabras de la tabla aparecen en el texto. ¿Puedes completarla?

Sustantivo	*Verbo*
director(a)	**(1)**
(2)	amenazar
reforma	**(3)**
(4)	incrementar
riesgo	**(5)**
(6)	conocer
segregación	**(7)**
(8)	volver
indicio	**(9)**
(10)	aprobar
empleo	**(11)**
(12)	desarrollar

C Completa las siguientes frases:

1 Aunque ___ hay igualdad ___ hombres y mujeres, la situación ___ dista mucho de eso.
2 Muchas mujeres no ___ que se las trate ___ que a los hombres.
3 ___ los empresarios como las mujeres mismas deben ___ que las mujeres no valen ___ que los hombres.
4 El sexismo a menudo ___ que las mujeres no alcancen puestos de ___ importantes.
5 Muchos de los recursos que las mujeres ___ a desarrollar en el ámbito ___ son indispensables en el mundo del trabajo.

6.5

Acoso sexual en el trabajo

Otro problema al que a veces tienen que enfrentarse las mujeres es el acoso sexual, pero muy pocas lo dicen. La mayoría piensa que no las creerán o temen a las represalias.

Todo empezó disfrazado de paternalismo-, nos explica <u>María Jesús Furió</u>, alguacila del ayuntamiento de Alboraya (Valencia). «Cuando entré a trabajar el entonces alcalde, José Cabello, me ofreció su ayuda, insistió en que la puerta de su despacho se encontraba siempre abierta y me dijo que no dudara en pedirle asesoramiento si lo necesitaba.» Pero, según nos cuenta María Jesús, la amabilidad de aquel hombre pronto se convirtió en abuso de confianza: «La mano que decía que era de un amigo ya no

"O me acostaba con él o perdía mi empleo"

estaba sobre el hombro, sino sobre un pecho, y la puerta que parecía estar siempre abierta se cerraba con dos pestillos cuando yo entraba en el despacho.» **No sabía cómo poner fin a los comentarios obscenos, las miradas lujuriosas y los manoseos.** «Si se lo hubiera dicho a mi marido, que en aquel entonces era jefe de policía, ¡menuda se habría liado! Además, era mi palabra contra la suya.»

Frases groseras, miradas molestas, agresiones...
«Para colmo, no se trataba de un jefe cualquiera: era el alcalde del pueblo y llevaba 40 años en el Ayuntamiento.» Maria Jesús, sabiendo que a José Cabello no le gustaban las mujeres fumadoras, empezó a consumir tabaco, comenzó a vestirse con ➤

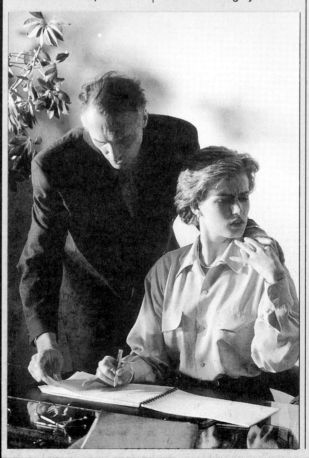

faldas largas y la ropa menos llamativa que encontraba en el mercado, y se puso gafas. Pero los ataques no cesaban. «De pronto decidí afiliarme al sindicato UGT y en el mismo momento en que se enteró cesó todo acoso. Fue fulminante,» señala María Jesús. Un día sorprendió a la secretaria particular del alcalde llorando. Y aquella joven le contó una historia que ella sabía de memoria: el alcalde, amigo de sus padres desde hacía años, intentaba abusar de ella desde el día siguiente a su entrada en el ayuntamiento. **«Las dos estábamos asustadas por su autoridad** y convencidas de que nadie nos creería,»

confiesa María Jesús. Pasaron algunos meses, y una nueva trabajadora, recién incorporada, se vio igualmente acosada, pero, a diferencia de ellas, lo contó. Y resultó que no estaban solas, sino que las mujeres humilladas por aquel hombre en el ayuntamiento eran cinco. En junio, las trabajadoras presentaron una denuncia, y aún están esperando ver el fin de esta historia judicial.

«El está prolongando el caso —dice María Jesús— creyendo que el tiempo juega a su favor, pero la opinión pública cada vez es más sensible a estos problemas». Y es cierto que cada vez son más las mujeres que tienen conciencia de que

su condición de trabajadoras no conlleva el hecho de tener que aguantar ningún tipo de abusos; abusos que pueden ir desde miradas o gestos cargados de intención hasta comentarios groseros y contactos innecesarios, llegando, a veces, a agresiones físicas y sexuales más graves. Todo ello bajo la amenaza, implícita o explícita, de la pérdida de su empleo o de un empeoramiento de sus condiciones laborales si la trabajadora no accede a sus propuestas. Y la mujer suele callar y aguantar durante mucho tiempo, ya que piensa que es su palabra contra la del acosador. ■

disfrazado (de)	*disguised (as)*
el paternalismo	*paternalism, patronizing behaviour*
el abuso de confianza	*betrayal of trust*
cerrada con dos pestillos (la puerta)	
	double-locked
lujurioso	*lustful*
el manoseo	*unwelcome touching, pawing*
el sindicato	*workers' union*
el acoso	*harassment*
sensible	*sensitive*
el comentario grosero	
	crude remark

A Estas frases resumen la primera parte del artículo (hasta "…el veredicto final") pero están mal ordenadas. ¿Cuál sería el orden correcto?

1 Sin embargo, cuando estaba a solas con María Jesús su comportamiento cambió por completo.

2 Pero la situación continuó igual.

3 Al principio María Jesús y su colega pensaron que todo el mundo creería antes al alcalde que a ellas.

4 El señor Cabello a primera vista era un jefe muy amable.

5 Sólo cambiaron las cosas cuando María Jesús se afilió a un sindicato laboral.

6 María Jesús y otras cinco mujeres denunciaron a José Cabello y ahora están esperando el resultado judicial.

7 María Jesús tenía miedo de la reacción de su marido si se lo contaba.

8 Poco después descubrió que no era la única a quien había acosado José Cabello.

9 Cuando una nueva empleada se encontró en la misma situación, ella no guardó silencio.

10 María Jesús decidió vestirse y comportarse de una manera que al señor Cabello no le gustaba, para que así dejara de interesarse en ella.

B **V** Traduce al inglés la última parte del artículo (desde 'Él está prolongando el caso…').

C *¡Tu turno!*

¿Qué opinas tú de la historia de María Jesús? ¿Te parece que el acoso sexual es un problema corriente? Escribe en unas 150 palabras tu punto de vista.

6.6

Volver a empezar

Uno puede perder su empleo por causas muy diversas, pero ello puede convertirse en una oportunidad para replantearse el futuro laboral y dar el salto adelante.

el finiquito	*settlement of an employee's pay*
la noche en vela	*sleepless night*
la resaca	*hangover*
la rabia	*anger*

QUÉ HACER SI TE QUEDAS EN PARO

Las primeras semanas

Después de inscribirte en la oficina del INEM que te corresponda y poner al día tu currículum. . .

1 • Haz un presupuesto realista. Incluye en él todos los gastos habituales y los extras. Calcula cuánto tiempo puedes vivir sin tener que recurrir a tus padres. Luego, sé razonable, empieza a recortar.

2 • No fundas tu finiquito ni la indemnización a lo loco. Consulta con algún consejero financiero cómo invertir el dinero.

3 • Antes de empezar a buscar otro trabajo a la desesperada, aprovecha el tiempo en averiguar qué es realmente lo que quieres hacer.

4 • Haz una lista de tus estudios y también de tus habilidades, de lo que sabes hacer. Sopesa pros y contras.

5 • Considera la posibilidad de crear tu propio negocio, pero sé práctico/a. Estudia sobre el tema, investiga el mercado y deja que el banco te aconseje.

Recupera tu autoestima

No te derrumbes cuando no tengas que levantarte para ir a trabajar:

6 • Impone un horario dividido en bloques: para la casa, para buscar empleo, la familia, el ocio…

7 • Puede ser recomendable un corte de pelo o un cambio de imagen. Los especialistas aseguran que estas actitudes indican que te valoras a ti mismo/a y eso repercute en tu entorno.

8 • Mímate, prepárate comidas deliciosas, pasa tiempo al aire libre. Acude a esa exposición para la que antes no tenías tiempo. Matricúlate en algún curso de idiomas, manualidades o de lo que sea.

9 • Vigila tu nivel de estrés: la rabia controlada es saludable; las noches en vela y las mañanas con resaca, no.

10 • Haz un esfuerzo por mantenerte en forma. Impone pequeñas tareas diarias físicas y mentales: caminar un par de kilómetros, leer un periódico...

11 • Acepta que ya no tienes trabajo. No se lo escondas a tus amigos y familiares, o no te podrán ofrecer apoyo y ayuda. Habla de ello, pero sin anclarte en el pasado ni dando un mensaje pesimista. Prepárate para el futuro, es tu máxima prioridad. Ahora es el momento de lanzarse —con orden y concierto— a buscar otro empleo. ■

Cuando el despido nos afecta a nosotros en particular, puede provocarnos un conflicto interno difícil de superar. Aunque parezca el fin del mundo, no lo es.

A

Aquí tienes unas preguntas que se corresponden con las claves que acabas de leer (y unas cuantas que no tienen nada que ver con ellas). ¿Puedes unir las preguntas con las claves?

a ¿Qué podrías hacer?
b ¿Cómo pasas tu tiempo?
c ¿Qué estudias?
d ¿Cuánto dinero necesitas para vivir?
e ¿Cuánto valoras tu imagen?
f ¿Cómo te mantienes en forma?
g ¿Dónde comes?
h ¿Cómo gastas tu dinero?
i ¿Cómo estás de salud?
j ¿Cómo ahorrar?
k ¿Qué quieres hacer?
l ¿Cuánto bebes?
m ¿Qué sabes hacer?
n ¿Qué les dices a los que te rodean?
o ¿Cuánto cuidas de ti mismo?

B *¡Tu turno!*

¿Qué piensas tú de estos consejos? ¿Cuál(es) te parece(n) más útil(es)? ¿Hay alguno que no te parezca bueno? Escribe tu opinión en unas 120 palabras, en español.

C

Otra solución es ponerte a trabajar por tu cuenta. Escucha lo que Olga nos cuenta. Toma notas en espanol de las razones por las cuales la profesora

1 decidió abandonar su antiguo puesto de trabajo.
2 prefiere su actual trabajo.

EJERCICIOS *de* CONSOLIDACIÓN

Lee: 6.6 Volver a empezar

Estudia: *Grammar section 5.5: Imperatives*

Haz

Completa el siguiente cuadro:

Infinitivos	Imperativos			
	Tú	**Vosotros**	**Vd.**	**Vds.**
1 Empezar	Empieza		Empiece	
2 Consultar		Consultad		
3 Calcular			Calcule	Calculen
4 Buscar	Busca			
5 Inscribirse	Inscríbete		Inscríbase	
6 Estudiar		Estudiad		

EJERCICIOS *de* CONSOLIDACIÓN

 Lee: 6.6 Volver a empezar

 Estudia: *Grammar sections 5.5: Imperatives; 4.1: Personal pronouns*

 Repasa: Texto 4.1, Personal object pronouns

Haz

1 Completa los siguientes cuadros:

(a) Tú

Infinitivos	Imperativos				
	A mí	A ti mismo/a	A él/ella	A nosotros	A ellos/as
Vigilar	Vigílame		Vigílalo/la		
Preparar		Prepárate		Prepáranos	
Mimar		Mímate			Mímalos/las
Cuidar	Cuídame		Cuídalo/la		

(b) Vosotros

Infinitivos	Imperativos				
	A mí	A él/ella	A nosotros	A vosotros mismos	A ellos/as
Vigilar	Vigiladme		Vigiladnos		
Preparar		Preparadlo/la		Preparaos	
Mimar	Mimadme		Mimadnos		
Cuidar		Cuidadlo/la			Cuidadlos/las

2 Ahora escribe una frase que se corresponda con cada uno de los siguientes imperativos.
Ejemplo: ¡Acéptalo!

Tú tienes que aceptar **el hecho de estar en paro**

(a) ¡Hacedlo!
(b) ¡Díselo!
(c) Consúltaselo
(d) Visítala

6.7

Dejó un buen trabajo para mejorar su calidad de vida

Olga no es la única que ha dejado un puesto de trabajo estable para lanzarse a trabajar por su cuenta. Lee la historia de Luis.

HUIR DEL MUNDO FINANCIERO

Cuando Luis Fonseca, entrado en la cuarentena, decidió dar carpetazo a su carrera de corredor de cambios, ni siquiera había determinado a qué iba a dedicarse a partir de entonces. Diez años de relativo éxito económico y relumbrón social no fueron suficientes para acabar con el gusanillo inconformista que llevaba dentro. «El factor dinero es muy importante y yo reconozco que fui muy bruto en este sentido. Actué de forma muy impulsiva, pero el sentimiento de estar viviendo una existencia equivocada era tan fuerte que estuvo por encima de cualquier otra consideración.» De un plumazo se esfumó su estabilidad y su cuenta bancaria empezó a perder dígitos. No le fue fácil abrirse paso en su nueva actividad, pero lo ha conseguido y está orgulloso porque ha dado en el clavo al hacer de la principal de sus aficiones una actividad comercial. Fugitivo del rampante mundo financiero, intentó hacerse un sitio entre las telas pintadas. Quizá nunca hubiera podido vender un cuadro, pero pensó que la solución estaba en hacer de sus pinturas un objeto de utilidad. Comenzó a pintar cojines y estores. Al inicio, él mismo recorría ferias y comercios para vender sus productos, pero ahora es otra persona quien se encarga de las ventas. ■

A Sin copiar del texto, contesta a las siguientes preguntas:

en la cuarentena	*in his/her forties*
dar carpetazo a	*to put on one side*
el gusanillo	*the bug (for an interest or pursuit), hankering*
de un plumazo	*with one stroke of the pen*
dar en el clavo	*to hit the nail on the head*

1 ¿Por qué decidió Luis Fonseca dejar el mundo de las finanzas?
2 ¿Cuánto tiempo reflexionó antes de dar el paso?
3 ¿Qué le importa a Luis más que el dinero?
4 ¿Por qué le resulta ideal su trabajo actual?
5 ¿Cómo sabemos que su negocio ha prosperado?

B Explica con tus propias palabras lo que quieren decir las siguientes expresiones:

1 dar carpetazo a
2 el gusanillo inconformista
3 de un plumazo
4 Su cuenta bancaria empezó a perder dígitos
5 ha dado en el clavo

C En este último párrafo del artículo faltan algunas palabras. Rellena cada espacio en blanco con una de las palabras de la lista contigua.

dejaba	interesaba
dejará	lo
dolía	ningún
es	ninguno
gente	permitirá
haber	resultaba
habiendo	tratar
hay	viviendo
intentar	

Luis Fonseca nunca **(1)** ___ de felicitarse por **(2)** ___ abandonado «todavía a tiempo» su mesa de operaciones y las comidas de negocios. «La **(3)** ___ tiene que hacer **(4)** ___ posible por vivir su vida. Primero tiene que descubrir qué **(5)** ___ lo que a uno le gusta y, después, **(6)** ___ hacerlo. A mí no me **(7)** ___ tranquilo el convencimiento de estar **(8)** ___ una vida ajena, que no me **(9)** ___ en **(10)** ___ de sus aspectos.»

6.8

El desasosiego de un mundo nuevo

Asunción también sintió la necesidad de trabajar en aquello donde podía expresar su creatividad.

Espoleada también por la búsqueda de un mundo más creativo, Asunción Rivero abandonó Canarias y su trabajo como secretaria de dirección en la empresa de exportación e importación de pescado y marisco en la que empezó cuando sólo tenía dieciséis años, trabajo que compartía con los estudios de empresariales. Un festival de teatro y unos casuales cursillos de interpretación sembraron en ella el desasosiego de un mundo nuevo. «Fue en medio de una clase de nuevas técnicas contables cuando me planteé una pregunta que nunca me había hecho: ¿qué tengo yo que ver con esto?, ¿no es el

CAMBIAR LA EXPORTACIÓN POR EL TEATRO

teatro lo que de verdad me gusta?» La incertidumbre la resolvió plantando empresariales en cuarto, vendiendo su coche, y, tras una timorata excedencia de tres meses, pidiendo la liquidación en su empresa para empezar en Madrid un curso de tres años de interpretación.

El comienzo fue duro. «Me pasé tres meses encerrada, con una depresión fortísima, comiendo pan y mantequilla. Para poder pagarme los cursos y vivir, tuve que empezar a hacer cosas que nunca antes había hecho y que jamás se me ocurrió que tendría que hacer: limpiar, pegar carteles, hacer encuestas...» El esfuerzo ha merecido la pena. Asunción Rivero es ahora una de las integrantes de la compañía Cuarta Pared, un proyecto teatral independiente con sala propia y generador de numerosas actividades. Sus funciones como profesora de teatro infantil, actriz, distribuidora de los espectáculos de la compañía y organizadora de los intercambios con otras salas, apenas le dejan un respiro, pero el proyecto marcha viento en popa. ∎

A Aquí tienes el principio y el final de unas frases que resumen la historia de Asunción Rivero. ¿Las puedes completar?

1 Cuando tenía dieciséis años ... de pescado y marisco.
2 Descubrió su afición ... cursillos de teatro.
3 Estudió ... durante tres años.
4 Su nueva vida no fue ... cosas que no entraban en sus planes.
5 Ahora está contenta ... exportación.

B Traduce el siguiente texto al español.

Asunción Rivero now works with the theatre project, Fourth Wall. In the middle of an accountancy class, she decided that what she really loved was the theatre, and after three months she left her job with an import-export company and went to Madrid to start a three-year acting course. It was very difficult at first, and her jobs with Fourth Wall give her very little time to catch her breath, but Asunción believes that her search for a more creative environment has been worthwhile.

C *Cara a cara*

Persona A: Quieres hacer lo mismo que Asunción o Luis, y dejar tu trabajo para mejorar tu calidad de vida. Explica tus motivos.
Persona B: No comprendes las razones de tu amigo/a. Intenta convencerle/la de que cambie de opinión e indícale los riesgos con los que se tendrá que enfrentar si no lo hace.

6.9

Vagabundos por obligación

Por desgracia hay quienes no tienen tanto éxito al dejar su puesto de trabajo. Su vida resulta miserable, pero no son lunáticos ni holgazanes: simplemente víctimas de una crisis que los ha dejado sin hogar.

BAJO LOS PUENTES

Sobrevivo haciendo chapuzas para un taller de carpintería, todavía soy fuerte y puedo levantar con facilidad muebles pesados... aún soy útil. Pero, primero voy a presentarme: me llamo Matías, tengo esa edad indefinida pasada la cuarentena – soy consciente de que represento más – y, hasta hace poco, «ejercía la peculiar profesión de vagabundo». Las razones que llevan a un ser humano a subsistir en la calle son demasiado complicadas para analizarlas aquí: la crisis económica, la ausencia de una familia, la adicción al alcohol, etc. Sólo pretendo relatar un curioso período de mi vida, aquél que compartí con Antonio y Luis, dos vagabundos como yo, y cómo hicimos de un puente sobre el castizo río Manzanares nuestro hogar durante un tiempo. Ellos todavía viven allí.

HOGAR, DULCE...

Entre los tres organizamos nuestra «casa» con ilusión; poco a poco logramos que el lugar tuviese un aspecto casi decente: lo decorábamos con pequeños «tesoros» que recogíamos en los cubos de basura, contenedores, papeleras, etc. Los enseres que otras personas desechaban por viejos e inútiles pasaban a formar parte de nuestro sobrio mobiliario; el «comedor» por ejemplo, constaba de una mesa y unas sillas que no siempre eran capaces de soportar nuestro peso. La «espléndida» cocina con un hornillo, nos servía para calentar la comida que conseguíamos juntar con más esfuerzo que éxito. Otras veces, las papeleras, la basura de las tiendas y los bares eran nuestro supermercado particular; en realidad, cualquier sitio era bueno para encontrar algo con que entretener el estómago. Antonio, el mayor del grupo, casi no comía: a él le bastaba con su dosis de vino

diaria, no le era fácil conseguirla, y a él le sentaba bastante peor eso que a nosotros la falta de comida. No resultaba una vida alegre, desde luego, pero teníamos nuestros momentos de animación. Luis resultaba el más divertido de todos, siempre con una sonrisa en la boca, y buscando el lado bueno de las situaciones. Según él, nosotros teníamos mucha suerte. Nuestra «casa» era mejor que la de otros muchos, no había paredes, pero sí un techo bajo el que resguardarse. ➤

Además, estábamos bastante tranquilos: los drogadictos de la zona iban a pincharse a otro lugar, y *los municipales* hacían la vista gorda, «pero, sobre todo, estamos juntos -alentaba Luis-, tenemos un amigo con quien hablar». No obstante, en los días helados de invierno no había ánimos que valiesen cuando tiritábamos de frío.

VOLVER A EMPEZAR

Los vecinos del barrio nos daban algo de comida, dinero y ropa usada, todavía queda gente caritativa, fue uno de ellos quien me consiguió este trabajillo y me ayudó a buscar una pensión cerca de la Puerta del Sol. Le doy las gracias por esa oportunidad. La crisis nos despojó de trabajo y casa, nos separó de nuestras familias.

No sé si el final de la crisis nos devolverá todo aquello que perdimos. Desde luego, no podrá quitarnos la esperanza de que algún día la suerte nos mire de frente. ■

A Aquí tienes unas frases que resumen la historia de Matías, pero las primeras mitades no se corresponden con las segundas. ¿Las puedes unir correctamente?

1 Matías ahora tiene …	**a** … trastos que la gente tira.
2 Hace poco tiempo vivía en …	**b** … más de cuarenta años.
	c … invierno, porque hacía mucho frío.
3 Él y sus amigos decoraban su «casa» con …	**d** … comer demasiado, pero sí beber vino.
4 Solían encontrar su comida en …	**e** … la adicción al alcohol.
	f … trabajo en un taller de carpintería.
5 Uno de los vagabundos no necesitaba …	**g** … un amigo con quien hablar.
6 Lo pasaban peor cuando era …	**h** … vecinos caritativos.
	i … la calle con dos amigos.
7 Recibían ayuda de …	**j** … uno de sus vecinos, el cual le ayudó a superar su crisis personal.
8 Matías está agradecido a …	**k** … cubos de basura.
	l … la policía municipal.

B Explica con tus propias palabras:

1 sobrevivo haciendo chapuzas
2 esa edad indefinida pasada la cuarentena
3 los enseres que otras personas desechaban
4 con más esfuerzo que éxito
5 algo con que entretener el estómago
6 hacían la vista gorda
7 tiritábamos de frío

C *¡Tu turno!*

¿Qué piensas de Matías y sus amigos? ¿Te dan pena o consideras que son unos sinvergüenzas que tienen la vida que merecen? Explica en unas 150 palabras tu punto de vista.

6.10 📖 ✍️

Aumenta el paro, aumenta la depresión

Matías ha pasado sin duda alguna por una situación desesperada, pero hay muchos parados que, sin sufrir nada parecido, también se sienten sin esperanzas.
Según los expertos, la ansiedad y la depresión son muy corrientes entre los parados.

el bricolaje *DIY*

Oriol Llorens es un ingeniero catalán, padre de seis hijos, cuatro de ellos todavía en período de formación universitaria. Hace ya algún tiempo que cumplió los 50, y desde hace dos años está en paro: "Nunca en la vida hubiera imaginado que, después de haber trabajado sin descanso durante muchos años y de haber alcanzado un puesto directivo en una empresa importante, podría encontrarme algún día así: parado y sin perspectivas de trabajo," dice.

La realidad del padre parado refuerza la desesperanza de los hijos, conscientes de que no tienen fácil encontrar un trabajo, y que si lo encuentran, lo más realista es pensar que pueden perderlo en cualquier momento. Para el padre, ésa era una posibilidad que ni siquiera se le pasó por la cabeza.

Las tres fases

El síndrome del parado llega tras un tiempo de inactividad. Antes, la mayoría de los parados suelen pasar un proceso de tres fases. La primera es de signo lúdico. El parado se toma las primeras semanas como unas vacaciones. Hace algunas cosas que no pudo hacer antes y se entrega al bricolaje. Es tiempo de deliberado optimismo, como si quisiera reponer fuerzas. La segunda fase es la de la búsqueda. Las gestiones no surten resultado. La angustia comienza a asomar el hocico y se convierte en desolación conforme comprueba que se van agotando los recursos.

La tercera fase es la del hundimiento. El parado comienza a pensar que nunca encontrará trabajo. Interioriza el pesimismo y acaba creyendo que el mal está dentro. "Si no encuentro trabajo es porque no valgo, porque no estoy

El 'síndrome del parado', enfermedad en alza

Los expertos advierten que hay que estar preparado para períodos de inactividad

preparado," se dice. De ahí a la depresión sólo hay un paso, y si se prolonga, se hace crónica y requiere tratamiento médico.

Pero el paro no provoca sólo alteraciones psicológicas. También desencadena patologías físicas, en algunos casos severas. Un estudio de 1993 en Madrid encontró que el 35% de los parados encuestados presentaba alteraciones nerviosas; otro 35%, molestias gástricas, y el 8%, también intestinales. El estudio también reveló que el consumo de psicofármacos era muy superior entre los parados que en la población general. ∎

A Sin copiar del <u>texto</u>, contesta a las siguientes preguntas utilizando una frase completa.

1 ¿En qué región vive Oriol Llorens?
2 ¿Qué le ocurrió a los 48 años?
3 ¿Por qué se siente deprimido?
4 ¿Cuál es la reacción de sus hijos?

EJERCICIOS *de* CONSOLIDACIÓN

 Lee: 6.10 Aumenta el paro, aumenta la depresión

 Estudia: *Grammar section 5.1: Expressions with the infinitive*

 Repasa: Texto 2.4

 Haz

Algunas de estas frases están escritas con el impersonal 'hay que' y otras ofrecen consejos de un modo más personal. Escríbelas de nuevo de forma que las frases 'impersonales' pasen a dirigirse a alguien (a un supuesto 'tú') y *viceversa*. Ve con cuidado con los verbos reflexivos.

Ejemplo: Los expertos advierten que hay que estar preparado para períodos de inactividad

Debes estar preparado (or debes prepararte) para posibles períodos de inactividad.

1 Nunca debes perder tus esperanzas, si estás en paro.
2 Hoy en día, hay que trabajar muy duro para conservar el puesto de trabajo.
3 ... Y aún así, no hay que hacerse falsas esperanzas.
4 Tienes que aceptar, si te encuentras sin trabajo, que no es tu culpa.

B Explica con tus propias palabras las siguientes frases:

1 en período de formación universitaria
2 se le pasó por la cabeza
3 tras un tiempo de inactividad
4 no surten resultado
5 se van agotando los recursos

C *¡Tu turno!* 🆅

Eres uno de los hijos de Oriol Llorens. Escribe una carta de unas 150 palabras a la revista que publicó la historia de tu padre, contando cómo le ha afectado el paro. (Mira también el apéndice de la página 172.)

EJERCICIOS *de* CONSOLIDACIÓN

 Lee: 6.10 Aumenta el paro, aumenta la depresión

 Estudia: *Grammar sections 5.5: Imperatives; 5.4: Subjunctive*

 Repasa: Texto 6.3

 Haz

Completa estas frases. Te ayudamos dándote la segunda parte en inglés.

Ejemplo: Para él es tiempo de deliberado optimismo, como si [he wanted to recharge his batteries].

Para él es tiempo de deliberado optimismo, como si quisiera reponer fuerzas.

1 El hombre no parecía triste por haber perdido su empleo. Era como si [he liked the idea of a holiday].
2 Pero pronto comenzó a sentirse mal. Como si la inactividad [affected his health].
3 Por ello se inscribió en varios cursillos de bricolaje. Era como si [he needed to be busy all the time].
4 Su hijo empezó a sacar malas notas. Como si ya [he wasn't interested in his studies].
5 El joven dice que de repente lo vió todo negro. Fue como si [he was losing everything].

6.11

No sé cómo decirles a mis hijos que estoy en paro

Otro problema con que los parados se tienen que enfrentar es el de la vergüenza. Escucha esta entrevista.

A Algunas de las siguientes frases no son correctas. Escucha otra vez la entrevista y, a continuación, corrige los errores.

1 Más vale no decir nada a los niños, si son demasiado sensibles.
2 Cuando falta dinero es lógico y normal que la familia tenga más disputas que de costumbre.
3 Los consejos propuestos ayudarán al parado a encontrar un puesto de trabajo.
4 Estar en paro puede resultar una experiencia útil para todos los miembros de la familia.

B Después de escuchar al hombre contándonos su problema, completa el resumen siguiente. Escribe una palabra en cada espacio en blanco.

Desde que se **(1)** ___ en paro **(2)** ___ ya un mes, este hombre, que tiene dos **(3)** ___, trata de **(4)** ___ viviendo como antes. Tiene **(5)** ___ de que sus hijos **(6)** ___ que ya no tiene empleo porque oyó de sus bocas comentarios **(7)** ___ sobre el padre de un amigo **(8)** ___ que se **(9)** ___ en una situación **(10)** ___. La mujer del parado no **(11)** ___ revelar la verdad a sus hijos, y su marido no **(12)** ___ qué hacer.

C **V** Ahora vas a escribir tú la carta de respuesta, en unas 150 palabras, tal y como expresarías tú lo que has oído. Utiliza todos los vocablos de la lista que sigue a continuación.(Da también un vistazo al apéndice de la página 172.)

aguantar	eficacia	necesidades	sensible
ahorros	esfuerzo	paro	trabajo
alternativas	esperar	reducir	verdad
dificultades	lamentarse	sensato	

6.12

Tú también puedes ayudar

Si estas en paro, o simplemente dispones de algunas horas libres, puedes trabajar como voluntario. Aquí te ofrecemos algunas opciones.

VOLUNTARIOS

Si estás decidido a dedicar parte de tu tiempo a alguna labor humanitaria, ante todo debes responder a algunas preguntas: ¿qué preparación tengo? ¿qué sé hacer y qué me gustaría hacer? ¿hacía qué colectivo me siento más sensibilizado: personas mayores, minusválidos, reclusos, minorías étnicas...? ¿De cuánto tiempo dispongo?

Ayudar a los demás es una labor admirable que requiere de un compromiso por nuestra parte. Si nos comprometemos a ayudar a alguien, que va a contar con nosotros, debemos tener claro por cuánto tiempo y no abandonar antes de que hayamos cumplido nuestra tarea.

Ser voluntario significa pertenecer a ese grupo de personas que dedica una parte de su tiempo libre a realizar una acción al servicio de los demás o de la comunidad en general, sin esperar nada a cambio.

¿Quién puede ser voluntario?
Puede ser voluntaria cualquier persona con un espíritu joven, dispuesta a actuar al servicio de los demás, mejorando la calidad de vida de la sociedad. Se aconseja que sean personas dotadas de estabilidad emocional, equilibradas y que sepan superar la angustia.

Hay que estar dispuesto a participar en un proceso de formación permanente para mejorar la labor como voluntario.

¿Cómo ayudar?
– <u>Voluntariado social:</u> ayuda a toxicómanos, reclusos, ancianos que viven solos, enfermos de larga duración, integración social de inmigrantes y refugiados, acciones de asistencia a indigentes y a niños en situación de riesgo social, discapacitados físicos y sensoriales, mujeres maltratadas...
– <u>Voluntariado ambiental:</u> asociaciones ecologistas, excursionismo, guías de senderos, trabajos de protección y recuperación ambiental...
– <u>Voluntariado de cooperación internacional:</u> actuaciones a favor de otros países, especialmente del Tercer Mundo, que también se pueden realizar sin salir de nuestro país.

Cursos y orientación
Desde las plataformas para el voluntariado y también las oficinas de voluntarios de la Cruz Roja, se organizan cursos de orientación al voluntariado y se explica cómo y dónde debe hacerse el trabajo de voluntario.

Estas organizaciones también disponen de unos días y unos puntos de reunión llamados "informativos", donde voluntarios te asesoran sobre cúal podría ser tu mejor destino, las actividades a desarrollar y en qué organización. ∎

A Te hemos dado todas las respuestas al crucigrama, pero en las definiciones hay varios espacios en blanco. ¿Los puedes rellenar?

Horizontales

4 Se puede ___ que la posee una persona que no se deja ___ por las emociones.

5 Una persona que está en la ___.

6 Aquellos que ___ una drogodependencia.

8 Los que tienen algún impedimento ___ o mental.

10 Relativo a las personas o propio ___ éstas.

14 Esposas de hombres ___, por ejemplo.

15 Aquello que la ___ otorga a alguien.

16 Boletines de ___ en los ___ de comunicación.

Verticales

1 Cualquier ___ caritativo que ayuda a ___ persona.

2 (y 9) Los que han ___ el uso ___ la vista o del oído, por ejemplo.

3 Personas o grupos que se ___ ___ la naturaleza y los animales.

7 ___ dado ___ los ___ subdesarrollados.

9 ___ a los cinco sentidos.

11 Organización de ___ con ___ mismas metas e intereses.

12 Persona ___.

13 Los que han ___ que ___ de sus países, normalmente por ___ políticos.

B *¡Tu turno!* **V**

Haz una lista de las cualidades personales que uno necesita para los distintos tipos de trabajo voluntario mencionados en el artículo. ¿Cuál(es) podrías hacer tú y cuál(es) no? ¿Por qué? Luego habla con tus compañeros de clase a ver si ellos tienen opiniones diferentes a las tuyas.

Crossword grid (answers filled):

- 4 ESTABILIDAD
- 5 RECLUSO
- 6 TOXICOMANOS
- 8 MINUSVALIDOS
- 10 HUMANOS
- 14 MUJERESMALTRATADAS
- 15 DERECHOS
- 16 INFORMATIVOS

Down answers visible in grid include: NATURALISTAS, LBBRHMONITANIA, DISCAPACITADO, TERCERMUNDO, REFUGIADOS, VOLUNTARIOS, ENSORIADOS, ANCIANO, MALTRATLES, etc.

6.13

Ejercicios de repaso

Elige uno de estos dos temas y escribe un texto de unas 200 palabras sobre él. Luego graba en una cinta un discurso de un minuto sobre el otro tema para tus compañeros de clase.

A Si te quedaras en paro, ¿qué harías? ¿Por qué?

B "El deber de toda mujer es casarse, cocinar y criar hijos." ¿Estás de acuerdo con este punto de vista? ¿Por qué (no)?

¿**S**omos todos iguales?

Vivimos en una época en la que cada vez se mezclan más razas y culturas distintas y en la que muchas de las fronteras que separaban a los seres humanos han desaparecido. Pero ... ¿ha desaparecido también la barrera del racismo?

7.1

¿Tienes prejuicios raciales?

¿Están algunas actitudes racistas más extendidas de lo que creemos? Pocos lo reconocen abiertamente: las diferencias étnicas o raciales suponen para algunos barreras infranqueables. Un conocido semanario llevó a cabo una encuesta al respecto en equipo con el programa de radio "El mundo en el que vivimos".

A   ¡Haz el test!

Posiblemente nunca hasta ahora te habías planteado si eres o no racista: si tienes curiosidad por saberlo, sólo tienes que contestar a las siguientes preguntas (ver la página 98).

1 Quieres comprarte un apartamento y un amigo/una amiga comenta que se vende uno a buen precio en su edificio. Sabes que en ese mismo bloque vive una familia gitana …
   a Sin dudar lo compras, es justo lo que estabas buscando.
   b Prefieres sacrificar tu independencia a tener ese tipo de vecinos.
   c Si realmente te convence y la financiación es buena, no consideras nada más.

2 A última hora surge una cena de compromiso con tu pareja. La agencia de 'canguros' te envía una chica para que se quede con los niños y, cuando llega, ves que es colombiana …
   a Dejas que tu pareja acuda sola a la cena.
   b Te vas tranquilo/a, parece responsable y sabes que ha cuidado en otras ocasiones de los niños de tus vecinos.
   c Vas a la cena pero estás preocupado/a todo el rato.

3 Un compañero/Una compañera comenta que conoce a unos inmigrantes que necesitan ayuda …
   a Te excusas, no dispones de tiempo para dedicarlo a otros.
   b Intentas ayudarlos, a pesar de que no te sobran las horas.
   c Te niegas, no quieres tratos con inmigrantes.

4 Un técnico que parece marroquí viene a arreglarte la lavadora. Tú debes salir para hacer un recado …
   a Vas a hacerlo, pero le dices al portero que esté pendiente.
   b Pides al vecino/a la vecina que te haga el encargo – no quieres dejar a un extraño solo en casa.
   c No te fías: los moros te dan muy mala espina.

5 Unos polacos abren una tienda de ultramarinos con muy buenos precios al lado de tu casa …
   a Compras donde siempre.
   b Sin dudar, cambias de tienda.
   c La nacionalidad de sus propietarios "te importa un pimiento". No tienes un lugar fijo para hacer la compra.

6 Unos amigos han preparado una cita a ciegas. A última hora te dicen que es negro/a …
   a Estás impaciente. La gente negra es muy atractiva.
   b Le/La dejas plantado/a.
   c Sales con él/ella. Parece agradable y puedes pasarlo muy bien.

7 En la oficina de empleo se acerca un extranjero para que le ayudes a rellenar un impreso …
   a Te ofreces amablemente a ayudarle.
   b Le ignoras y te vas. ¡Solo faltaba que nos quitasen el empleo!
   c Le indicas dónde puede informarse al respecto.

8 Te duele una muela y acudes a una clínica de urgencia donde casi todos los doctores son suramericanos …
   a Pides un doctor español. Si no hay ninguno, buscas otra clínica.
   b No te importa. Piensas que están perfectamente cualificados para atenderte.
   c Evitas acudir a médicos que no son de tu confianza, pero siempre podrán darte algo que te calme el dolor.

9 Tu amigo/a va a casarse con una musulmana/un musulmán …
   a Si es feliz, ¿qué importancia tienen las creencias de su pareja?
   b Intentas hacerle ver cómo su vida puede verse afectada por las diferencias culturales entre ambos.
   c No quieres saber nada de esa relación.

10 Todos tenemos derecho a una educación y a una vida digna …
   a … y debemos colaborar para erradicar las diferencias raciales.
   b Está muy bien, pero cada uno en su propio país.
   c Eso es un tópico. ∎

el moro	*Arab (mildly pejorative)*
la tienda de ultramarinos	*grocer's shop, delicatessen*
importar un pimiento, "no me importa un pimiento"	*I don't care a bit*
el impreso	*form (document)*
la muela	*tooth*
el tópico	*cliché, stereotype*

B Ahora, compara tus respuestas con las de otro miembro de tu grupo. Si no estáis de acuerdo, discute con él o ella las razones de tu elección.

C Tu profesor/a va a decirte cómo puntuar el test. ¿Qué puntuación has obtenido?

7.2

El mundo en el que vivimos

Para descubrir si tienes o no prejuicios raciales, escucha la emisión de un programa de radio sobre el racismo.

A Aquí tienes varias frases que se relacionan con los consejos que acabas de escuchar. Señala con una cruz la casilla correspondiente para cada una.

		0-15	16-24	De 25 en adelante
a	¡Reconsidera tus opiniones!			
b	Prefieres que gentes de distinta raza o entorno no se mezclen.			
c	Te crees tolerante.			
d	Te crees superior.			
e	Te sientes amenazado/a.			
f	Nunca antes habías reflexionado sobre el racismo existente en nuestra sociedad.			
g	Los aspectos externos te importan poco.			
h	Te gusta lo nuevo.			

B Escucha otra vez la primera parte del programa (puntuación de hasta 15 puntos). ¿Con qué otras palabras se dice lo que sigue a continuación?

a son importantes
b son miembros de
c lo opuesto
d después de todo
e quiere decir
f quizás
g es posible

C Escucha la segunda parte de la grabación (puntuación de 16 a 24 puntos), y completa las frases siguientes con la palabra o palabras que faltan.

a Todo te parece bien mientras ___.
b Hasta el momento no ___ el tema del racismo.
c Crees que sería mejor que ___, pues la verdad es que ya somos bastantes.
d Como para que además ___, y en muchos casos, mejor preparados que nosotros.
e No somos mejores que otros ___ sino que intervienen ___ que no se ven exteriormente de nosotros mismos.

D Para terminar, escucha la última parte del programa (puntuación de más de 25 puntos), y traduce el siguiente texto al español:

We shouldn't be swayed by cultural or racial differences when choosing our relationships and we shouldn't think that some people are better than others because of their race. The world would be very dull if we were all the same. Differences bring novelty, and we can all learn something, especially if the person in question belongs to a different culture.

E ¡Tu turno!

¿Estás de acuerdo con el resultado obtenido en el test? ¿O crees que no refleja tus verdaderas actitudes hacia el racismo? Cuenta por escrito tu opinión (en unas 150 palabras).

7.3

Una interminable carrera de obstáculos

Un gran número de inmigrantes víctimas del racismo son, de hecho, refugiados.

REFUGIADOS EN ESPAÑA

En España existen en la actualidad unos 30.000 refugiados. Su situación se va deteriorando día a día con el progresivo endurecimiento de ciertas medidas políticas y sociales, tales como la expulsión hacia su país de origen y la no concesión de permisos de trabajo o residencia.

Refugiado es, según la Convención de Ginebra de 1951, «toda persona que, debido a fundados temores de ser perseguida por motivos de raza, religión, nacionalidad, pertenencia a determinado grupo social u opiniones políticas, se encuentra fuera del país de su nacionalidad». La Convención de Ginebra se firmó para aliviar la situación de los miles de personas expatriadas tras la Segunda Guerra Mundial. Pero el problema de los refugiados no acabó con el reasentamiento de estas personas. Nuevas conflagraciones y conflictos bélicos y regímenes opresivos que no vacilan en encarcelar, torturar o dar muerte a sus opositores han motivado que el número de refugiados no haya dejado de aumentar hasta llegar a los 14 millones que existen hoy en todo el mundo. En España, uno de los países occidentales con menor índice de expatriados, se calcula que hay unos 30.000.

De estos treinta mil expatriados el grupo más numeroso es el de los cubanos, seguidos del de los iraníes y el de los

polacos. Los exiliados cubanos viven en España desde principios de los años sesenta (ya en aquella época, aunque España no estaba adherida a la Convención de Ginebra, se hacían programas asistenciales para ellos), y hasta 1980 cubanos e hispanohablantes en general formaban el grueso de los refugiados que acudían a España.

El 71% de los refugiados vive en la periferia de Madrid, en los barrios suburbanos o en municipios adyacentes, ya que la tramitación de solicitudes se hace en Madrid y es también allí donde más fácilmente puede tenerse acceso a las ayudas y programas sociales. Un 11% reside en Barcelona y los demás se reparten entre Valencia, Segovia, Ávila, Las Palmas, o Málaga ...

Muchos de los refugiados no quieren quedarse en España, sino dirigirse a otro país. El sueño de casi todos es ir a Estados Unidos, pero este país está cerrando cada vez más sus fronteras; por ello, la mayoría ➤

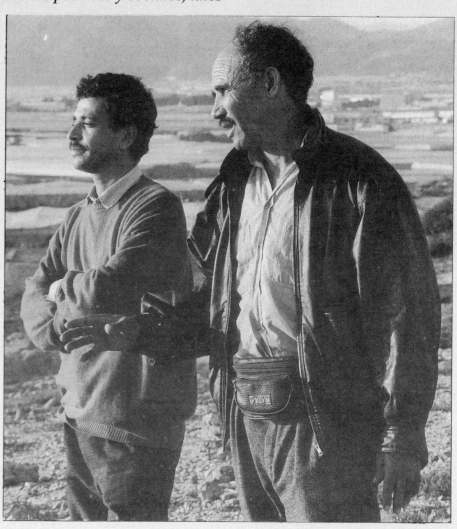

intenta ahora dirigirse a Canadá, donde existen muy buenos programas de ayuda al refugiado. Para gestionar su entrada en otro país, los refugiados cuentan con la Comisión Católica de Inmigración y con el Centro Nacional de Rescate.

Hasta aquí, todo parece indicar que los refugiados en España cuentan con todas las ventajas. Pero esto es así sólo para un pequeño porcentaje de los solicitantes. Muchos no consiguen pasar la frontera, otros son expulsados una vez dentro de España, y a la mayoría —un 80%— se les deniega la solicitud, perdiendo el derecho a cualquier tipo de ayuda. Amparo Colmenero, directora de Cruz Roja Española para Asistencia a Extranjeros, declaraba a un rotativo madrileño que la mayoría de los refugiados «viven en la más absoluta de las penurias, no comparable con la situación de cualquier otra persona», penuria motivada tanto por las condiciones en que llegan a España: «sin dinero, sin identificación, sin cobertura sanitaria y con una situación gravísima de estrés a causa de la inestabilidad e incertidumbre de su situación», como por la falta de unos documentos que les permitan desenvolverse o la escasa ayuda que reciben.

El gendarme de Europa

Hay una cierta xenofobia hacia ciertos colectivos que se ven más perseguidos que otros, sobre todo los procedentes de países del Tercer Mundo, especialmente de África. Los hispanoamericanos tienen la ventaja de que dominan el idioma y pueden beneficiarse en mayor medida de programas como las becas de estudio; los polacos, por su parte, tienen un fuerte apoyo en instituciones dependientes de la Iglesia Católica. Sin embargo, el Gobierno no reconoce globalmente a los africanos como refugiados, por lo que la mayoría de expulsiones se centran sobre este colectivo; a muchos de ellos se les corta la ayuda antes de un año, siendo rechazados a

los seis meses, pero su principal problema es que nadie quiere darles trabajo. Aunque sí encuentran trabajo como temporeros en el campo, lo cierto es que a los que permanecen en Madrid o Barcelona no les quedan prácticamente otras alternativas que el mercado negro o la prostitución.

En los últimos cuatro años la política del Gobierno hacia los refugiados se ha endurecido considerablemente, según Ángel Arrivi, de la CEAR (Comisión Española de Ayuda al Refugiado). Por ello, aunque la legislación española sobre refugio y asilo sea de las más progresistas, su aplicación restrictiva hace que, en la práctica, más que

un país solidario con los demandantes de refugio el Estado español sea el *cancerbero* de una Europa preparada para cerrar sus fronteras al exterior, (el «gendarme de Europa» denunció el PCE en un comunicado del 18 de marzo de este año). A ello no es ajeno el ingreso de España en el llamado grupo de Trevi, formado por los ministros de Interior de los países de la CEE, grupo que está adoptando acuerdos secretos, al margen del Parlamento Europeo, de los parlamentos nacionales y de la opinión pública, como ha sido denunciado en repetidas ocasiones por varios eurodiputados. ∎

el temporero	*casual labourer (especially in agriculture)*
el cancerbero	*(here) zealous guard, custodian (based on the mythological creature, Cerberus)*

A Estas frases resumen la primera parte del texto, hasta "la escasa ayuda que reciben". ¿Las puedes poner en orden?

1 El número de refugiados ha aumentado mucho en los últimos cincuenta años.
2 La mayor parte de los refugiados tienen que soportar condiciones de extrema pobreza.
3 Casi tres cuartos del total de los refugiados viven en las ciudades donde se cursan los trámites para solicitar asilo y donde hay más ayudas de tipo oficial.
4 La vida de los refugiados en España se vuelve cada día más dura.
5 Muchos de los refugiados que viven en España proceden de países de habla hispana.
6 Son muy pocos los que tienen la intención de quedarse en España.

B Las siguientes palabras se encuentran en la misma parte del artículo. Completa los espacios con la forma correspondiente.

Sustantivo	Verbo
solicitud	**(1)**
(2)	residir
endurecimiento	**(3)**
(4)	perder
concesión	**(5)**
(6)	repartir
sueño	**(7)**
(8)	deteriorar
cobertura	**(9)**
(10)	aliviar

C Aquí tienes una serie de preguntas y respuestas sobre puntos mencionados en el artículo. Completa las preguntas.

1 ¿Cuántos ………?
   30.000, más o menos.
2 ¿Cuándo ………?
   En 1951.
3 ¿Con qué propósito ………?
   Con el propósito de aliviar la situación de los expatriados después de la Segunda Guerra Mundial.
4 ¿De dónde ………?
   De Cuba, de Irán y de Polonia.
5 ¿Dónde ………?
   En Madrid.
6 ¿Qué se necesita ………?
   Pasar la frontera, evitar ser deportado una vez en el país y obtener un permiso de residencia.
7 ¿ En qué condiciones ………?
   Sin dinero ni documentación y con un futuro incierto.

101

D Lee la última parte del artículo y luego expresa por escrito, escuetamente y con tus propias palabras, lo siguiente:

a procedentes
b dominan el idioma
c en mayor medida
d se ha endurecido considerablemente
e en repetidas ocasiones

E Traduce este texto al español.

Refugees from the Third World are persecuted more than those who can speak Spanish. The Government doesn't recognize them and they cannot easily find work. Moreover, the law concerning refugees has recently become much stricter. Therefore, the only alternatives left to them are the black market and prostitution.

7.4

Racismo en Almería

El gobernador de Almería ha criticado a los pequeños empresarios que se enriquecieron a costa de los inmigrantes africanos a los que ahora quieren echar.

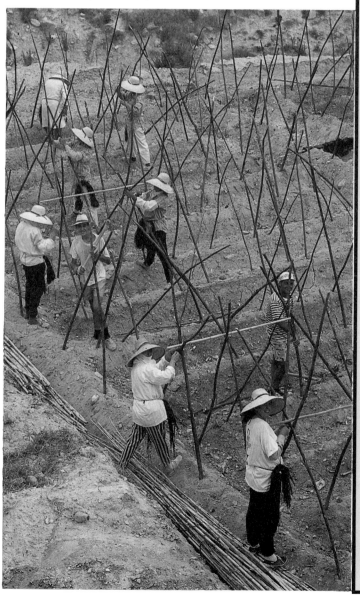

Blanco sobre negro

El trabajador africano agredido en el bar de La Mojonera sufrió las iras de dos españoles, uno de los cuales estaba borracho, según los testigos del suceso. El herido necesitó asistencia médica en el hospital, donde se le curó de un silletazo que le abrió la cabeza y de los golpes y patadas que recibió, ante la indiferencia de los presentes. Los testigos consintieron, además, que los agresores incendiaran el ciclomotor de la víctima. El altercado terminó sin más daños porque los autores, sobre los que no pesa denuncia alguna, consideraron que el guineano no había hecho, en realidad, nada malo.

Este suceso y la petición de firmas que realizan vecinos de las barriadas de Tarambana, Balanegra y Cuatro Vientos, pedanías de El Ejido, han colocado a los almerienses en la lista negra de los sospechosos de racismo. El alcalde de El Ejido, el diputado socialista Juan Callejón Baena, se ha visto obligado a comunicar al gobernador la sensación de inseguridad ciudadana que, según los firmantes —unas 200 personas, por el momento—, se está consolidando por culpa de los extranjeros.

—— Explotación ——

La explotación que sufren los inmigrantes ilegales a manos de los pequeños productores es una verdad a medias, según el sacerdote Juan Sánchez, miembro del equipo Almería Acoge, un grupo formado por profesionales de la sanidad, el ➤

derecho y la asistencia social con el fin de prestar ayuda a los inmigrantes sin recursos. "Todo depende de la buena voluntad del contratador, que, aunque sabe que los extranjeros necesitan el trabajo, también es consciente del riesgo que corren de ser sancionados".

El racismo es una realidad que, por el momento, no se ha traducido en acciones violentas reiteradas. "La agresión de este emigrante fue un caso extremo. En realidad, la discriminación racial hay que buscarla en la prohibición para entrar en algunos locales, en la presión familiar para que una joven no salga con hombres de color, en la legislación laboral que prohíbe la contratación de extranjeros, cuando hay españoles en paro que no quieren trabajar en los invernaderos", afirma Sánchez.

Ésta es la queja de los extranjeros que llegan a la asociación. La pobreza extrema, la falta de higiene y la negativa de los propietarios a alquilar viviendas a trabajadores extranjeros son rasgos definitorios de la situación. La misma asociación filantrópica se encontró sin local en Roquetas cuando el propietario, con el que habían pactado las condiciones, se echó atrás al saber que iba a ser destinado a un centro de atención a los inmigrantes.

Tras la conclusión del Ramadán, el pasado mes de abril, muchos musulmanes no han regresado a Almería. Juan Sánchez cree que ahora hay menos extranjeros que antes y denuncia a quienes están pidiendo firmas para echar a los marroquíes. "Que yo sepa, no ha habido ni una sola denuncia por violación, como dicen los vecinos. Lo que pasa es que no les gusta ver a gente pobre y sucia viviendo al lado de sus casas, pero la solución no está en echarles sino en ayudarles a integrarse".

El interés de los medios de comunicación por la situación de los inmigrantes ilegales ha motivado una *limpia* de los lugares a la vista del público como los puentes de la N-340 bajo los que viven en condiciones infrahumanas marroquíes y argelinos. ■

A Lee la primera parte del artículo, hasta "por culpa de los extranjeros". Luego completa las siguientes frases, que forman un resumen del primer párrafo, con la palabra o palabras que faltan:

a Uno de los agresores ___ demasiado alcohol.
b El agredido tuvo ___ hospital.
c Los que ___ el suceso, no ___ nada para ayudar al agredido.
d La paliza que ___ el africano no fue ___ por provocación alguna de su parte.
e Unas doscientas personas han ___ una petición ___ la presencia de gente de color.
f El alcalde de El Ejido ha ___ informar al gobernador de los sentimientos de ___ de sus ciudadanos.

B ▣ Traduce al inglés el primer párrafo del artículo, hasta "no había hecho, en realidad, nada malo".

C ▣ Ahora lee la segunda parte del artículo, desde "la explotación". Haz una lista, en español, de los problemas que encuentran los inmigrantes ilegales.

D En el siguiente resumen del artículo faltan varias palabras. Complétalo con una palabra en cada espacio en blanco.

La paliza **(1)** ___ hace unos días por un trabajador guineano a **(2)** ___ de dos parroquianos de un bar de La Mojonera, en el **(3)** ___ almeriense de Roquetas de Mar, es una muestra de las crecientes **(4)** ___ que sufren los trabajadores **(5)** ___ africanos que cada año **(6)** ___ a sacar adelante las millonarias cosechas de los invernaderos de Almería. Los vecinos **(7)** ___ a los africanos de la inseguridad ciudadana y han promovido una recogida de **(8)** ___ para pedir su **(9)** ___. La **(10)** ___ no respalda las acusaciones, ya que en los **(11)** ___ tres meses tan sólo se han registrado cuatro **(12)** ___ contra extranjeros.

EJERCICIOS *de* CONSOLIDACIÓN

👁 **Lee:** Texto 7.4 Racismo en Almería

➡ **Estudia:** *Grammar section 5.4.2: Imperfect subjunctive*

⬅ **Repasa:** Textos 6.3 y 6.11

⬇ **Haz**

1 Traduce las siguientes frases al inglés:
  a Los testigos consintieron que ellos incendiaran el ciclomotor de la víctima.
  b El juez le aconsejó que se olvidara de lo ocurrido.
  c Sus amigos le dijeron que se fuera del pueblo.
  d El alcalde sugirió que no contaran nada a nadie.
  e La asociación pidió que se castigara a los culpables.
2 Ahora, haz una lista de todos los subjuntivos del ejercicio anterior y pásalos a 1ª persona del singular y 1ª y 3ª del plural.

EJERCICIOS *de* CONSOLIDACIÓN

Lee: Texto 7.4 Racismo en Almería

Estudia: *Grammar section 5.3.2: Present continuous*

Haz

Traduce las siguientes frases al español. Ve con cuidado porque no todas, al traducirse, mantienen el tiempo verbal del inglés.

1 People are getting worried.
2 They are hitting him!
3 Insecurity in the streets is becoming a problem.
4 They are working in that field there.
5 The man is leaving the village tomorrow.
6 Neighbours are talking to the mayor in his office…
7 …and they are trying to reach an agreement.

7.5

Los 'espaldas mojadas' del Estrecho

Inmigrantes repatriados

Hasta dos centenares de inmigrantes procedentes del Magreb llegan ilegalmente cada semana a las costas andaluzas. Más de 2.000 han sido repatriados en un año.

La semana comenzó esta vez en Almuñécar (Granada), donde la Guardia Civil sospecha que además de los 65 inmigrantes marroquíes detenidos el martes tras desembarcar clandestinamente en el paraje de El Muerto, en la playa del Cotobro, un número indeterminado de *espaldas mojadas* logró huir y se encuentra en las inmediaciones, informa **Alejandro V. García**. Los detenidos fueron repatriados tras permanecer 48 horas en una escuela hogar cedida por el Ayuntamiento de Motril. En Granada también fue noticia que 51 magrebíes estén aún dados de alta en el censo sin tener el permiso de residencia.

Las costas granadinas no son un lugar que escojan con frecuencia los inmigrantesilegales para desembarcar. Las tres pateras que llegaron desde Nador a Almuñécar burlaron la vigilancia de la Marina y desembarcaron en la playa del Cotobro. La presencia de los marroquíes fue detectada por la Policía Local, que los sorprendió merodeando por Almuñécar. Los agentes lograron la detención de 21 personas y alertaron a la Guardia Civil que detuvo al resto de los inmigrantesilegales a lo largo del martes siguiente. Era la primera vez que un número tan alto de personas se aventuraba a cruzar el Estrecho por esa zona.

A la costa de Almería llegaron sólo en esta semana un centenar de marroquíes a bordo de dos pateras que fueron descubiertas por la Guardia Civil. Sin embargo, sólo la mitad ha sido repatriada porque el resto logró penetrar hacia Cataluña, informa **Ángel González**.

Los dos casos de esta semana se suman a la media docena de este verano, pródigo en desembarcos en los 60 kilómetros del litoral del sur de Almería. Unos 300 hombres lograron llegar y, ya en tierra, corrieron distinta suerte.

Lo cierto es que el control del litoral parece ineficaz. Ello se constató el miércoles cuando llegó a Punta Enginas una patera con 55 magrebíes que había sido detectada el día anterior por un avión de la Fuerza Aérea española. El aviso no impidió el desembarco y que más de la mitad de los ilegales consiguiera su propósito de entrar en España.

Fuentes del Gobierno Civil de Almería reconocen la existencia de presiones por parte de las autoridades comunitarias para frenar la entrada de esta mano de obra. La policía de Almería constató esta semana que el destino inicial es Cataluña, donde ya trabajan otros ➤

marroquíes cuyas señas han aparecido en los bolsillos de los detenidos.

El litoral gaditano no fue a la zaga. Un total de 15 magrebíes, el martes en Barbate, y 28 más, el jueves en Algeciras y Tarifa, se sumaron a la lista de detenciones. Sólo en los Gobiernos civiles de Cádiz, Málaga y Almería se han cursado este año expedientes de repatriación a 772, 606 y 193 extranjeros, respectivamente.

En el Poniente de Almería se realiza un censo a cargo de organizaciones humanitarias que han comenzado a presentar documentaciones de extranjeros ante el Gobierno Civil para su tramitación. Las listas superan el millar de africanos en condiciones de demostrar una relación laboral fija y un domicilio estable.

La Costa del Sol es uno de los destinos más atractivos para estos inmigrantes por las relativas facilidades de trabajo que se supone pueden encontrar. Según estimaciones del Gobierno Civil de Málaga, se calcula en 8.000 el número de extranjeros ilegales en la zona, informa **Diego Narváez**. En los primeros ocho meses del año se ha expulsado a 606 ciudadanos extranjeros en situación ilegal, de los que 391 procedían de Marruecos. Entre las estadísticas policiales malagueñas llama la atención sin embargo la deportación de 72 ciudadanos procedentes de países comunitarios, como Reino Unido, Francia, Alemania, Italia y Portugal, aunque los motivos de éstos no pueden compararse con los de inmigrantes de países menos desarrollados y en muchas ocasiones estas deportaciones están vinculadas a actividades delictivas.

La mano de obra barata provoca además situaciones de fraude laboral en algunas empresas como la detectada hace cuatro meses en Málaga. Dos funcionarios del Ministerio de Trabajo tramitaron ilegalmente en los últimos cinco años el permiso de trabajo a unos 4.000

extranjeros empleados de una empresa británica.

La mayoría de los ciudadanos magrebíes que llegan a Málaga se convierten en vendedores ambulantes por las playas, con la esperanza siempre de encontrar algún trabajo mejor y de legalizar su situación. La mayoría se muestran recelosos y sólo se atreven a hablar con las personas que ellos eligen como clientes.

Las primeras palabras que aprenden a pronunciar en castellano son "bonito barato", que repiten en continua retahíla entre los chiringuitos de las playas. Muy pocos son los que se atreven a hablar de su situación, y cuando lo hacen, en raras ocasiones suelen reconocer que el motivo de su emigración haya sido la penuria, aunque se hayan jugado la vida en el intento. ■

el/la espalda mojada	*illegal immigrant ('wetback' = illegal Mexican immigrant)*
la patera	*small boat*
el Estrecho	*The Straits (of Gibraltar)*
el magrebí	*citizen from Algeria, Morocco or Tunisia, which together are known as the Magreb*
los vendedores ambulantes	
	beach vendors, door-to-door sellers
el chiringuito	*open air drinks stall (often on the beach)*

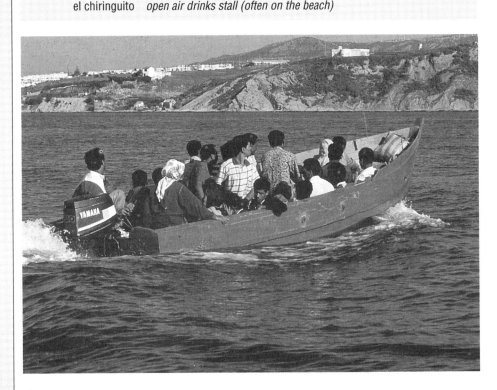

A   Las siguientes frases, partidas en dos mitades, resumen la primera parte del artículo hasta "su propósito de entrar en España". ¿Las puedes emparejar correctamente?

1   La Guardia Civil …
2   Los inmigrantes capturados …
3   Los inmigrantes ilegales …
4   Unos cien marroquíes …

5   Las medidas tomadas por las autoridades …

a   … han vuelto a su país de origen.
b   … no han sido capturados.
c   … no han tenido gran éxito.
d   … no sabe cuántos inmigrantes ilegales hay en el país.
e   … a menudo no llegan a esta región.

B Lee la segunda parte del artículo, desde "Fuentes del Gobierno Civil" hasta "una empresa británica". Ahora, explica con tus propias palabras lo que significan las siguientes frases y expresiones …

a Frenar la entrada de esta mano de obra.

b El litoral gaditano no fue a la zaga.

c Se sumaron a la lista de detenciones.

d Por las relativas facilidades de trabajo que se supone pueden encontrar.

e Estas deportaciones están vinculadas a actividades delictivas.

EJERCICIOS *de* CONSOLIDACIÓN

Lee: Texto 7.5 Inmigrantes repatriados

Estudia: *Grammar section 3: Adverbs*

Haz

1 Completa estas frases con adverbios de la lista.

a ____ no se han dado casos de racismo en Sta. Rosa del Camino, pero pueden darse en el futuro.

b ____ de trabajo, necesitan comprensión.

c Los inmigrantes____ piden tolerancia, nada más.

d Allí ____ van, ellos encuentran prejuicios y discriminación.

e Muchos inmigrantes entran en el país ____.

f Oficiales corruptos han tramitado permisos de residencia ____.

g ____ había creído que en España había ____ racismo que en otros países, pero seguramente estaba equivocado.

h ____ a ____, venceremos la batalla contra el racismo.

Siempre	aún	clandestinamente	sólo	donde
además	poco	menos	ilegalmente	poco

2 Clasifica los adverbios del ejercicio anterior. Incluye, además de los de la lista, los que se encuentran en las frases sin completar.

De tiempo	De modo	De lugar	De cantidad	De afirmación, negación o duda

EJERCICIOS *de* CONSOLIDACIÓN

C Traduce al inglés los dos últimos párrafos del artículo, desde "La mayoría de los ciudadanos magrebíes".

Lee: Texto 7.5

 Estudia: *Grammar sections 5.4.3: Perfect subjunctive; 4.1.2: Object pronouns*

 Repasa: Textos 4.1 y 6.6

Haz

Completa las siguientes frases. No te dejes confundir por el orden de las 'pistas' entre paréntesis, no es siempre el correcto.

Ejemplo: Cuando hablan de su situación, pocos suelen reconocer que el motivo de su emigración <u>haya sido</u> la penuria económica.

1 Aunque clandestinamente en el país, él no se considera un criminal. [entrar]

2 No digas nada hasta que el escándalo. [pasar]

3 Cuando, podrás marcharte. [decir/ a nosotros/ la verdad]

4 Aunque, no debes perder las esperanzas. [en el pasado/ fracasar]

5 El debate se acaba de terminar. Es una pena que [vosotros/ perder/el debate]

7.6

"Me quedo en Madrid"

Kaitum es una de las pocas afortunadas.

A Lee el artículo y contesta a estas preguntas:

1 ¿Cómo consiguió Kaitum entrar en España?
2 ¿Cómo dista su situación de la de otros muchos magrebíes?
3 ¿Cuáles son los métodos ilegales empleados para poder llegar a España?
4 ¿Cuál fue el resultado de la amnistía dictada por el Gobierno de Madrid?

B *Cara a cara* V

Persona A: Tú trabajas en el control aduanero de la frontera española. Ves a un extranjero/una extranjera que quiere pasar pero que se comporta de una manera un tanto sospechosa. Tratas de averiguar si tiene la documentación necesaria para entrar en el país.
Persona B: Quieres pasar la frontera, pero no tienes todos los papeles en regla. Tratas de convencer al aduanero de que te deje pasar.

C *¡Tu turno!* V

Has logrado entrar en España. Escribe una carta a un amigo/una amiga o a una revista contando tu aventura y las dificultades que encontraste.

La última oportunidad

KAITUM, 24 años, licenciada en psicología por la Universidad de Rabat, me acaba de enviar una postal desde España: "He encontrado trabajo en un restaurante. Me quedo en Madrid". Kaitum salió de Rabat antes del verano, después de conseguir un visado de turista por un mes. Tenía la intención de regresar a Marruecos en el otoño y reanudar su doctorado en Casablanca. Eso es al menos lo que dijo en la frontera. Kaitum se ha convertido así en una inmigrante ilegal.

Kaitum puede considerarse afortunada. Otros muchos no lo han conseguido. A diario centenares de magrebíes se amontonan en las puertas de los consulados de España en Marruecos y pugnan por obtener los papeles del visado para una semana o un mes —da igual la duración— que les permitan entrar legalmente y sortear los controles aduaneros. Después iniciarán una larga aventura clandestina en España con la esperanza de legalizar su situación.

Pero para llegar a España Kaitum se ha visto obligada a sortear una carrera de obstáculos y de pícaros que han ido creciendo de forma inesperada en las colas de los consulados. Por cantidades que oscilan entre los 50 y los 100 dirhams —1 dirham vale 12 pesetas— se venden las plazas de las colas de los visados y se asegura así el derecho de entregar los impresos. Para los menos pacientes existe la posibilidad de contactar con los falsificadores de visados, que por cantidades exhorbitantes, que llegan a rondar los 3.000 dirhams, les entregarán un documento "más bueno" que el verdadero. Pero muchos de estos "servicios" son inaccesibles a la mayoría de los ciudadanos, que acaban embarcados en las pateras.

Esta oleada de inmigrantes clandestinos ha crecido ostensiblemente desde el pasado mes de julio, cuando el Gobierno de Madrid dictó una amplia y generosa amnistía que permite a los inmigrantes ilegales en España regularizar su situación. Nadie de la Administración pensaba que esta medida sería un reclamo para los inmigrantes ilegales. ■

7.7

Una relación completa

A veces, miembros de una misma familia tienen puntos de vista muy diferentes sobre gentes de otras razas o culturas. Esperanza tiene miedo a la reacción de sus padres cuando sepan que se ha enamorado de un hombre de color.

A Después de leer la carta de Esperanza, completa con una palabra en cada espacio en blanco el siguiente resumen de su historia.

1 Esperanza vive en la ___ porque ___ allí.
2 A la ___ de 23 años, ___ a ___ con un chico de color.
3 ___ se siente feliz, ___ miedo de que sus padres no ___ contentos con su elección.
4 Cuando ___ a su pueblo, en el verano, quiere que su novio la ___.
5 Tiene la ___ de vivir con su novio antes de ___.
6 No ___ qué hacer y pide ___.

B Aquí tienes la respuesta a la carta de Esperanza. Escoge una palabra apropiada de la lista para rellenar cada espacio en blanco.

Si realmente **(1)** ___ enamorada y quieres vivir tu vida junto a este hombre, **(2)** ___ afrontar la situación **(3)** ___ antes. Tu actitud de «esconder» la relación podría hacer pensar a tu pareja que te **(4)** ___ de él. De nada sirve ocultar lo vuestro, con ello sólo **(5)** ___ sentirte mal por no ser sincera con la gente que quieres. Te **(6)** ___ que si has encontrado al hombre de tu vida no le **(7)** ___ escapar. El amor no tiene nada que **(8)** ___ con la raza. Además, seguro que tus padres poco a poco, irán cambiando de parecer si ven que este hombre te **(9)** ___ feliz. Ellos sólo quieren lo mejor **(10)** ___ su hija.

aburres	digas
aconsejo	estás
avergüenzas	hace
conseguirás	hacer
cuanto	mucho
de	para
debes	pareces
dejes	ver

C *Cara a cara*

Persona A: Tu padre/madre se entera de que sales con un chico/una chica de un grupo étnico distinto al tuyo. No aceptas las objecciones que él/ella te hace al respecto.

Persona B: Tú eres el padre/la madre de A. No eres racista, pero no te gusta que tu hijo/a salga con alguien de cultura y costumbres distintas. Dile por qué no estás contento/a con la situación.

Amo a un hombre de color

Vivo en Madrid por motivos de trabajo. Desde hace tres años, tengo 26, salgo con un chico de color. Me siento muy segura y enamorada, nuestra relación es muy completa, pero tengo miedo de que se enteren en mi pueblo, pues sé que mis padres se llevarán un gran disgusto. Este verano iré al pueblo, como todos los años, a pasar unos días y me gustaría que mi novio viniera conmigo. Además, pensamos vivir juntos a partir del próximo año. ¿Qué me aconsejas?

ESPERANZA. MADRID.

7.8

Tan distintos ... pero tan iguales

El caso de Esperanza no es raro. Cada día se inician nuevas historias de amor entre personas de razas distintas.

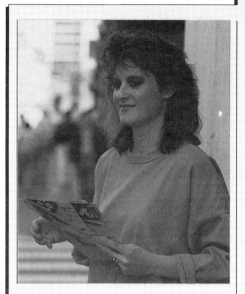

Cuando el amor no tiene fronteras

«En mayor o menor medida, la mayoría de la gente es racista. Lo que ocurre es que en este país casi nadie lo reconoce», dice **Alberto González**, un fotógrafo español de 26 años, novio desde hace dos de **Ouafaa Atour**, una joven musulmana. Ella nació al sur del Estrecho, en Larache, (Marruecos) y sabe que **el color cobrizo de su piel y sus rasgos, inequívocamente magrebíes, son un pasaporte seguro a la discriminación**. ¿Hay racismo en España? La pregunta casi le suena a sorna, y su lacónico «sí», no deja lugar a dudas. «Me he llevado muchas desilusiones con gente en la que creía poder confiar y que, tras una discusión, han acabado diciéndome 'vete a tu tierra, todos los moros sois iguales'», dice Ouafaa. «No entiendo cómo un país como España, con toda una tradición de inmigrantes, puede tratar mal y discriminar a los inmigrantes. A la gente le falla la memoria». Ouafaa llegó a España hace ocho años con la intuición de que aquí encontraría las oportunidades que en Marruecos, y más siendo mujer, tanto escaseaban. A sus 26 años reconoce que muchos de sus sueños se han quedado en el camino.

Conoció a Alberto en una discoteca madrileña. El intercambio de teléfonos de aquel primer encuentro sirvió para que unos días más tarde concertaran una cita para ir al cine ... Juntos han pasado ya dos años «en los que hemos aprendido mucho uno del otro, y de nuestras respectivas culturas», dicen. La religión, que a priori se podía haber presentado como una barrera a franquear, no fue un obstáculo para ellos. «En el fondo tenemos la misma creencia de que **existe un solo Dios. Que ella lo llame de una manera y yo de otra es simplemente una cuestión de nombres**», comenta Alberto. Quizá la única gran diferencia entre ellos, religiosa y cultural, se dé durante el Ramadán, período de abstinencia que Ouafaa cumple a rajatabla. «Pero no es problema —insiste Alberto—. Yo lo acepto y me adapto. Si durante esos días, desde que sale el sol hasta las siete de la tarde sólo puedo besarla en la mejilla, pues sólo la beso en la mejilla ...» La ceremonia de la boda —ya lo han decidido— será por los dos ritos: católico y musulmán.

A **Enrique Otaka**, un comerciante japonés establecido en España desde hace 20 años, tampoco le ha supuesto ningún problema tener que variar algunas de sus costumbres; al contrario, ahora está muy contento de haberlo hecho. «En los países orientales se vive para trabajar, con la mentalidad puesta en ganar dinero —dice—. Aquí he tratado de cambiar esa dinámica para disfrutar más del día a día. Y creo que lo he conseguido».

"A mis padres no les gustó, pero ya lo han aceptado"

Parte de la *culpa* de este cambio la tiene **Montse**, la española a la que conoció hace 18 años en la universidad. «Lo nuestro no fue un flechazo. La primera vez que le vi no me llamó la atención, pero empezamos a quedar y acabamos saliendo», recuerda ella. Un año y medio después de aquella primera cita en el campus se casaron. «La verdad ➤

es que mis padres no se tomaron demasiado bien al principio que me casara con un extranjero que, además, era de otra raza —confiesa Montse—. Pero con el tiempo no les ha quedado más remedio que aceptarlo». Y añade Enrique: «Bueno, son cosas que pasan . . . Supongo que no serán los únicos padres que opinen así. Seguro que cualquiera preferiría que su hija o hijo se casara con una persona de su país».

Hoy, Enrique y Montse tienen dos hijos, y aunque sus ojos delatan sus raíces orientales, se sienten completamente españoles.

Patricia y **Manolís** no tienen hijos (por el momento); ni siquiera se han casado. Él tiene 26 años y es griego; ella, de piel mulata, vino al mundo en Colombia hace 32 años.

Una fiesta, hace casi dos años, fue el punto de partida de esta pareja. «Somos realistas y pensamos que quizá, ¡quién sabe! no estemos juntos en el futuro, pero vivimos el presente con total intensidad», dicen Patricia y Manolís. Aunque el mañana les parezca incierto,

desde hace seis meses viven bajo el mismo techo. «Mis padres no saben todavía que vivo con una mujer de otra raza», confiesa Manuel. «Pero no es porque yo crea que son racistas y no vayan a entenderlo; es, simplemente, porque no tengo demasiado contacto

con ellos». Los padres de Patricia, sin embargo, sí conocen esta unión, y están realmente encantados.

Miedo al racismo que va creciendo en nuestro país

«En Colombia la mezcla de razas es muy normal —nos aclara Patricia—. Además en la comunidad mulata está muy bien visto eso de casarse con personas de piel blanca. Y la verdad es que yo creo que, en cierta forma, esto también tiene un trasfondo racista». Según revela un informe realizado recientemente, crece la actitud xenófoba (rechazo al extranjero) y racista (odio a personas de diferente raza) entre los jóvenes. Esta es la realidad, y así es nuestra sociedad; algo que a Manolís y a Patricia, que viven en España, puede afectarlos de una manera muy directa. «Sí, lo sé por lo que leo en la prensa y por los comentarios que oigo, aunque la verdad es que yo no he sufrido personalmente ningún ataque racista. **En los ambientes en los que yo me muevo y con la gente con la que voy no tengo problemas de este tipo**», señala Patricia. ∎

A

¿Quién ...	Alberto	Ouafaa	Enrique	Montse	Patricia	Manolís
1 ... prefiere la mentalidad española a la de su país natal?						
2 ... no les ha dicho a sus padres que sale con una persona de otra raza?						
3 ... ha recibido abusos verbales de sus supuestos amigos?						
4 ... dice que en su país es normal salir con alguien de otra raza?						
5 ... no prestó atención a su pareja cuando se conocieron?						
6 ... no ha tenido experiencias racistas?						
7 ... esperaba encontrar más posibilidades en España que en su país?						
8 ... tuvo que aguantar la desaprobación de sus padres?						
9 ... señala una forma de racismo inverso prevalente en su país?						
10 ... respeta la religión de su pareja?						

B Lee otra vez la primera parte del artículo, hasta "se sienten completamente españoles". ¿Cómo se dicen las siguientes frases y palabras … ?

1 La gente olvida pronto el pasado
2 estrictamente
3 más o menos
4 ya no tiene los sueños de antaño
5 amor a primera vista
6 sus ojos muestran que uno de sus padres es asiático
7 le parece que están intentando burlarse de él/ella

C Lee la última parte del artículo, la que trata de Patricia y Manolís, y traduce al español el siguiente texto.

Patricia and Manolís aren't married but they have lived together for six months. They know that they might not be together for ever, so they live intensely for the present.
Because Manolís does not have much contact with his parents, he has not yet told them that his girlfriend is of a different race, but he thinks they would understand. Patricia's parents, however, are delighted because in her country racial mixing (with whites) is viewed favourably by the mulatto community.

According to a report, there is more racism amongst young people nowadays than before, but Patricia says that she has not suffered from it personally and does not have that kind of problem with the people she knows.

D *¡Tu turno!* **V**

De las parejas del artículo, ¿cuáles crees que van a durar?, ¿qué crees que van a necesitar para conseguirlo?, ¿con qué problemas crees que se van a encontrar? Cuenta tus opiniones en una grabación de uno o dos minutos. A continuación, intercambia cintas con tu compañero/a. Toma notas en español de lo que él/ella dice, sin parar la cinta; una vez terminada, cuéntale sus argumentos de acuerdo con lo que has escuchado. Para finalizar, invertid los papeles (él/ella te contará lo que tú has grabado).

EJERCICIOS *de* CONSOLIDACIÓN

 Lee: Texto 7.8 Tan distintos … pero tan iguales

 Estudia: *Grammar sections 5.3.3: Preterite; 5.3.6: Perfect; 5.3.4: Imperfect; 5.4.1: Present subjunctive*

Haz

Completa la siguiente tabla, subrayando las formas que aparecen en el texto (en la historia de Alberto y Ouafaa).

	Preterite	**Imperfect**	**Perfect**	**Present subjunctive**
nacer	<u>nació</u>	nacía	ha nacido	nazca
llevar				
creer				
acabar				
llamar				
dar(se)				

111

7.9 📖✍️

Derechos humanos

La tolerancia racial sigue siendo un tema muy polémico, como ya hemos visto.
El "pasaporte europeo contra el racismo" es un símbolo de la voluntad de muchos
ciudadanos de no renunciar a la razón y a la justicia.

pasaporte a la TOLERANCIA

PASAPORTE EUROPEO CONTRA EL RACISMO

Han pasado nueve años desde que Danielle Mitterand creó la Fundación France-Libertés, que lucha por el respeto a los derechos humanos dentro y fuera de las fronteras francesas. De ese organismo surgió la idea de crear un pasaporte europeo contra la discriminación racial, una iniciativa simbólica que ha sido calurosamente acogida por organizaciones no gubernamentales (ONG) de la mayoría de los países de la Unión Europea. En España, la Fundación El Monte editó 200.000 ejemplares que empezaron siendo distribuidos a través de la campaña ''Jóvenes contra la intolerancia'', apoyada en principio por quince ONG a las que se han ido sumando otras. Más recientemente, la Fundación Caixa de Catalunya, en colaboración con la Diputación de Barcelona, editó 250.000 ejemplares de la versión catalana del pasaporte.

''Jóvenes contra la intolerancia'' continuará durante todo este año con la campaña de distribución del pasaporte, un documento simbólico que, si va acompañado de una buena información y una actuación ciudadana enérgica, puede resultar muy positivo en la concienciación social contra los males sociales de la xenofobia y el racismo. El próximo 21 de marzo se celebra el Día Internacional contra el Racismo, y el 26 del mismo mes se presenta en el Centro Cultural Conde Duque de Madrid la campaña ''Un millón de jóvenes contra el racismo'', en un acto que contará con la presencia, entre otros, de la ministra de Asuntos Sociales, del presidente de la Comisión española de Ayuda al Refugiado y de la presidenta del Movimiento por la Paz, el Desarme y la Libertad. El objetivo de la campaña es la concienciación social; para ello se repartirán más de 100.000 libros didácticos y textos sobre la problemática racista, y se celebrarán más de 1.000 conferencias. La campaña pretende asimismo fomentar la creación de clubes de jóvenes donde se organicen debates sobre la intolerancia, y de hecho ya funcionan más de cuarenta de ellos. ■

A Aquí tienes unas cuantas palabras de un grupo de frases que resumen el artículo. Complétalas.

| calurosamente | *warmly* |
| (recibido) | *(received, welcomed)* |

1   ... idea ... pasaporte ... racial ... Francia.
2   ... mayoría ... países ... Europea ... iniciativa.
3   ... distribución ... no ... única ... que ... año.
4   ... concienciar ... jóvenes ... intolerancia ... .

B **V** Prepara un folleto para el próximo "Día Internacional contra el Racismo".
Utiliza las ideas que has leído en los textos anteriores para ayudarte.

7.10 📼💿

Gitanos: ¿al margen de la sociedad?

En España, los gitanos han sido siempre foco de actitudes y prejuicios racistas. ¿Por qué? Rosa y Ana tienen puntos de vista divergentes. Escucha sus argumentos.

A ¿Verdad o mentira?

Se dice en la grabación que …
1 … los gitanos son perezosos.
2 … no han sido nunca rechazados.
3 … tienen que luchar para poder llegar a la universidad.
4 … a menudo los jóvenes gitanos encuentran dificultades y prejuicios.
5 … no van a la escuela porque sus padres no lo permiten.
6 … muchos gitanos prefieren mendigar a ganarse la vida de otra manera.
7 … hay algunos que quieren salir adelante y formar parte de la sociedad no gitana.

B *Cara a cara* 🅥

Persona A: Mientras das un paseo con un amigo/una amiga, ves a un grupo de gitanos. Tú no aceptas ni sus costumbres ni su modo de vida, y piensas que son ellos mismos los responsables de su marginación social. Dices lo que piensas.
Persona B: No estás de acuerdo con los argumentos de tu amigo/a. Defiendes el modo de vida de los gitanos.

7.11 📖✏️

Segunda patria

Poca gente parece interesarse por la cultura de los inmigrantes de otras razas o etnias. Sin embargo, pueden aportarnos cosas nuevas y enriquecedoras.

NIUMA KOITE

Malí. 33 años. Empresaria

En la calle, en los rótulos de sus peluquerías se lee: "Afro-americano, rasta, extensiones, postizos". Dentro, varias chicas negras, con barrocos peinados, no paran. Un señor bajito y de pelo blanco entra a saludar: "¡Hay que ver, qué calentito se está aquí! Si hasta parece que uno está en el trópico. ¡Claro, con unas chicas tan guapas …!". En un momento ha lanzado todos los tópicos sobre las "negras calientes". Niuma aguanta el discurso.

Esta mujer de la etnia bámbara llegó a Madrid hace 14 años con una beca del Ministerio de Exteriores español. Estudió ciencias políticas y turismo. Después, el retorno y la adaptación a Malí, su país, ya no fue posible. "Allí me llaman 'blanca', lo que es sinónimo de egoísta". Hoy considera a España *una* de sus dos casas.

Niuma Koite es propietaria de tres peluquerías africanas en Madrid. "Cuando era estudiante aprovechaba los veranos para ir a París y hacer trenzas para el pelo. Después, como con mi carrera no encontraba trabajo, decidí iniciar mi propio negocio". En estos momentos su clientela está compuesta por un 40% de africanos y un 60% de norteamericanos, españoles y suramericanos.

Divorciada y madre de una niña, Niuma se siente integrada en España. Pero no sabe adónde puede conducirla el destino. "Nunca he planeado todo lo que me ha occurido. Sin embargo, es cierto que siempre, esté donde esté, echo en falta Malí o España. Y, desde luego, la gente es mucho más feliz allí. Pero no me quejo". ➤

ANTHONY SEYDU ZACHARIAH

Sierra Leona. 29 años. Músico

Nacido en Freetown, capital de Sierra Leona, ni las penalidades que sufrió en sus comienzos en Las Palmas de Gran Canaria, hace 10 años, ni las soledades en Madrid, le han apartado de su objetivo: hacer su música y que ésta llegue al mayor número de gente posible.

Seydu ha luchado lo suyo para conseguirlo. Tuvo que ''apechugar'' como él dice, y tocar en el metro y en la calle. Poco a poco se fue introduciendo y hoy es el percusionista de la banda que acompaña a Kiko Veneno. También tiene su propio grupo, Bámbara, donde canta y compone sus temas de inspiración africana. Seydu, que ha creado su propia familia en España, manifiesta su intención de regresar a su país. ''Cuando voy a Sierra Leona, siento como si respirara más. Me lleno de energía. Allí me siento libre de verdad. Las reglas del juego son diferentes y sé muy bien cómo manejarlas''. Mientras, se muestra encantado de tocar con Veneno: ''Su música es muy acústica, con raíces. A Kiko le gusta lo autóctono, como a mí''. No parece asustarle la crisis que atraviesa la industria discográfica ni las miles de bandas que intentan abrirse paso en el mercado español. ''Soy consciente, pero me mantengo al margen''. ∎

A

¿Quién ...	Niuma	Seydu	Nadie
1 ... ha tenido que ejercer su profesión en la calle?			
2 ... se siente tan cómodo/a en España como en su país?			
3 ... quiere vivir en Francia?			
4 ... siempre ha sido fiel a su objetivo, sin desanimarse?			
5 ... no trabaja en lo que vino a estudiar a España?			
6 ... quiere volver a África?			
7 ... tiene a toda su familia en España?			
8 ... no se asusta ante el difícil clima económico que afecta a su profesión?			
9 ... está contento/a con lo que la vida le ha dado?			
10 ... tiene una clientela variada?			

B *¡Tu turno!*

Describe en unas doscientas palabras la contribución de un(a) inmigrante (famoso/a) a tu país.

7.12

Un caso de racismo

¿Existe el racismo en España o no? Escucha lo que dice Antonio.

A Aquí tienes un resumen de lo que cuenta Antonio, pero contiene varios errores. ¿Puedes corregirlos?

1 Se trata de un matrimonio de raza mixta.
2 Ellos tenían una hija de cuatro años.
3 La llevaron a la escuela para inscribirla.
4 Les dijeron a los padres que la niña era demasiado pequeña.
5 Este caso demuestra que existe mucho racismo en España.

B Eres periodista y vas a entrevistar a los padres de la niña. Quieres saber todos los detalles de lo que les sucedió. Utiliza las siguientes palabras para preparar tus preguntas.

1 ¿Cuántos años ... ?
2 ¿Adónde ... ?
3 ¿Qué dijeron ... ?
4 ¿Y después, qué ... ?

7.13   ⬭ ⬭

Ejercicios de repaso

A Acabas de ser testigo de una agresión racista en la calle, a la salida de un "pub". Mientras intentas ayudar a la víctima, el agresor se da a la fuga en un coche viejo. Al llegar la policía les cuentas lo sucedido, y das una detallada descripción del culpable. Tu testimonio debe durar alrededor de un minuto y medio o dos minutos.

B Escribe un artículo para una revista europea en respuesta a la ola de nacionalismo xenófobo que domina la prensa, detallando las ventajas de una sociedad multicultural. Su extensión debe ser de unas 150–200 palabras, en español.

Unidad 8

¿Malos hábitos o adicciones peligrosas?

Hay algunos para los que la salud es lo primero, mientras que otros parecen hacer todo lo que pueden para mantenerse en baja forma. Esta unidad da un vistazo a distintos tipos de adicciones y malos hábitos.

8.1

Cuidarse está de moda

Para algunos es un modo de vida pero para otros no es más que una pose. Aquí tienes los resultados de una encuesta reciente.

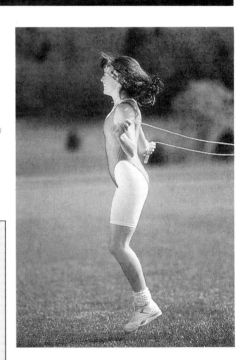

¿Cuidas tu cuerpo?

1 ¿Fumas más de veinte cigarillos al día?
Sí = 17%   No = 83%

2 ¿Crees que la manía de la gimnasia y el "footing" es una moda destinada a desaparecer?
Sí = 32%   No = 68%

3 ¿Transcurre la mayor parte de tu vida en la ciudad?
Sí = 51%   No = 49%

4 ¿Te automedicas?
Sí = 67%   No = 33%

5 ¿Duermes menos de seis horas diarias?
Sí = 72%   No = 28%

6 ¿Practicas algún deporte con regularidad?
Sí = 48%   No = 52%

7 ¿Te sientes orgulloso/a de tu físico y piensas que hacer gimnasia para mantenerlo en forma es una pérdida de tiempo?
Sí = 6%   No = 94%

8 ¿Te sobra algún kilo?
Sí = 60%   No = 40%

9 ¿Estás excesivamente delgado/a?
Sí = 12%   No = 88%

10 ¿Te sientes agotado/a por la noche?
Sí = 25%   No = 75%

11 ¿Acostumbras a acostarte de madrugada?
Sí = 67%   No = 33%

12 ¿En tu alimentación abundan las grasas y las salsas?
Sí = 38%   No = 62%

13 ¿Te sometes ritualmente a dietas variadas, recobrando los kilos después de poco tiempo?
Sí = 58%   No = 42%

14 ¿Acudes al médico ante cualquier malestar o dolor?
Sí = 54%   No = 46%

15 ¿Lo que necesitas durante las vacaciones es un lugar muy concurrido para poder bailar, trasnochar, comer bien y distraerte un poco?
Sí = 79%   No = 21%

A Contesta a las preguntas de la encuesta y luego pide la puntuación a tu profesor(a).

B ¡Tu turno! V

¿Te sorprenden los resultados de la encuesta? ¿Por qué (no)? ¿Coinciden tus respuestas con las de la mayoría? Habla con un compañero/una compañera de clase sobre tus opiniones. ¿Estáis de acuerdo?

C Cara a cara V

Persona A: Fumas mucho, sales de copas cada noche, no tienes tiempo para hacer ejercicio y nunca te acuestas antes de las tres de la madrugada. Ayer fuiste a una fiesta muy marchosa y hoy te sientes agotado/a y sin fuerzas para hacer nada, pero no te arrepientes de tu modo de vida.

Persona B: Tú haces todo lo contrario. Ni fumas ni bebes alcohol. Comes bien, haces cada día "footing" o gimnasia y siempre duermes más de seis horas. El modo de vida de tu amigo/a te horroriza. Intenta convencerle/la de que, si no lo cambia, caerá enfermo/a.

8.2

Borracho por quedar bien

Algunos parecen no ser responsables de sus malos hábitos.

'Tengo un amigo que siempre me incita a beber'

Soy un chico de 17 años y tengo un amigo con el que me llevo muy bien. Solemos salir los fines de semana y, si comemos fuera, tomamos entre los dos casi una botella de vino, porque a él le gusta bastante beber. Luego, si vamos a dar una vuelta, estamos toda la tarde bebiendo hasta que él se emborracha y lo dejamos. A mí no me gusta beber ni quiero hacerlo, pero cuando estoy con él, casi me veo obligado a imitarle. Quisiera ayudarle, aunque no sé si debo acabar con esta amistad que me está perjudicando. ∎

A Las siguientes frases forman un resumen de la carta. Complétalas con una palabra en cada espacio en blanco.

1 Este chico ha ___ a la revista porque ___ un problema.
2 Un amigo ___, con quien ___ a ___ a menudo, ___ demasiado vino.
3 Su amigo ___ emborracharse y entonces para de ___.
4 ___ al chico no le gusta beber, ___ que tiene que comportarse ___ este amigo.
5 El chico no sabe si debe ___ esta amistad, ya que le está ___.

B *Cara a cara* V

Estás en un bar con un amigo/una amiga.

Persona A: Te gusta beber. No entiendes que, aunque hayas bebido varios whiskys, eso pueda resultar un problema para los demás.

Persona B: A ti no te gusta el alcohol. Sabes que puede hacer mucho daño. Tratas de convencer a tu amigo/a de lo malas que son las bebidas alcohólicas para la salud, pudiendo incluso suponer un riesgo mortal (ataques al corazón, cirrosis de hígado …).

C *¡Tu turno!* V

Has leído la carta. Ahora, escribe tu propia carta de respuesta, dando consejos y refiriéndote, si quieres, al caso de un amigo/una amiga que tiene un problema semejante.

8.3

El amigo alcohólico

No hay nada malo en tomarse una copa de vez en cuando, pero cuando la bebida se convierte en lo único que realmente importa, las consecuencias pueden llegar a ser fatales.

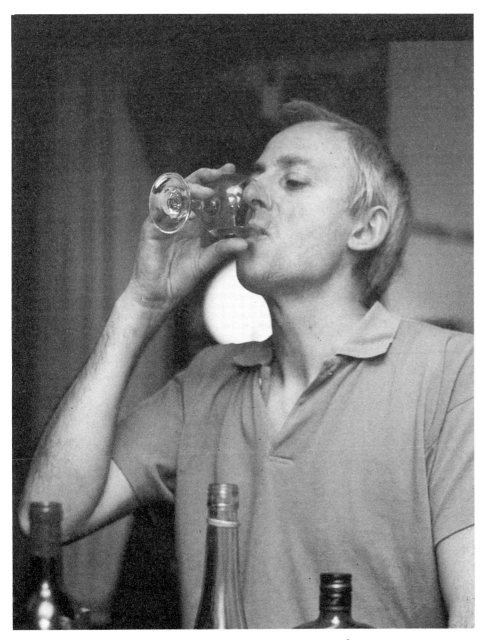

A V Escucha esta historia y toma notas en español sobre:

1 Las razones por las cuales el hombre empezó a beber.
2 Cómo empezó.
3 Los efectos del alcohol sobre su salud física y mental.

B Escucha la historia de nuevo y completa, en español, las siguientes frases:

1 … se fue a pique y, ___, pues … le quedó muy poco.
2 … dos o tres whiskys ___ a nadie.
3 … sin darse cuenta, ___ de la cuenta.
4 … su mujer, Lucía, ___ poco clara.
5 … pero, al final, ___ muy seriamente que o paraba de beber o su salud corría peligro.

C *¡Tu turno!* V

Prepara un folleto informativo que señale los peligros del alcohol.

8.4

¿Un hábito destinado a desaparecer?

Una adicción, tal vez mejor aceptada socialmente, es la del tabaco.

TENGO más de cincuenta años y me fumo dos cajetillas de tabaco al día; sé que no debería hacerlo, pero lo hago; tengo los dientes de color marrón, toso mucho por las mañanas, padezco de gastritis y estoy resfriado constantemente; no ignoro que mi estado de salud corre el peligro de deteriorarse por completo, pero me consuelo con el ejemplo de Santiago Carillo, el ex jefe del Partido Comunista. Mientras continúe en el mundo de los vivos Santiago Carrillo, que es mayor que yo y que debe de fumarse sus cuatro o cinco cajetillas diarias, puedo sentirme tranquilo; si a él no le pasa nada, no me va a pasar a mí. Sólo en el caso de que él dejase de fumar súbitamente, o de que se muriese de un modo repentino —Dios no lo quiera—, sí que sería para que yo me echase a temblar.

Mis relaciones con el tabaco son muy antiguas, se remontan a los lejanos tiempos de mi infancia, cuando yo tenía entre los doce y los trece años de edad.

¿Por qué empecé a fumar? No lo sé. Me imagino que por espíritu de imitación. En aquellos tiempos —las mujeres apenas fumaban—, el acto de fumar era considerado muy varonil. Era una gloria ver a los actores famosos de la pantalla encendiendo sus cigarrillos y echando a continuación espectaculares bocanadas de humo con un estilo que nos dejaba boquiabiertos a los espectadores. Muchos de aquellos actores fueron *cascando* años después a consecuencia de eso, pero por aquel

¿POR QUÉ FUMO?

entonces a nadie se le había ocurrido establecer una relación entre el hábito de fumar y el tumor maligno de pulmón.

El tabaco fue mi amigo a lo largo de muchos años. Él me ayudó a desenvolverme en sociedad, cuando yo no sabía lo que hacer con las manos; él me ayudó a mantener entrevistas difíciles, a soportar prolongadas esperas, a sobrellevar fatigosos viajes. En la época de mi juventud, el tabaco no resultaba excesivamente nocivo para el habituado, debido a que se fumaba mucho menos. En aquel tiempo los cigarrillos no ardían tan bien como arden ahora; se apagaban muchas veces y había, en consecuencia, muchas veces que volverlos a encender.

En la actualidad, los cigarrillos emboquillados dan la impresión de salir ya encendidos de la cajetilla. Y, una vez encendidos, se resisten por todos los medios a apagarse. Uno de los problemas que tengo yo ahora con el tabaco es el de las colillas. Aplasto una concienzudamente contra el cenicero, procurando separar bien la brasa del resto del cigarro, con el fin de que quede apagada definitivamente. Vano empeño, unos minutos después está ardiendo de nuevo y desprendiendo humo, no sólo la colilla recién apagada, sino todas las demás colillas que había en el cenicero, las cuales se han puesto a arder como por simpatía.

Yo pensaba que, por lógica, el hábito de fumar estaba destinado a desaparecer, porque no es natural ni tiene ningún sentido que el ser humano fume. Yo creía que, del mismo modo que Pitágoras, Julio César, Dante o Maquiavelo nunca fumaron, el hombre del futuro nunca fumaría. Con la actual campaña contra el tabaco que se ha organizado, por aquello de llevar la contraria —como ocurrió con el alcohol cuando lo de la ley seca— se va a conseguir que muy pronto fumen hasta los niños de pecho. ■

la bocanada de humo	*puff of smoke*
boquiabierto	*open-mouthed, gaping*
cascar	*to die (slang), to kick the bucket, croak*
sobrellevar	*to bear*
nocivo	*harmful*
el cigarrillo emboquillado	
	cigarette with filter
la colilla	*cigarette butt*
vano	*futile*
el niño de pecho	*breast-feeding baby*

C *Cara a cara*

Persona A: Tú fumas en secreto en tu habitación, porque sabes lo que piensan tus padres al respecto. Acabas de leer el artículo de Gonzalo Vivas cuando tu padre/ madre entra. Te pilla fumando. Tratas de justificarte ante lo que él/ ella te dice.

Persona B: Al descubrir que tu hijo/a fuma (y en secreto), te enfadas mucho. Le dices bien claro lo que piensas, y tratas de convencerle/la del daño que el fumar puede acarrear, al tiempo que le mencionas otros aspectos negativos que conlleva el tabaco (humo en todas partes, etc.).

A Gonzalo Vivas describe su más bien inusual relación con el tabaco. Léelo y contesta, con frases completas, a las preguntas que vienen a continuación:

1 ¿Qué le resulta imposible a Gonzalo Vivas?
2 ¿Cómo le influye Santiago Carrillo?
3 ¿Por qué empezó Gonzalo a fumar?
4 ¿Qué se ignoraba en aquella época?
5 ¿Y tú? ¿Qué piensas de lo que dice Gonzalo Vivas? Da tu opinión por escrito en unas cien palabras.

B Traduce al inglés desde "El tabaco fue mi amigo" hasta "volverlos a encender".

EJERCICIOS *de* CONSOLIDACIÓN

Lee: Texto 8.4 ¿Un hábito destinado a desaparecer?

Estudia: *Grammar section 5.4.2: Imperfect subjunctive; 5.3.10: Conditional*

Haz

1 Haz una lista de todos los verbos en los tiempos verbales arriba mencionados que aparecen en el texto. Cuando la tengas, conjuga cada verbo como en el ejemplo:

Dejar	Imperfect subjunctive	Conditional
Yo	dejase	dejaría
Tú	dejases	dejarías
Él/ella	dejase	dejaría
Nosotros	dejásemos	dejaríamos
Vosotros	dejaseis	dejaríais
Ellos	dejasen	dejarían

2 Da un vistazo a la siguiente frase:
Sólo en el caso de que una enfermedad me amenazara seriamente, dejaría de beber.
Construye al menos tres frases utilizando la misma estructura sintáctica sobre hábitos tuyos poco saludables (tabaco, tipo de dieta…)

8.5

Una estación del año peligrosa

A pesar de que más de la mitad de los fumadores han intentado dejar de fumar, muy pocos han conseguido su objetivo en los meses de verano.

Los fumadores, ante el reto de dejar el vicio en verano

Un sesenta por ciento de los fumadores ha intentado alguna vez dejar de fumar, pero sólo doce de cada cien lo han conseguido. La llegada del verano, con el aumento del tiempo libre, el aburrimiento, el calor que no invita a salir de casa, o simplemente, el miedo a engordar cuando más se desea estar delgado, hacen de la época estival un peligro para los ex fumadores o para aquellos que acaban de decidir abandonar el vicio.

Las recaídas de los ex fumadores se producen principalmente después de las comidas, por inseguridad o timidez ante determinadas situaciones sociales, por aburrimiento o debido a los síntomas de abstinencia.

A pesar de que el 12 por ciento de los fumadores consigue librarse del vicio, son muchos los que realmente hacen todo lo posible por conseguirlo, como lo demuestra el hecho de que el 60 por ciento se niega a comprar tabaco, consiguiendo los cigarrillos de las personas que tienen a su alrededor.

Tras una temporada de abstinencia, los menos valientes aceptan un primer cigarrillo, con la excusa de que «por uno no pasa nada». Después de esta primera recaída, el 25 por ciento de los que no han sabido vencer la tentación confiesa sentirse culpable, aunque, por otra parte, dicen que se encuentran «mucho más aliviados».

«El estrés es la principal causa del inicio en el consumo de cualquier droga, entendiendo estrés como la respuesta de activación que requieren los retos que hay que afrontar cada día», afirma el profesor Carrasco, de la Universidad de Granada. Un dato curioso observado por la Universidad de Granada señala que existe una importante relación entre el rendimiento académico de los jóvenes y su adicción. Se sabe que a mayor rendimiento académico, menor consumo de tabaco, de tal forma que en un estudio de 614 jóvenes, el porcentaje de fumadores que obtiene notables y sobresalientes en sus calificaciones es muy bajo, la mayoría obtiene suspensos o simples aprobados.

El principal problema al que se enfrenta la sociedad es la temprana edad a la que se comienza. Cuantos más cigarrillos se fuman al día, menor es la edad de inicio. «Hay que luchar por lo más fácil —evitar que los jóvenes empiecen a fumar— y después lanzarse a la tarea más difícil —conseguir que los fumadores abandonen el tabaco—», afirma el profesor Becoña, de la Universidad de Santiago.

«Por cada persona que dejase de fumar, se ahorraría el erario público unas 140.000 pesetas. Los programas de ayuda al ex fumador o al fumador no cuestan más de 400.000 ó 700.000 pesetas por comunidad autónoma, por lo que el Estado debería pensárselo más a la hora de negar las ayudas a las organizaciones privadas», concluyó el profesor. ■

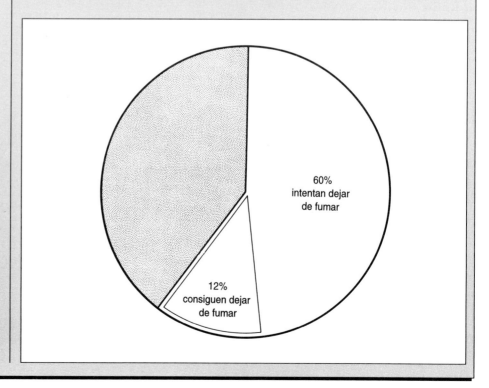

60% intentan dejar de fumar

12% consiguen dejar de fumar

A Aquí tienes un resumen de la primera parte del artículo. Rellena los espacios en blanco.

La **(1)** ___ de los fumadores que **(2)** ___ de abandonar ese vicio no **(3)** ___ hacerlo. Para ellos, es aún más **(4)** ___ intentar superar su adicción durante el verano, **(5)** ___ disponen de **(6)** ___ tiempo libre, lo que significa que se **(7)** ___ más fácilmente. Muchos **(8)** ___ miedo de **(9)** ___ si **(10)** ___ de fumar.

B Estas palabras aparecen en el texto. ¿Puedes completar la tabla con las formas correspondientes?

Sustantivo	Verbo	Adjetivo
abstinencia	**(1)**	**(2)**
(3)	abandonar	**(4)**
(5)	**(6)**	delgado
activación	**(7)**	**(8)**
(9)	librar	**(10)**
(11)	**(12)**	culpable
(13)	engordar	**(14)**
(15)	**(16)**	fácil

C Traduce el siguiente texto al español.

According to a lecturer at Granada University, those who smoke get lower grades than their non-smoking classmates. He thinks it is important to get smokers to give up. Unfortunately, however, only 12% of those who have tried to kick the habit have succeeded. The main reason many smokers are unable to give up is stress. They accept a cigarette, thinking that one won't make any difference, and, after this slip, can't overcome the temptation to continue. Some people even stop buying cigarettes but still smoke their friends'.

EJERCICIOS *de* CONSOLIDACIÓN

Lee: Texto 8.5 Una estación del año peligrosa

Estudia: *Grammar section 2.4.1: Comparatives*

Haz

Construye frases con las palabras que aparecen entre paréntesis de la misma manera que en el ejemplo que te damos a continuación:

Ejemplo: ....[cigarrillos].........[riesgo de cáncer]

Cuantos más cigarrillos se fuman al día, mayor es el riesgo de cáncer.

1 ....[alcohol].........[cirrosis de hígado]
2 ....[número de fumadores].........[impuestos destinados a la salud pública]
3 ....[número de fumadores].........[impuestos que se ahorra el gobierno]
4 ....[alcohol].........[rendimiento físico]
5 ....[grasas].........[riesgo de obesidad]
6 ....[trasnochar].........[capacidad de concentración]

8.6

'Así conseguí dejar de fumar'

Hay algunos, sin embargo, que deciden que deben dejar de fumar, cueste lo que cueste.

A ☑ Escucha la siguiente historia, en la cual una chica nos cuenta cómo consiguió dejar de fumar, y toma notas en inglés sobre las razones por las que decidió dejarlo.

B Escucha otra vez la primera parte de la historia. ¿Cómo dice ella …?

1 I'm fed up with smoking.
2 What disgusts me the most
3 I began to smoke when I was thirteen
4 I have the feeling that I wouldn't be able to …
5 Something which is so harmful to me

C Escucha ahora la segunda parte de la historia. Indica en la siguiente tabla la respuesta adecuada.

¿En qué momento la chica ...	Intento inicial	Primer día	Segundo día	Primer fin de semana	Segunda semana	Después de un mes
1 ... parece estar muy satisfecha de su éxito?						
2 ... decide que no va a fumar ni un solo cigarrillo más?						
3 ... se da cuenta de los beneficios que conlleva el dejar de fumar, aparte de los concernientes a la salud?						
4 ... no puede dejar de pensar en el tabaco?						
5 ... está muy enfadada consigo misma por no haber sido capaz de resistir la tentación?						
6 ... decide intentar dejar de fumar, pero sin comprometerse permanentemente?						
7 ... cree, tal vez prematuramente, que ha vencido la batalla?						
8 ... se da cuenta de que su cuerpo nota ya los primeros beneficios de una vida sin humos?						
9 ... piensa en aquellos que le importan para resistir la tentación de fumar?						
10 ... tiene dudas?						
11 ... cree que debe tomar una firme decisión?						
12 ... va a regalarse algo con el dinero que se ahorra?						
13 ... decide emprender una actividad física para mejorar su estado de ánimo?						
14 ... experimenta los primeros beneficios a nivel psicológico?						
15 ... parece perder la fuerza de voluntad?						

8.7

La indefensión de los no fumadores

Las actitudes hacia el tabaco varían de un país a otro. España es uno de los países menos estrictos de la Comunidad Europea en cuanto a la aplicación de leyes contra el consumo de tabaco se refiere, pero ....

A ¿Cómo se dice en el artículo … ?

1 in spite of
2 there are hardly any
3 it is also true that
4 are taking steps
5 with regard to
6 public transport
7 suburban trains

B Aquí tienes la última parte del artículo, pero faltan algunas palabras. Rellena cada espacio con la palabra que consideres más adecuada de entre las de la lista. Pero, ¡cuidado!, no vas a usarlas todas.

Trabajar y fumar

La única **(1)** ___ que existe hace referencia a los espacios donde trabajen mujeres **(2)** ___ o se utilicen **(3)** ___ industriales. En los demás casos todo queda en **(4)** ___ de la empresa y de los trabajadores. En caso de **(5)** ___, éste debe notificarse a la empresa y si ésta no encuentra una solución, la **(6)** ___ debe ponerse en conocimiento de la Inspección de Trabajo, que emitirá un informe técnico que obligará a la adopción de **(7)** ___. En algunas empresas funcionan comités de seguridad e higiene en el trabajo integrados por representantes del **(8)** ___.
En otros sitios se **(9)** ___ la posibilidad de fumar. Tal es el caso de salas de espectáculos o centros sanitarios y **(10)** ___, zonas de atención al público o dependencias de la Administración, locales comerciales y ascensores.

contaminaciones	favor	mujer
contaminantes	incumplimiento	permite
decentes	limitación	personaje
docentes	límite	personal
dóciles	manos	restringe
embarazadas	médicos	
falta	medidas	

C *Cara a cara* V

Persona A: No te gusta nada el tabaco, pero a tu amigo/a, sí. Dale a conocer tus razones.
Persona B: No aceptas los argumentos de tu amigo/a. No te convence y defiendes el placer de fumar.

FUMAR NO ES UN PLACER PARA TODOS

LOS fumadores españoles y, en general, los europeos, encuentran en la falta de acuerdo entre las distintas legislaciones europeas un gran aliado. A pesar de las buenas intenciones apenas existen líneas de acción destinadas a combatir los riesgos para la salud que este hábito provoca, tanto en fumadores activos como pasivos. El grado de desconcierto entre los distintos países europeos es grande: la publicidad de tabaco está prohibida en Italia, en cambio en Grecia las empresas tabacaleras patrocinan programas de televisión; Francia prohíbe fumar en bares y restaurantes, en cambio es casi imposible encontrar en España un restaurante o cafetería sin olor a tabaco. También es cierto que algunos países toman medidas que pueden servir de ejemplo a los demás, como el acuerdo en los Países Bajos entre el Gobierno y los productores de tabaco para que éstos regulen la producción, o como el compromiso entre los parlamentarios portugueses que decidieron no fumar en las sesiones del congreso como ejemplo.

Transportes sin humos

La legislación vigente en nuestro país con respecto al consumo de tabaco es la menos severa de toda la CE, a pesar de declarar al tabaco sustancia nociva para la salud y de establecer que en caso de conflicto prevalecerá el derecho de los no fumadores. La prohibición de fumar es total en los medios de transporte colectivos: autobuses, metros o trenes de cercanías. No existe prohibición en los taxis y en el caso de los vuelos nacionales se prohíbe fumar sólo en los de duración inferior a 90 minutos. Tampoco se permite el consumo de tabaco en los vehículos de transporte escolar y de enfermos. ∎

8.8

Boletín sobre el narcotráfico

Existen, desde luego, adicciones mucho más peligrosas que la del tabaco. Escucha el siguiente boletín informativo referente al tráfico de drogas en Colombia.

A **V** Después de escuchar el boletín sobre el narcotráfico, rellena la siguiente lista de datos.

1	Cantidad de cocaína descubierta	
2	Fecha	
3	Lugar	
4	Materiales o equipo descubierto junto a la cocaína	
5	Número de personas detenidas	
6	Destino de la droga aprehendida	

B *¡Tu turno!*

Ahora, sirviéndote de tus notas, cuenta o graba tu propio reportaje, destinado a tu profesor(a) o grupo de compañeros.

8.9

El narcotráfico en Colombia

Naturalmente, la mayoría de los colombianos no tiene nada que ver con el negocio de la droga. Arturo y su mujer Inma tienen opiniones muy claras sobre este tema. Escucha lo que nos cuentan.

● Medellín

● Bogotá

C O L O M B I A

A ¿Qué dice Arturo sobre . . . ?

1 el narcotráfico en Colombia
2 las consecuencias de la pobreza
3 los esfuerzos del Gobierno para controlar la situación
4 el pasaporte colombiano
5 la opinión de una gran parte de la gente colombiana

B Escucha otra vez la conversación y traduce este texto al español.

Only a small proportion of the population has got involved with drug trafficking. Colombia is a poor country with many social and economic problems. For some people, it is easy to produce drugs to earn money. Unfortunately, all Colombians are regarded as being members of a Cartel, but usually they have nothing to do with these illegal dealings.

8.10

Involucrada en el narcotráfico

Para algunos, el mundo de las drogas parece menos peligroso de lo que les han dicho y ven en él un modo rápido de conseguir dinero, pero cuando la hora del desengaño llega, el sufrimiento puede ser mayor de lo que se esperaban.
Lee la historia de Ana Luisa y su experiencia con las drogas.

Yo trafiqué con drogas

Me llamo Ana Luisa y tengo 22 años recién cumplidos. Puedo decir que mi infancia fue feliz: tuve cuanto quise y nunca me faltó amor y cariño.

La primera vez que supe algo de la droga fue a los 11 años. En televisión vi una película con unas imágenes que me impresionaron. Lo que mejor recuerdo es la imagen, para mí entonces inexplicable, de una chica sentada en un portal, pinchándose en un brazo con una jeringuilla. Cuando pregunté a mi padre qué estaba haciendo esa chica me contestó que se estaba drogando. "Lo peor del mundo," añadió.

Hasta los 15 años, la droga en mi vida era una referencia vaga y lejana, pero en una celebración de fin de curso del instituto – limonada, canciones pachangueras, besos furtivos, algún baile agarrado y absolutamente todo bajo la siempre atenta mirada de los profesores – comprobé que estaba mucho más cerca de mí de lo que yo pensaba.

Toni, uno de los compañeros de clase, que venía acompañado de otro chaval mayor que él, nos convenció a Carmen y a mí de que los acompañáramos a la calle. Luis, el amigo de Toni, nos condujo a una calle cercana y entró en una bodega de donde salió con una bolsa de plástico llena de latas de Coca-Cola y una botella de ginebra. Carmen y yo estuvimos tentadas de marcharnos y dejarles allí a los dos, pero cuando nos vieron las intenciones, empezaron a meterse con nosotras: "Ya te lo había dicho, si es que son unas crías," dijo Luis. Nos dio tanto coraje que, para no sentirnos unas mocosas, decidimos quedarnos con ellos.

Nos ofrecieron un cubata a cada una. Supongo que ni Carmen ni yo habíamos probado en nuestra vida más alcohol que la típica copa de sidra de las cenas familiares de Nochevieja. Pero la sensación era agradable y nos dió por reírnos de todo. De repente, Toni sacó del bolsillo de su camisa una bolsita de plástico de la que sacó un cigarro, un papel de fumar y algo envuelto en un papel de plata muy arrugado. Carmen y yo nos asustamos, esta vez en serio. "¿Qué os pasa? ¿No sabéis lo que es un porro? ¿Nunca habéis fumado un canuto? – preguntó Luis. – Mirad, niñas, nadie os obliga a probarlo." Pero sí lo hicimos: a los 15 años, lo peor que se le puede llamar a una chica es, justamente, "niña".

Pasó el tiempo, unos cuantos años y varias docenas de porros después, y Toni y yo dejamos de ser simples conocidos para convertirnos en novios. Salíamos siempre juntos y nos lo pasábamos muy bien. Todo era fantástico. Todo menos la sensación de falta de dinero. El hachís gracias al que pasábamos tan buenos ratos no lo regalaban.

No sé exactamente cómo ocurrió, pero un viernes por la tarde Toni me llevó a un bar y, después de tomar varias cañas, sacó del bolsillo un fajo de billetes de mil pesetas. "Toma, esto es para ti – dijo. – Si queremos, a partir de ahora, no nos faltará." No me lo podía creer. "¿De dónde has sacado eso? – le pregunté llena de ira – . ¡Haz el favor de devolverlo! ¡Ya!" Por mi mente pasó lo peor.

"Tranquilízate, por favor. Alguien me pidió que llevara un paquete a una casa de las afueras – me explicó. – Lo he hecho y aquí está el resultado. ¿Lo vas a despreciar?" Esa era precisamente mi intención, decirle que no quería tomar ese dinero. Sólo que no fui capaz de resistirme. Cogí el dinero y pasamos el fin de semana más extraordinario que se pueda imaginar.

No fue difícil encontrar esa semana un "trabajito" como el de la anterior. Sólo que esta vez se hizo necesario que fuera yo para vigilar la "entrega", por si ➤

acaso. Por fortuna, no pasó nada y todo salió bien. El fin de semana volvió a ser maravilloso. Al menos lo fue hasta que en la habitación del hotel, antes de regresar a Madrid el domingo por la mañana, Toni hizo algo que nunca le perdoné: esnifar una línea de cocaína. Me dolió porque violaba nuestro pacto: que nunca tomaríamos drogas duras. Cuando le pregunté si estaba loco me contestó que no, que lo que estaba era enganchado, que había preferido ocultármelo y que si no me gustaba la idea de que consumiera cocaína pues yo ya sabía dónde estaba la puerta…

Él necesitaba cada vez más la cocaína y también más cantidad. Pronto comenzó a inyectarse heroína. Pasaban los meses y Toni estaba cada vez peor. Yo era quien conseguía el dinero para mantener su adicción. Cuando un día me negué a seguir traficando para él, me levantó la mano e intentó pegarme. Creo que ése fue el principio del fin de mi vida como traficante de drogas y novia de aquel despojo de hombre llamado Toni. No merecía la pena seguir luchando por alguien como él.

Dejamos bruscamente de vernos. Unas semanas más tarde, Toni murió. Le habían vendido una heroína demasiado adulterada y por eso se lo llevó la muerte por delante.

He dejado de fumar droga y la vida, ahora, no me va mal. Soy profesora de informática en una academia privada y por las noches estoy intentando acabar la carrera de ingeniería que tuve que dejar por culpa de la droga. ∎

A Aquí tienes algunas frases que resumen la historia de Ana Luisa, pero sus mitades están desemparejadas. ¿Puedes unirlas correctamente?

1 Hasta los 11 años, Ana Luisa …

2 Unos años más tarde, estaba en una fiesta donde …

3 Los chicos llevaron a las chicas a una calle donde les …

4 Las chicas querían irse, pero …

5 Uno de los chicos …

6 Las chicas se asustaron cuando …

7 Después de esta experiencia, Ana Luisa …

8 Estaban contentos pero …

9 Para conseguirlo, Toni …

10 Los problemas comenzaron en serio cuando Ana …

11 No pasó mucho tiempo antes de que Ana …

12 La relación acabó cuando Toni …

13 Poco después, a Toni su adicción …

14 Ahora, Ana trabaja como profesora de informática y …

a … se metió en negocios poco legales.

b … empezó a salir con Toni.

c … descubrieron que era un porro.

d … no tenían suficiente dinero para comprar hachís.

e … trató de pegar a Ana.

f … ofrecieron ginebra con Coca Cola.

g … hizo amistad con dos chicos.

h … se quedaron porque tenían miedo de parecer cobardes.

i … ha vuelto a la universidad para terminar sus estudios.

j … sacó algo de su bolsillo.

k … le mató.

l … descubrió que también se inyectaba heroína.

m … no sabía nada de la droga.

n … se dio cuenta de que Toni esnifaba cocaína.

la jeringuilla	*syringe*
pachanguero	*cheap and cheerful (show, song), (sometimes) camp*
el baile agarrado	*slow dance, very close*
el chaval	*boy (slang), lad*
el crío, el mocoso	*kid, brat*
el cubata	*drink made with Coke and rum, gin or vodka (cuba libre)*
la sidra	*cider*
la Nochevieja	*New Year's Eve*
el porro, el canuto	*joint (slang)*
la caña	*beer served in a long glass*
el fajo de billetes	*wad of banknotes*

B Explica con tus propias palabras:

1 la droga … era una referencia vaga y lejana
2 bajo la siempre atenta mirada de los profesores
3 para no sentirnos unas mocosas
4 ¿lo vas a despreciar?
5 yo ya sabía donde estaba la puerta

C **V** Traduce al inglés desde "No fue difícil encontrar …" hasta "dónde estaba la puerta".

D En el siguiente texto, una amiga de la protagonista de la historia nos cuenta su versión del noviazgo entre Toni y Ana Luisa, pero faltan algunas palabras. ¿Puedes completarlo?

Ana Luisa y yo somos amigas **(1)** ____ la infancia. Cuando me presentó a Toni, me pareció un **(2)** ____ muy simpático, y le dije a ella que se notaba que **(3)** ____ muy enamorados. Siempre que me los encontraba, estaban riendo, y parecían **(4)** ____ muy bien juntos. Pero **(5)** ____ me di cuenta de que **(6)** ____ algo raro, y de que todo se centraba en diversiones rápidas, sin hacer planes ni nada. Ana Luisa había **(7)** ____ siempre un ejemplo de "chica responsable", estaba muy cambiada. Cuando me confesó **(8)** ____ se estaban metiendo en el mundo de la droga, y que la gente exageraba **(9)** ____, que no era tan malo, quise advertirla, pero no conseguí convencerla. Aprendió de la **(10)** ____ más dura, aunque no se dejó arrastrar y ser destruida por las drogas, como le pasó a Toni.

EJERCICIOS *de* CONSOLIDACIÓN

 Lee: Texto 8.10 Involucrada en el narcotráfico

 Estudia: *Grammar section 6.4: Augmentatives and diminutives*

 Haz

Aquí tienes una lista de los aumentativos y diminutivos de algunas palabras que aparecen en el texto, mezclados. Sepáralos y escribe al lado de cada uno la palabra tal y como aparece en el texto. Hay algunas trampas. ¡Descúbrelas!

bolsaza	papelazo	cancioncillas	añitos
chiquilla	chicarrona	botellín	besitos
bailón	niñita	papelón	manaza
bolsillo	ratito	camiseta	paquetito
hombretón	puertaza	manilla	hombrazo
mañanita	pesetillas	dinerete	billete
callejón			

EJERCICIOS *de* CONSOLIDACIÓN

 Lee: Texto 8.10

 Estudia: *Grammar section 5.3.5: Imperfect continuous; 5.3.3: Preterite*

 Haz

Escribe siete frases relacionadas con tus recuerdos de fiestas de instituto o con lo que te contaron tus padres sobre el tabaco, el alcohol o las drogas. Deben aparecer los dos tiempos verbales mencionados arriba.

Ejemplos: Cuando mis padres <u>vieron</u> que <u>estábamos fumando</u> en mi habitación, <u>se pusieron</u> furiosos.
Me <u>dijeron</u> que mi tío <u>estaba intentando dejar</u> la bebida.

Son chicos y chicas normales que un mal día le dieron el brazo a la droga, amante traidora, fría y asesina. Ella les llevó a la calle y al dolor. Hoy intentan retomar el rumbo de su propia vida y volver a la alegría.

8.11

Programas de rehabilitación para toxicómanos

| heroinómano | *heroin addict* |
| terapeuta | *therapist* |

La droga es una preocupación frecuente entre las familias que tienen hijos adolescentes. «La drogodependencia es un problema de maduración personal», nos dice Encarna Pinto, psicóloga de la asociación Proyecto Hombre.

INCOMUNICACION

«En la adolescencia –explica Encarna Pinto– cualquier joven tiene que reafirmar su personalidad: busca algo fuera de casa, los padres ya no tienen la validez que tenían antes, tiene problemas con el otro sexo ... y se refugia en su grupo de amigos, entre los que necesita reafirmarse como individuo. Si además tiene problemas de incomunicación y no encuentra ninguna solución, opta por irse a la discoteca y ponerse hasta arriba de alcohol, por ejemplo. Lo mismo que un heroinómano no consume para estar bien, sino para no estar mal, y otros se ponen su raya de cocaína para poder regentar un negocio, el adolescente que se convertirá en drogodependiente, se va a la discoteca y toma drogas o alcohol para ser más extravertido y convertirse en otra persona.»

DESINTOXICACION

Aún cuando ya existe drogodependencia, la rehabilitación es posible. Hoy en día existen varios programas para intentarlo. Nos centraremos en el programa terapéutico del Proyecto Hombre puesto que tiene un alto índice de éxito y resulta una novedad interesante con respecto a otros programas: no sólo se trata la drogodependencia sino la causa que llevó a ella. Es decir: se retorna al punto en el que el chico o chica se sintió incapaz de enfrentarse a su problemática. Con ello se intenta conseguir que los resultados sean efectivos y duraderos. El tratamiento, además, es gratuito. Muchos padres aportan cantidades voluntariamente. Su financiación varía de unas provincias a otras, en Madrid cuentan con financiación del Ayuntamiento y del Gobierno

Aprender a VIVIR

de la Communidad Autónoma. Y, desde luego, el trabajo de los voluntarios que aportan su esfuerzo, además de los especialistas y los terapeutas es esencial.

TRES FASES

El programa terapéutico está concebido como un proyecto global educativo que persigue que el toxicómano adquiera recursos personales para seguir adelante. «Es terapéutico –dice Encarna– en el más profundo sentido, porque el propósito primordial es conseguir que el toxicómano aprenda que puede salir del agujero, que crea en su recuperación; y educativo, porque le damos pautas en las que apoyarse para conseguir esos recursos personales a lo largo del proceso, que es distinto para cada individuo ya que cada uno tiene unos problemas específicos». Este programa global se divide en tres fases de varios meses cada una: la primera es la fase de acogida, que se hace de forma ambulatoria; la segunda es la fase en la cual los aspirantes para rehabilitación viven fuera de la familia en una comunidad en el campo; y la tercera es la fase de reinserción, en la que los ex drogadictos viven en pisos, reintegrados en la sociedad y trabajando o estudiando según la opción elegida por cada uno. Superadas las tres fases, reciben el alta terapéutica. ■

A El siguiente texto hace un resumen de la parte del artículo titulada "Incomunicación". ¿Puedes completarlo, escribiendo una palabra en cada espacio en blanco?

(1) ___ su adolescencia, el joven busca la (2) ___ de su personalidad. Sus padres no son (3) ___ influyentes (4) ___ antes, y se encuentra (5) ___ con el otro sexo. Si no logra (6) ___ una solución a sus problemas con sus amigos, algunas (7) ___ el joven va a la discoteca no para bailar (8) ___ para (9) ___ alcohol, por (10) ___. De esta (11) ___ trata de (12) ___ de personalidad.

8.12

B Traduce al inglés la última parte del artículo, titulada "Tres fases".

C *Cara a cara*

Persona A: Eres el padre/la madre de un(a) joven. Has descubierto un frasco de píldoras en su habitación. Tienes miedo de que sean drogas.

Persona B: Eres el hijo/la hija. Tienes una explicación para la existencia de las píldoras, pero tu padre/madre no quiere creerte. Tratas de convencerle/la de lo inocente de la situación.

Yo he salido de la droga

Rosa estuvo enganchada a la heroína durante años. Su vida era una muerte lenta. No fue un camino de rosas, pero logró liberarse de las garras de la droga. Este es su testimonio, muy esperanzador …

"Creía que no sería capaz de curarme"

YO HE SALIDO DE LA DROGA

«**Hace** 9 años que me desenganché de la droga. Ahora tengo 29», dice <u>Rosa Fuentefría</u>. Rosa nació y se crió en Azpeitia (Vizcaya). Consumió sus primeras anfetaminas cuando era casi una niña. «Empecé a los 12 años fumando hachís y tomando *anfetas* y ácidos. Además, traficaba con ellos para sacar dinero». Fue a los 14 ó 15 años –no recuerda muy bien– cuando se metió en sus venas el primer *pico* de heroína. En los siguientes 4 ó 5 años, Rosa, que siempre vivió con su madre viuda y sus cuatro hermanos, **se acercó peligrosamente al delito y a la muerte.** «He robado, me he prostituido … cualquier cosa con tal de tener dinero suficiente para comprar la droga. Porque cuando empiezas, todo va en cadena. Una vez estuve a punto de morir. Supongo que por adulteración de la droga. Estuve ingresada: me dijeron que tuviera cuidado, que estaba muy débil, pero no hice caso».
Sin embargo, Rosa sabía que no podía continuar así. Por eso, a partir de los 16 años empezó a buscar una salida. «Quería ingresar en algún sitio. **Intentaba salir por todos los medios de ese mundo.** Cambié de amistades, probé con yoga, naturismo … Pero como mucho duraba 15 días. Y cada vez estaba peor … Mi familia empezó a pensar en ingresarme en un centro psiquiátrico», nos cuenta Rosa. «Un día acompañé a una conocida a una tienda. Estaba como adormecida, y debía de tener muy mal aspecto … Entonces se me acercó un hombre. Me preguntó si me quería curar y me dio un número de teléfono. No sé muy bien cómo, pero a los dos días lo encontré en mi bolsillo y llamé. Les dije que vinieran a buscarme y que se dieran mucha prisa, porque podía cambiar de opinión. Era un psicólogo que trabajaba de voluntario en un proyecto de rehabilitación. Al principio desconfié. Fue a ver a mi familia para decirles que si quería podía ingresar en Nuevo Amanecer, un centro de desintoxicación. Yo sólo dije que lo iba a intentar. Me daba miedo porque tenía que desplazarme a Madrid. Además, no creía que lo fuera a conseguir. **Lo había intentado tantas veces …**
De hecho, al principio me pasaba el día llorando, muy triste. Creía de verdad que iba a ser imposible. Pero a medida que pasaba el tiempo tenía un poco más de esperanza. Aquí encontré una familia; se respira tolerancia y comprensión. **Me di cuenta de que había gente con una historia peor que la mía. Me aceptaban como era y eso me salvó.** ∎

desengancharse	
	to kick an addiction/habit
el pico	*injection (slang), shot*

A   Lee este artículo y explica a continuación lo que significan los siguientes números:

1   9 años
2   29 años
3   12 años
4   14-15 años
5   16 años
6   15 días

B   Los siguientes verbos se utilizan en el artículo.
Encuentra para cada uno el sustantivo correspondiente.

Verbo	Sustantivo
nacer	1
consumir	2
traficar	3
intentar	4
probar	5
encontrar	6

C   Traduce el siguiente texto al español.

At the age of twenty, Rosa realised that she was on the point of death. She had been a heroin addict for five years, and, after trying many ways of kicking the habit, she began to believe that it would be impossible. She spent her days dealing and her nights prostituting herself – she would do anything provided that she could get enough money to buy drugs. Then, one day, she found in her pocket the number of a drug addiction treatment centre ...

8.13

Ejercicios de repaso

A   En una fiesta a la que acudiste recientemente, alguien puso una cierta cantidad de droga en las bebidas. Describe los efectos de la droga, sus consecuencias para tu salud o bienestar físico, qué piensas sobre la persona responsable de la acción y lo que has aprendido de la experiencia en una exposición oral de un minuto y medio o dos minutos.

B   Tu mejor amigo se ha convertido en un drogadicto. Cuenta en unas 150–200 palabras en español cómo empezó su adicción, lo poco importante que parecía en un principio y los efectos que ha ido teniendo en su vida, en la de su familia y en la de sus amigos.

El mundo en peligro

Todos sabemos que nuestro mundo es muy valioso. Pero ¿hacemos todo lo que podemos para protegerlo?

9.1

Reacciones de sorpresa

Un periódico español preguntó a varios ciudadanos madrileños por qué ensuciaban las calles. Aquí tienes sus respuestas.

Nosotros los sucios

¿Cómo reaccionaría usted si le pillaran tirando un papel al suelo? Este periódico hizo la prueba en un paseo de tres horas por el *kilómetro cero* de la suciedad. Cuando encontró a un ciudadano que acababa de tirar una colilla, un panfleto de propaganda o una bolsa vacía de pipas, le preguntó por qué lo hacía. Casi todos respondieron echando la culpa a otros de la porquería que se sufre.

➤ **El que arroja el cigarrillo.** Lemmert, un turista holandés de 27 años, consiguió lanzar su colilla de rubio americano dibujando una parábola con las piedras de la plaza Mayor como destino.

—¿Por qué ha tirado el cigarrillo?

—Porque se desintegra todo, salvo el filtro.

—El filtro, no. ¿Hace lo mismo en su país?

—Sí. Cuando no tengo un cenicero a mano (hay muchas papeleras bajo los soportales de la Plaza Mayor), lo hago. Todo lo demás lo guardo en el bolsillo, incluido el celofán, porque en un medio urbano eso es dañino.

➤ **El que tira la bolsa de pipas.** Un hombre corpulento volcó el contenido de un paquete de pipas sobre su mano en la Puerta del Sol. Tiró la bolsa de plástico vacía en la acera.

—¿Por qué la ha tirado?

José, un vendedor ambulante de 31 años, respondió:

—Eeeee ... Es que tienen todo hecho una porquería.

—¿No es de aquí?

—Sí, soy de Madrid. Pero lo que tendrían que hacer es vigilar más a los perros. Uno ha de caminar mirando hacia abajo. Yo he vivido en Canarias y América. Allí está todo más limpio. Además ... mire, si hubiera visto una papelera cerca, no la habría tirado al suelo.

➤ **La que se deshace del panfleto.** La mano de Paloma fue una de las cien que se quedó con el panfleto azul de Arenal Informática cuando subía las escaleras del metro de Sol frente a la pastelería La Mallorquina. De 25 años, se dirigió hacia la calle del Arenal. Plegó la propaganda y ya no sería más grande que un par de sellos cuando, en la calzada, la arrojó.

—¿Por qué?

—Perdone, es que llego tarde a trabajar.

—Bien, ¿pero por qué lo ha hecho?

—No, no ... Si yo he estado haciendo cursos de medio ambiente y eso ... Es que voy con mucha prisa. Perdone, ¿eh?

En diez minutos, doce personas imitaron a Paloma.

➤ **El dueño del perro que orina.** La paseante no sorprendió a ningún perro depositando boñigas en la acera, pero sí fue viendo cacas caninas. Javier, de 35 años, guiaba a su animal de compañía por la calle de Lope de Vega. El chucho se limitaba a mojar lo que le venía en gana.

—Mi perro lo ha hecho ya en el césped. Yo lo suelo llevar al lado del Jardín Botánico porque hay tierra y, además, no me pueden decir nada, ya que es un paso de animales, ¿sabe usted? Es que hay que enterarse. También le enseño a hacerlo en las alcantarillas. Para mí, lo peor es que la gente deje las basuras en la calle. ∎

El centro de la suciedad

La plaza Mayor y sus aledaños son el tercer lugar más sucio de todos los relacionados en el estudio. La plaza Sintagma, en Atenas, y la torre Eiffel, en París, son los peores.

La Puerta del Sol es la tercera zona comercial más limpia. Berna y Londres, con la plaza de Banhof y Oxford Street, son los lugares más limpios. El bulevar Haussmann, en París, es la zona comercial más sucia.
El área marcada en línea discontinua representa un kilómetro cuadrado. Sus parques, calles y aparcamientos en las proximidades del Congreso de los Diputados son los más abandonados.

A 🅥 Haz una lista de todas las maneras en las que, según este artículo, se ensucian las calles de Madrid.

B

¿Cuál de las cuatro personas ...	Lemmert	José	Paloma	Javier
1 ... culpa a los perros de la suciedad?				
2 ... deja caer un folleto?				
3 ... no quiere esperar?				
4 ... no es español(a)?				
5 ... se considera consciente del problema de la polución?				
6 ... vive en la capital?				
7 ... no le preocupa en donde echa el pitillo?				
8 ... hace algo por rutina?				

el tabaco rubio americano	*Virginia tobacco*
el panfleto	*leaflet*
la pipa	*sunflower seed*
la porquería	*dirt, filth*
el celofán	*cellophane*
el sello	*postage stamp*
la basura	*rubbish*
el barrendero	*street sweeper*
el pitillo	*cigarette, fag*
merendar	*to have a tea break/afternoon snack*
la alcantarilla	*drain (in sewage system)*

C Aquí tienes varios verbos y sustantivos que aparecen en el texto. ¿Puedes rellenar los espacios con la forma necesaria?

Sustantivo	Verbo
(1)	reaccionar
suciedad	**(2)**
(3)	encontrar
filtro	**(4)**
(5)	responder
culpa	**(6)**
(7)	dibujar
tapón	**(8)**
(9)	desintegrar
cuidado	**(10)**
(11)	plegar
sello	**(12)**

D *Cara a cara* 🅥

Persona A: Mientras tu hermano/a menor está jugando en el parque, ves un perro que ensucia el césped muy cerca del niño. Te enfadas con el dueño/la dueña del animal y le reprendes por su irresponsabilidad.

Persona B: Eres el dueño/la dueña del perro, y crees que lo que hace tu mascota es natural. No aceptas los argumentos de A y echas la culpa a otros.

EJERCICIOS *de* CONSOLIDACIÓN

 Lee: Texto 9.1 Reacciones de sorpresa

Estudia: *Grammar section 5.4.3: Pluperfect subjunctive; 5.3.11: Conditional perfect*

Haz

1 Completa estas tablas:

		Pluperfect subj.			Conditional perfect
	Yo	hubiera visto			habría tirado
	Tú				habrías tirado
VER	Él/ella	hubiera visto	TIRAR		
	Nosotros				habríamos tirado
	Vosotros				
	Ellos/ellas	hubieran visto			

		Pluperfect subj.			Conditional perfect
	Yo				
	Tú	hubieras protegido			
PROTEGER	Él/ella		GANAR		habría ganado
	Nosotros	hubiéramos protegido			
	Vosotros				
	Ellos/ellas				habrían ganado

2 Completa las frases siguientes. Deben referirse al tema de la limpieza de nuestras ciudades o al del medio ambiente.

Ejemplo: Si hubiera visto una papelera, no lo habría tirado al suelo.

   a Si hubiéramos…
   b Si yo hubiera…
   c Si ella…
   d Si vosotros…
   e Si…

9.2

Cuida la ciudad: es de todos

Si todos consideráramos la ciudad como una extensión de nuestra propia casa, seríamos mucho más limpios. Escucha este programa de radio.

A Aquí tienes las primeras mitades de unas frases que resumen la primera parte del programa. Elige de la lista una segunda mitad para cada una.

1 Cualquier parte de una ciudad puede …
2 Las papeleras son para …
3 Los dueños de animales domésticos no deberían …
4 Muchos Ayuntamientos tienen servicios de …
5 En casa, no hay que …
6 Si ahorras energía, puedes …

a … deteriorar el paisaje.
b … ahorrar dinero y proteger tu ciudad.
c … depositar desperdicios, no para jugar al baloncesto.
d … dejar a sus perros pasearse por los jardines.
e … ser bella.
f … dejar las deposiciones de sus mascotas en la calle.
g … comprar perfume orgánico.
h … utilizar el carbón como medio de calefacción.
i … regular el termostato.
j … recogida de trastos viejos.

B Escucha otra vez la primera parte del programa, hasta "lo perfuma de manera desagradable". ¿Cómo dirías las siguientes frases? ¡Ojo! Tendrás que cambiar a veces lo que dicen en el programa.

1 litter bins are there to put rubbish in
2 dog owners should scoop up what their animals leave
3 organic waste makes the urban landscape smell bad

C Ahora vuelve a escuchar la segunda parte del programa, desde "Calefacción …". Luego completa, en español, las siguientes frases de acuerdo con lo que has oído.

1 … carbono y plomo, … salud …
2 … las ciudades españolas … circulación …
3 … contra la que … sentida …
4 … recuerda que … dormir …

D *¡Tu turno!* **V**

Prepara una redacción sobre un problema del medio ambiente que te afecte directamente, indicando las posibles iniciativas que podrían tomarse. Luego, haz una breve exposición en clase.

9.3

Graffiti

Otra forma de agresión al medio urbano es el «graffiti».

«Graffiti»
el grito en el muro

Paredes y vallas de la vía pública son los lugares elegidos por los artistas del «graffiti» para hacer sus pintadas. Esta forma de expresión, importada de Estados Unidos, ha sido plenamente adoptada en España. A finales de los sesenta, Demetrius, un joven norteamericano, tuvo la tenaz iniciativa de escribir su apodo, «Taki», y el número de su casa, el 138, en las paredes, autobuses y monumentos de todo Manhattan. Comenzaba así lo que para algunos se ha convertido en una novísima forma de expresión y para muchos en una pesadilla diaria: el «graffiti». Algunos españoles han seguido el ejemplo estampando su nombre o su marca por todas partes: en vallas, paredes y vagones del Metro.

En España, a pesar de la escasa tradición y de los años de retraso, la moda de la pintada ha visto multiplicados sus frutos hasta llegar a la batalla multicolor que, día tras día, se libra en las calles de nuestras ciudades. No hace mucho tiempo era imposible no encontrar en los muros de Madrid las huellas cromáticas de «Muelle» o «Bleck, La Rata».

Tras estos abanderados del grafito madrileño surgirían pronto numerosos seguidores que intentarían, la mayoría sin conseguirlo, relevar a sus antecesores. Así, nombres tan conocidos como «Rafita», «Snow», «Mode», «Titón», «Macle», «Joselio» o «Clyde», entre otros muchos, comenzaron la ardua tarea de conseguir un muro en exclusiva o un hueco en las atestadas paredes del Metro. La preferencia por los vagones del ferrocarril metropolitano es obvia: no hay nada mejor para propagar el nombre que un dibujo móvil. Entra, además, aquí en juego la directriz principal del «graffiti», dejarse ver. No en vano, y a pesar de que la calidad de las firmas es crucial, la profusión de la misma por todos los rincones produce mayores efectos.

Pero no todo es color. Una parte considerable del presupuesto que el Ayuntamiento concede para la limpieza viaria se gasta en borrar pintadas. Unas 120 personas, entre capataces, conductores y operarios, luchan en dos turnos diarios contra los aerosoles. A pesar de los esfuerzos realizados, los espacios vacíos se ven rápidamente rellenos como si sus autores hicieran gala de un «horror vacui» exacerbado.

No obstante, debemos analizar, para no caer en generalizaciones, que frente a la mayor o menor preocupación cromática y estética de algunos autores, aparecen otras firmas de inferior calidad y con pretensiones muy distintas. Tal es el caso de las miles de firmas monocromas que se han adueñado del Metro de forma salvaje y que evidencian más que una búsqueda estética y un reconocimiento personal, un esporádico vandalismo de pésimo gusto pictórico.

Como opina el señor Freire, del departamento de servicios especiales de la delegación de limpieza urbana, «Hay pintadas y pintadas. Si en un paredón antiestético pintan algo, bienvenido sea: pero esto es diferente a pintar bigotes a la estatua de Juan Valera».

De esta forma, las técnicas ensayadas sobre las estatuas de los museos o sobre la Puerta de Alcalá distan mucho de los «graffiti» de la plaza de España, donde aún se conservan las aspiraciones artísticas de sus realizadores. En éstos, aún aparecen los elementos que caracterizan el «graffiti». Así, junto a un nombre sugerente, aparece siempre una rúbrica alusiva y algún signo de distinción que les aporta un carácter pseudolegal, formando todo ello un conjunto gráfico de gran belleza expresiva.

El caso de «Muelle» es más significativo, ya que la «R» enmarcada en un círculo que acompaña a su firma es ciertamente el registro legal de la «marca». Una marca que está obteniendo multitud de ofertas para ser empleada como emblema de algún producto, a lo que su anónimo dueño responde negativamente con excesivo celo. Y es que ganarse la fama garabateando en la pared cuesta mucho. Aparte, un «graffiti» es algo tan personal como un grito en un muro. ∎

A Estas frases pueden encabezar los siete párrafos del artículo, pero, ¿cuál es el orden correcto?

1 El arte en marcha
2 Una diferencia muy grande
3 Una moda nueva
4 Gamberrismo en el Metro
5 Una marca personal
6 Una batalla constante
7 Una forma de expresión gráfica

la novísima	*the very newest*
la marca	*brand name*
arduo	*difficult, laborious*
viario	*of streets and avenues*
el capataz	*foreman*
la rúbrica	*signature*
garabatear	*to scribble*

B  Las siguientes frases aparecen en la primera parte del artículo. ¿Las puedes volver a escribir sin utilizar las mismas palabras?

1 a pesar de la escasa tradición
2 numerosos seguidores que intentarían … relevar a sus antecesores
3 la ardua tarea de conseguir un muro en exclusiva
4 no hay nada mejor para propagar el nombre

E *¡Tu turno!* **V**

¿Qué piensas tú sobre el «graffiti»? ¿Es una forma de agresión al medio urbano o una expresión artística? Cuenta tu opinión en unas 100–120 palabras.

C **V** Traduce al inglés el tercer párrafo del artículo, desde "Pero no todo es color" hasta "hicieron gala sus autores".

D Traduce al español el siguiente texto.

Nevertheless, not all graffiti is of an aesthetic quality. In the Metro much evidence of unaesthetic vandalism can be seen and there is a great difference between this type of painting and the graffiti in the Plaza de España. Here, the artistic aspirations of its creators form a combination of personal expression and graphic beauty.

9.4

¿Amamos los bosques lo suficiente?

La naturaleza está amenazada por peligros más graves que el «graffiti».

"Y la montaña quemada florecerá de nuevo ..."

Me consta que todo lo que se ha hecho hasta ahora en cuanto a prevención y extinción de incendios era y es necesario, pero, como se ha podido comprobar, no ha sido suficiente. Por otra parte, hemos de ser justos y reconocer la eficacia demostrada en estos últimos años, aunque queda claro que las prácticas empleadas hasta el día de hoy son útiles para atajar incendios en su primera fase, pero no cuando el fuego se descontrola. Y es aquí donde tendrían que variar los planteamientos actuales. ➤

¡Sigue!

A El siguiente texto forma un resumen del primer párrafo del artículo. ¿Puedes completarlo, escribiendo una palabra en cada espacio en blanco?

Se **(1)** ___ hecho **(2)** ___ esfuerzos para **(3)** ___ los incendios pero todos están de **(4)** ___ en que **(5)** ___ mucho por hacer. Es **(6)** ___ reconocer que, **(7)** ___ las prácticas empleadas son **(8)** ___ cuando el fuego **(9)** ___ de empezar, son **(10)** ___ cuando **(11)** ___ se ha **(12)** ___.

B Las líneas del segundo párrafo del artículo se han mezclado. ¿Puedes ponerlas en orden?

1 seen podamos definir diariamente unas muy
2 negligente o una mano alevosa que lo encien-
3 amplias zonas del país donde es previsible el
4 el lugar y en el momento del inicio del fuego.
5 da, sería fruto de la casualidad que un agente,
6 Luchamos contra un enemigo fiero y trai-
7 aunque con los adelantos técnicos que se po-
8 inicio de un fuego provocado por una acción
9 dor que ataca por donde menos se le espera, y
10 un bombero o un voluntario coincidieran en

C ☑ Después de encontrar el orden correcto, traduce al inglés el párrafo resultante.

D ☑ Y aquí tienes la última parte del artículo. Léela y toma notas en inglés sobre las causas de los incendios forestales.

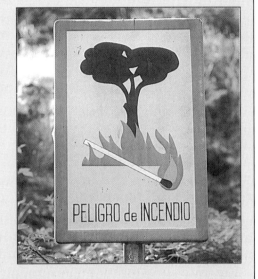

Por ello, si las condiciones meteorológicas son extremadas, es muy posible que el siniestro se extienda. Y esto, no nos engañemos, pasa en Cataluña y en todos los países de clima mediterráneo de Europa, América, Australia o Suráfrica. Y, en consecuencia, hemos de asumir este fenómeno como propio de nuestras características territoriales.

Además se añade una complicación. Y es que, afortunadamente para sus habitantes, Cataluña es un país boscoso que incrementa su superficie forestal año tras año, aunque es cierto que no por la acción repobladora del hombre, sino por el abandono de los terrenos de cultivo colindantes con los bosques y por su ocupación casi inmediata por el arbolado.

Por ello las montañas y los bosques se han quedado sin los habituales conocedores del país y su paisaje, de los desastres que produce el fuego y de los métodos más naturales de defensa contra este elemento; las tierras cultivadas que formaban efectivos cortafuegos se han abandonado y los bosques se han visto invadidos por elementos extraños a ellos: carreteras, líneas eléctricas, obras de infraestructura, vehículos y visitantes procedentes de las grandes ciudades.

Pero lo que sí nos han demostrado los incendios es que en Cataluña permanecen unos hombres que cuando hay que actuar para defender el país están dispuestos a entregarse aunque peligre incluso su vida. Esta entrega de los voluntarios que, con medios precarios han luchado contra el fuego, ha de obligar a la Administración a reconocer su esfuerzo y a potenciar sus medios, ya sea por medio de las asociaciones de defensa forestal o por otros sistemas de acción directa. ➤

9.5

Los incendios forestales

Con nada menos que 10.000 siniestros de media anual, España se ha colocado a la delantera de los países europeos en cuanto a número de incendios forestales se refiere.

el fogonero	*stoker; (here) someone who makes a bonfire to cook something*
hacer una lumbre	*to light a fire*
la parcela	*plot (of land)*
el pirómano	*arsonist, fire raiser*

TODOS CONTRA EL FUEGO

En verano, una plaga que por repetida casi se ve como normal, vuelve a asolar a la ya maltratada naturaleza. Se trata de los incendios forestales, una auténtica tragedia para nuestros montes y zonas arboladas. Nada menos que 10.000 siniestros se han registrado de media anual en los bosques españoles durante los últimos años. España es el país europeo con mayor número de incendios forestales.

Para esta temporada de verano se anuncian desde los organismos oficiales nuevos sistemas de detección y extinción, pero todos nosotros, cuando vamos al monte, podríamos poner nuestro granito de arena si conociéramos las causas que los provocan.

Así, a pesar de que las autoridades desconocen las causas que originan casi la mitad de los incendios veraniegos, se sabe que un 35 % son intencionados, un 16 % se achacan a diversas negligencias, un 4 % a basureros incontrolados y otro tanto a causas naturales. Del 45 % restante no se tiene noticia.

EXTREMAR LAS PRECAUCIONES

Causas naturales de los fuegos pueden ser el rayo de una tormenta y también la concentración de rayos de sol en un cristal en el suelo. Sin embargo, si nos acostumbramos a no abandonar desperdicios en el campo y mucho menos si no son biodegradables a corto plazo –como ocurre con el cristal– se reducirán las posibilidades de que comience un incendio.

Por otra parte, aunque todos nos creamos los más diestros "fogoneros" a la hora de hacer una lumbre para la paella o el asado, las precauciones deben ser siempre extremas, incluso cuando estemos en nuestra propia parcela. Una simple chispa puede causar un tremendo desastre ecológico. De igual forma puede ocurrir con un cigarrillo mal apagado. Ya que intentamos respirar aire puro, lo mejor sería no fumar en el monte y dejar esta actividad para la ciudad.

Caso aparte, entrando en materia penal, merecen los incendios provocados, en ocasiones por motivos económicos –para especular con los terrenos liberados de árboles–, y en otras por los pirómanos, personas a quienes no se puede considerar locos, pero cuya enfermedad hace que encuentren una especial satisfacción en preparar y observar el desarrollo de un incendio. Quienes padecen este trastorno mental, suelen ser personas con un coeficiente de inteligencia normal o bajo y a menudo tienen una historia personal con rasgos antisociales. ➤

A Las siguientes frases resumen – más o menos – la primera parte del artículo, hasta "una historia personal con rasgos antisociales", pero en cada una hay varias palabras que faltan. ¿Puedes completarlas de acuerdo con el texto?

1 Se ven casi como normales los incendios forestales porque ____ durante los últimos años.
2 Ningún otro país europeo ____ como España.
3 Todo el mundo podría hacer ____ si supiera cómo se provocan estos incendios.
4 Las autoridades no conocen ____ ciento de los incendios que ocurren en verano.
5 Dos actividades que pueden provocar incendios son ____ en el campo.
6 Los pirómanos, responsables ____, suelen tener actitudes antisociales.

B En la misma parte del artículo, ¿con qué otras palabras se dicen las siguientes expresiones y frases?

1 verdadera
2 desastres
3 así
4 hacer algo para ayudar
5 el cincuenta por ciento
6 queda
7 los riesgos
8 de la misma manera
9 más valdría
10 donde ya no existen

141

NUEVAS TECNOLOGÍAS

Por unas y otras causas, cada año se (1)—— en España una media de 100.000 hectáreas de bosques y zonas (2)——. Las zonas más afectadas, año (3)—— año, son las de Galicia, Comunidad Valenciana, Andalucía, Cataluña y el Sistema Central.

El Instituto para la Conservación de la Naturaleza (ICONA), (4)—— con un presupuesto de 2500 millones de pesetas para (5)—— en lo posible los incendios. Esa (6)—— da para mantener en funcionamiento unos 90 hidroaviones, capaces de transportar y (7)—— sobre las (8)—— un total de 165.000 litros de agua en los meses de julio, agosto y septiembre.

Este año, un nuevo sistema vendrá a (9)—— a este esfuerzo, en el que por supuesto juega un (10)—— fundamental y muchas veces también peligroso, la mano del (11)——. Sin embargo el (12)—— sistema, denominado ''Bosque'', está basado en la más avanzada embargo tecnología militar. Es (13)——, pero sus inventores aducen que cuesta más reforestar un bosque (14)——. Puede que en esta (15)—— la tecnología sea la mejor aliada de la naturaleza. ∎

C En la última parte del artículo faltan varias palabras. ¿Puedes rellenar los espacios con palabras de la siguiente lista? ¡Ojo! No vas a necesitarlas todas.

arboladas	nuevo
caer	papel
cantidad	peligro
caro	quemado
cuenta	queman
diablo	soltar
hombre	sumarse
llamas	tras
mitigar	útil
ocasión	vez

9.6

El fuego y el medio ambiente - una historia personal

Escucha esta conversación entre Luís y Ester sobre los incendios forestales.

A Escucha la primera parte de la conversación de nuevo. ¿Cuáles de las siguientes frases se relacionan con lo que cuenta Ester y cuáles no?

1 Ella estuvo a punto de morir.
2 Vive en un bosque.
3 Su familia siempre ha vivido bajo la amenaza de los incendios forestales.
4 Muchos árboles han sido destruidos.
5 El medio ambiente le importa casi tanto como su novio.

B En la misma parte de la conversación, ¿cómo dice Ester las siguientes frases y palabras …?

1 You can say that again!
2 it's very hard for me
3 since we were children
4 unprecedented
5 or rather

C [V] Ahora escucha la segunda parte de la conversación y toma notas en inglés sobre lo que dice Ester con respecto a …

1 la diferencia entre los incendios forestales del pasado y los del reciente verano.
2 lo que hizo su novio y lo que le sucedió.
3 las consecuencias del incendio para la economía local.
4 las consecuencias para el medio ambiente de la región.
5 las autoridades.

D *¡Cara a cara!* [V]

1 Una conversación
Persona A: Eres un(a) habitante de una región continuamente amenazada por los incendios forestales. Ves a un(a) turista que está a punto de encender una barbacoa. Le adviertes del peligro de lo que está haciendo.
Persona B: Eres el/la turista. No crees que haya ningún peligro. No aceptas los argumentos de A.

2 Una carta
Has presenciado esta conversación. Ahora, escribe una carta a un periódico regional para protestar contra la indiferencia de algunos ante los fuegos forestales.

9.7

¿Cómo podemos ayudar?

Con un poco de atención, podemos contribuir a la "salud" de nuestro planeta.

A Relaciona cada grupo de frases con el mandamiento adecuado.

a ■ Optimiza el uso de electrodomésticos. Modera el nivel de la calefacción.

b ■ No tires innecesariamente de la cadena y reduce el volumen de la cisterna introduciendo una botella llena de arena.
■ No pongas en marcha el lavavajillas o la lavadora hasta que estén completamente llenos.
■ Evita pérdidas y goteos.

c ■ Disminuye el volumen de desperdicios domésticos.
■ Recuerda la ley de las 'tres erres': reducir, reutilizar y reciclar.

d ■ Opta por los productos que vengan envasados en recipientes ecológicos.
■ Evita los aerosoles, especialmente cuando contienen propulsores fluorocarbonados (CFC).

e ■ Usa la lejía con moderación.
■ Nunca tires productos químicos por el inodoro.

f ■ Lleva tus propias bolsas a la compra.
■ Reutiliza las bolsas de plástico que te den en el supermercado para la basura.

g ■ Consume menos papel.
■ Lleva a reciclar todo el papel que sea posible.

h ■ Cuando adquieras un coche nuevo, prefiere uno que consuma poco carburante.
■ No recurras al coche para trayectos cortos.

i ■ Deja la naturaleza tal como la has encontrado.
■ No hagas fuego.
■ No "invadas" la naturaleza con el coche.

j ■ Intenta encontrar soluciones a problemas ecológicos inmediatos desde tu propia casa.
■ Presiona a tu Ayuntamiento para que tome medidas.

Los diez mandamientos verdes

1 UTILIZA PRODUCTOS CON ENVASES "ECOLÓGICOS"

2 CIERRA EL AGUA; ES UN BIEN CADA VEZ MÁS ESCASO

3 USA EL COCHE RACIONALMENTE

4 LIMITA EL USO DE LOS PLÁSTICOS

5 NO PRODUZCAS BASURA

6 NO ALMACENES UN ARSENAL QUÍMICO

7 PIENSA GLOBALMENTE Y ACTÚA LOCALMENTE

8 AHORRA ENERGÍA EN TU PROPIA CASA

9 CUIDA EL CAMPO

10 CONTRIBUYE A LIMITAR LA TALA DE BOSQUES

B Aquí tienes otras diez frases que se relacionan con los mandamientos. Sin embargo, falta una palabra en cada una. ¿Puedes rellenar los espacios?

1 Apaga las ___ que no necesites
2 La ducha es mejor que el baño: puedes ___ hasta 230 litros de agua cada vez
3 No utilices ___ de usar y tirar
4 Rechaza las latas de bebidas o las ___ de PVC
5 Devuelve las pilas eléctricas ___ donde adquieras las nuevas
6 No compres productos con envoltorios ___
7 Siempre intenta adquirir papel ___
8 Mejor andar, ir en bicicleta o ___ los transportes públicos
9 No ___ basuras en el campo
10 Evita, a la hora de hacer la compra, los productos ___ para el medio ambiente

C ¡Tu turno! **V**

Inventa cinco nuevos mandamientos. Luego, compara con tus compañeros de clase lo que habéis escrito. ¿Hay mandamientos comunes? ¿Cuáles son los más prácticos? ¿Por qué? Haced una votación para decidir los "Diez Mandamientos" de la clase.

9.8

Energías renovables

Estas son las formas más naturales de producir la electricidad que mueve nuestro mundo.

No echan malos humos ni ensucian y su objetivo es igual al de las centrales nucleares o el petróleo: encender una bombilla o hacer funcionar una fábrica. Las energías renovables son la forma más natural de producir la electricidad que mueve nuestro mundo.

Lo más natural

SON la panacea de la humanidad, afirman muchos de los mejores científicos del planeta. No en vano, las energías renovables presentan numerosas ventajas frente a otras más tradicionales como el carbón o la peligrosa radiactividad: son más limpias, ya que no generan residuos tóxicos, y utilizan para producir electricidad materias primas inagotables y baratas, como el viento, el agua o el calor del sol.

Sin embargo, estas fuentes naturales de energía, llamadas a desempeñar un gran papel en el futuro, no pasan precisamente ahora por uno de sus mejores momentos; y el medio ambiente es una de las primeras víctimas de esta situación.

SOLAR, LA VIDA

Está claro: el sol es vida y por ello el ser humano, desde sus orígenes, ha utilizado siempre el calor de sus rayos para procurarse bienestar.

La ciencia ha encontrado valiosos dispositivos capaces de concentrar la fuerza del sol y, aún más, almacenarla para usarla cuando convenga. Gracias a estos adelantos técnicos, muchas viviendas se abastecen para sus necesidades únicamente de energía solar y, en un futuro próximo, se espera que también lo hagan ciudades enteras. Mientras tanto, España cuenta con una de las principales plantas solares experimentales, construida en Almería, y existen grandes expectativas de futuro respecto a esta forma de energía.

MINIHIDRÁULICA, LA FUERZA FLUVIAL

El hombre descubrió hace miles de años un principio físico fundamental: el agua, en su fluir por la superficie terrestre, tiende, por la fuerza de la gravedad, a ocupar las posiciones más bajas, produciendo así en su descenso gran cantidad de energía. Precisamente es esta energía la que se genera al construir presas con grandes desniveles en los cauces de los ríos. A las más pequeñas de estas obras de ingeniería civil se las denomina «centrales minihidráulicas» y, si se las compara con la construcción de enormes pantanos que destruyen valles y pueblos, se comprende que sean consideradas positivamente ecológicas. España, segundo país europeo más montañoso, está a la cabeza comunitaria en la utilización de esta energía, con un total de 853 plantas en funcionamiento, repartidas por toda la Península.

BIOMASA, LA ENERGÍA VEGETAL

Todas las plantas de este planeta necesitan transformar los rayos del sol en energía para poder asimilar los nutrientes químicos que contiene el suelo. Pues bien, el hombre utiliza este método al revés. Corta la materia vegetal, en la mayoría de los casos ramas secas o matorrales, y extrae la energía que aquélla almacena.

Esta forma de conseguir calor para calefacción o para mover una máquina, por ejemplo, se llama «biomasa» y es en nuestro país, desde el punto de vista de la cantidad, la energía renovable más utilizada. ➤

EÓLICA, EL REINO DEL VIENTO

La energía eólica, la que aprovecha la fuerza del viento, está ya demonstrando ser muy rentable. El calentamiento desigual del globo terráqueo origina zonas de altas y bajas presiones, que provocan, a su vez, el desplazamiento continuo del aire que nos rodea, y da lugar al viento. Una energía en movimiento que intentan recoger los grandes molinos que el hombre ha ido construyendo antes incluso de que Don Quijote cabalgara. Hoy, esas enormes aspas, más modernas, han cambiado su fisonomía y hasta su nombre: ahora se llaman «aerogeneradores». España tiene el mayor parque eólico de Europa, situado en Tarifa, en pleno Estrecho de Gibraltar. Además existe un gran potencial eólico en Galicia, Canarias y el norte de Valencia y Cataluña. ◢

A Aquí tienes un resumen del artículo, pero faltan algunas palabras. Complétalo con palabras de la lista.

Las energías renovables **(1)** ___ más limpias y menos **(2)** ___ que los combustibles tradicionales. Sus fuentes son **(3)** ___ como el agua, el viento y el sol. No **(4)** ___, hoy en día no se las emplea mucho y esto es muy peligroso para el medio **(5)** ___. Es posible concentrar la **(6)** ___ del sol lo bastante para hacer funcionar viviendas y quizá hasta ciudades **(7)** ___ mediante su energía. También, el agua puede **(8)** ___ para producir electricidad y no hace **(9)** ___ a los pueblos y valles como los pantanos **(10)** ___. Utilizando además la energía **(11)** ___ en materia vegetal y la fuerza del viento, se puede **(12)** ___ toda la electricidad que se necesita de una forma barata, limpia y segura.

EJERCICIOS *de* CONSOLIDACIÓN

👁 **Lee:** Texto 9.8 Energías renovables

➡ **Estudia:** Grammar section 2: Adjectives

⬇ **Haz**

Aquí tienes varios adjetivos, cada uno encabezando una lista de nombres. Debes decidir si el adjetivo va delante o detrás del nombre en cada uno de los casos y explicar el porqué.

gran	eólicas	mejores	vegetal
experto	energías	profesionales	substancia
caso	tecnologías	energías	
país		aspectos	
globo		tecnologías	
científico			
renovables	**verdes**	**químicos**	**más importantes**
energías	frutos	elementos	aspectos
tecnologías	tecnologías	nutrientes	países
originales	**principal**	**grande**	**natural**
profesionales	experto	país	vida
aspectos	substancia	globo	substancia
tecnologías	caso		
primer	**vuestros**	**muy valioso**	**terráqueo**
experto	países	caso	globo
caso	expertos	tesoro	
norteamericano			
científico			

almacenada	fuerza
ambiente	importa
baratas	materias
buscada	matorrales
caso	mundo
comprar	obstante
conseguir	raya
daño	son
eléctricos	tóxicas
enteras	usuales
están	utilizarla
eternas	utilizarse

B ¿Cómo se expresan en el artículo las siguientes frases y palabras ...?

1 raw materials
2 natural sources
3 boasts one of ...
4 distributed throughout
5 in most instances
6 from the point of view of
7 even before

C *¡Tu turno!*

Escribe una carta a un periódico español, describiendo las ventajas y desventajas de las varias formas de energías renovables y da tu opinión sobre cuál sería la más útil para el futuro.

9.9

Guerreros defensores

Greenpeace es una organización que lucha para proteger el planeta.

A [V] Lee este artículo una vez sólo. Luego escribe en español lo que significan las siguientes cifras.

a cinco millones
b 30
c 70.000
d cinco
e 23

B Las siguientes palabras se utilizan en el artículo. ¿Puedes completar la tabla con las formas que faltan?

Verbo	Sustantivo
(1)	elaboración
declarar	(2)
(3)	defensor
coordinar	(4)
(5)	deterioro
repartir	(6)
(7)	empleo
terminar	(8)
(9)	contaminación
impedir	(10)
(11)	diálogo
proteger	(12)
(13)	propuesta
detener	(14)
(15)	subvención

C *¡Tu turno!* [V]

Empleando la información dada en el artículo sobre Greenpeace, pero sin copiarla directamente, prepara un discurso corto para informar sobre las actividades de esa organización. Tendrás que hablar durante unos 60–90 segundos.

Millones de Ecologistas

HACE 23 AÑOS UN GRUPO DE PACIFISTAS y ecologistas gritó: «Queremos paz y queremos que sea verde». El grito se oyó en todo el mundo y hoy son más de cinco millones los que, bajo el signo de Greenpeace, se declaran «guerreros defensores de un planeta llamado Tierra».

Países miembros: Greenpeace tiene sedes en 30 países de los cinco continentes. La central está en Amsterdam y desde allí se coordinan las oficinas repartidas por todo el mundo y los barcos, parte fundamental de la organización.

Greenpeace España: Tiene 70.000 socios, una sede en Madrid, una oficina de información en Barcelona y otra en Palma de Mallorca.

Campañas: Detener el cambio climático; frenar el deterioro de la capa de ozono; terminar con el empleo de la energía nuclear; parar la contaminación por productos tóxicos; impedir el comercio internacional de tecnologías y residuos contaminantes; proteger los bosques y los ecosistemas marinos; detener las pruebas nucleares y proteger la Antártida, el Mediterráneo y el Pacífico.

Trabajo de investigación: Elaboración de informes técnicos y científicos, análisis químicos, actuaciones legales, información, diálogo con empresas e instituciones y elaboración de propuestas alternativas.

Financiación: El principio fundamental es la independencia política y económica, por ello no acepta subvenciones gubernamentales o políticas. Se financia con las cuotas de sus socios. Otros medios: donativos personales, cesión de derechos de autor de canciones, conciertos, venta de material de la organización. ■

VICTORIA TURNER

La benjamina del barco es una norteamericana de 21 años. Se llama Vicky y estudia Biología. La historia de su llegada al Rainbow Warrior como voluntaria explica perfectamente su manera de ser: alocada e impetuosa. La rubia se enteró en Washington, donde durante cuatro semanas trabajó en la oficina de Greenpeace, de la llegada del Rainbow a Nueva York. Iba a atracar allí, durante unos días, antes de partir para España. Cualquiera podía ayudar a limpiarlo y a mantenerlo. Ni corta ni perezosa se cogió un avión. Tres horas antes de la partida de los ecologistas preguntó al capitán si podía irse con ellos. La suerte se alió con ella y después de algún papeleo, Amsterdam dio su autorización. Se embarcó con lo puesto, pero no tiene ningún problema. Lleva unos zapatos encontrados en el barco, un mono prestado... No necesita más. Al principio lo pasó bastante mal, estuvo tres días mareada, quería bajarse. Sin embargo, ahora se muestra encantada. En septiembre vuelve a la Universidad.

DAVE ROBERTS

Dave ha sido uno de los protagonistas de varias campañas. Él iba en la Zodiac que recibió la granada hueca de los franceses. Se llevó una gran sorpresa, no creía capaz a los galos de realizar esta acción. En esos momentos, su único pensamiento estuvo dirigido a la familia del brazo ejecutor: «Me acordé de todos, no me faltó ninguno», asegura.

Sin embargo, a pesar de que la granada le dio en la pierna y salió rebotada al exterior, ésa no ha sido su acción más peligrosa. Dave estuvo hace unos años contaminado por radiaciones.

9.10

La tripulación del Rainbow Warrior

Son marineros, voluntarios, jefes de campaña de Greenpeace. Aquí te presentamos a cinco de ellos.

LOS GUERREROS

Este larguirucho pelirrojo de 43 años nació en Gran Bretaña. Durante algún tiempo trabajó en Londres, luego en Madrid. Ahora, lo hace en París. Desde hace más de una década desarrolla la misma labor en Greenpeace: es el estratega. Planea y lleva a la práctica todo lo referente a la organización marina.

BELÉN MOMENE

La cocinera. Nació en Bilbao en 1955. Es la única mujer española a bordo y también una de las que más conocen la dureza de la vida marina. Lleva siete años en Greenpeace y desde hace cuatro es miembro de la directiva española. Belén empezó como asistente de cocina y ya no hay quien la saque de ahí. «Al menos tiene sus ventajas, no se hacen guardias», comenta. A pesar de sus raíces, prefiere el Mediterráneo al Norte.

Es imposible no disfrutar de sus pimientos de piquillo, su trucha o su carne en salsa.

ARNAUD APOTEKER

Le concedieron el papel más difícil de representar: un francés ecologista, representante de Greenpeace en su país, a bordo del buque insignia de una de las organizaciones más odiadas por las autoridades galas, navegando entre críticos de los boniteros franceses, en busca de redes de deriva ilegales. La verdad es que no era fácil, pero Arnaud supo mantener el tipo y soportar con humor las bromas de sus compañeros. Como la de Xavier Pastor en el puerto de La Coruña, cuando gritaba a los cuatro vientos mientras le señalaba: ¡Este es francés!

Después del ataque de sus compatriotas se convirtió, para su asombro, en una de las figuras más solicitadas al teléfono. Los medios franceses le reclamaban.

XAVIER PASTOR

Es el *boss*. El número uno de Greenpeace España. Desde hace ya diez años, su oficina de Palma de Mallorca dirige y moviliza a sus subordinados y a los cerca de 70.000 socios españoles. Su delegación se ha catalogado como una de las más activas del mundo.

Este mallorquín de 44 años disfruta como un loco en el barco, aunque se le ve poco. Encerrado en su camarote con el ordenador portátil no para de trabajar. Sino, está en la radio, tranquilizando a la flota bonitera, colaboradores en la actual campaña.

Es uno de los veteranos de la organización. Luchando contra las redes de deriva lleva 15 años. Antes trabajó para el Instituto Oceanográfico Español. ∎

| el bonitero | *fisherman* |
| la flota bonitera | *fleet of fishing boats* |

A

¿Quién ...	Victoria	Belén	Dave	Arnaud	Xavier
1 ... no está de acuerdo con lo que hace su propio país?					
2 ... conoció una fama inesperada a causa de su nacionalidad?					
3 ... conoce bien varias capitales europeas?					
4 ... pasó tres años con Greenpeace antes de hacerse parte de su consejo de administración?					
5 ... tiene mucha experiencia de los aspectos más difíciles de la vida náutica?					
6 ... es el/la más joven?					
7 ... tiene el puesto más importante?					
8 ... no ha cambiado de trabajo desde hace muchos años?					
9 ... prepara la comida?					
10 ... hizo una decisión repentina?					
11 ... no parece descansar nunca?					
12 ... no se enfada cuando alguien se burla de él/ella?					
13 ... fue herido/a durante una campaña anterior?					
14 ... pasa el verano trabajando para Greenpeace?					
15 ... es de origen balear?					

B

V Traduce al inglés la parte que trata de Victoria Turner.

C *Cara a cara* **V**

Persona A: Eres una de las personas arriba mencionadas. Dile a la persona B cuál. Luego, estudia durante tres minutos todos los detalles de tu historia.

Persona B: Mientras tanto, prepara una lista de preguntas en español sobre la carrera de A en Greenpeace y su vida a bordo del Rainbow Warrior. Entrevístala.

Luego, cambiad de papel, eligiendo a otra de las cinco personas.

D *¡Tu turno!* **V**

1 Según lo que acabas de leer, ¿cuáles son las características que se requieren para trabajar por Greenpeace? Haz una lista.

2 Dominas bien el español y quieres trabajar en España con Greenpeace. Escribe una carta de unas 150–180 palabras en español pidiendo un empleo en la organización. Muestra que tú, también, posees algunas de las características necesarias.

EJERCICIOS *de* CONSOLIDACIÓN

👁 **Lee:** Texto 9.10 La tripulación del Rainbow Warrior

➡ **Estudia:** *Grammar section 2.1: Agreement of adjectives*

⬇ **Haz**

Completa la siguiente tabla:

Un hombre	Una chica	Unas banderas	Unos platos
	norteamericana		
	española		
		francesas	
			mallorquines
galés			
	belga		
		japonesas	
			barceloneses
andaluz			
londinense			

9.11

Participación ciudadana

En Cuautitlán Izcalli, en Méjico, una gran parte de la ciudadanía colabora en jornadas de limpieza.

Hacia un rescate ecológico del Lago de Guadalupe

Restaurar el equilibrio ecológico o ayudar a mantenerlo es una prioridad en nuestros días, ya que todos dependemos de la naturaleza.

Ante esta preocupación, en el municipio de Cuautitlán Izcalli –el más joven del Estado de México– se han desarrollado una serie de actividades en beneficio de la naturaleza, principalmente del Lago de Guadalupe, proyecto que es encabezado por Fernando Alberto García Cuevas,

presidente municipal, y en las que es auxiliado por la mayoría de los pobladores de dicha localidad.

"El rescate ecológico del lago es una obligación de la comunidad entera", palabras del señor García Cuevas durante una entrevista realizada en el Palacio Municipal, en la que manifestó el entusiasmo y decisión, por parte de él y

de la ciudadanía, por convivir con la naturaleza, respectarla y cuidarla a través de las llamadas "Jornadas de limpieza".

Este proyecto cuenta con el apoyo económico del Gobierno del Estado de México, encabezado por Emilio Chuayffet, así como de los presidentes municipales de Atizapán, Villa Nicolá ➤

Romero y Cuautitlán Izcalli, cuyo objetivo común es encontrar soluciones inmediatas y eficaces para salvar la zona.

Una de las jornadas más significativas fue la de la limpieza de las playas y la extracción del lirio acuático que cubría una gran parte del lugar. En ella participaron cerca de cinco mil habitantes convocados por los Consejos de Participación Ciudadana y por las organizaciones sociales. "El resultado fue muy positivo, puesto que en tan sólo ocho horas se limpiaron cerca de 10 kilómetros," comentó el señor García Cuevas.

Pero los esfuerzos no sólo se han enfocado a este sector, sino que también se han desarrollado actividades de forestación. En la Sierra de Guadalupe, por ejemplo, se plantaron diez mil arbolitos en dos horas con la participación de ocho mil personas. También en los alrededores del Lago de los Lirios se plantaron cinco mil más y el lago se repobló con cincuenta mil carpas plateadas. Cada semana se efectúa la limpieza de las colonias.

Con respecto a la colaboración ciudadana, el presidente municipal explicó: "La gente está ávida de participar, lo que necesita es encontrar el espacio adecuado, y que se la organice, para poder de esta forma canalizar la energía y la fuerza de esa comunidad ... nuestra mayor fuerza como Gobierno municipal está en la gente".

García Cuevas fue tajante acerca de las industrias y fábricas que podrían contribuir al deterioro del ambiente en la comunidad: "No queremos empresas contaminates en Cuautitlán Izcalli, no hay permiso para tales compañías", reflejando con estas palabras su compromiso con la ecología y la naturaleza.

Sobre los planes futuros que se llevarán a cabo durante su gestión, el titular habló de la construcción del primer parque microindustrial netamente ecológico y que tiene como objetivo impulsar al pequeño comerciante en el Estado de México, "Se demostrará que el desarrollo y el progreso no se logra pisoteando a la naturaleza, sino conviviendo con ella", dijo. ∎

A Sin copiar del texto, contesta a estas preguntas:

1 Según el artículo, ¿por qué es tan importante mantener el equilibrio ecológico?
2 ¿Quién es Fernando Alberto García Cuevas y qué ha organizado?
3 ¿Qué supone una «Jornada de limpieza» para Cuautitlán Izcalli?
4 Explica cómo se organizó la limpieza de las playas.
5 ¿Qué más se ha hecho durante estos días?
6 ¿Hay muchas compañías contaminantes en Cuautitlán Izcalli? ¿Por qué (no)?
7 Explica lo que piensa hacer el señor García Cuevas en el futuro.

B Traduce al inglés la última parte del artículo, desde "Con respecto a la colaboración …".

C Aquí tienes la continuación del artículo, pero faltan algunas palabras. ¿Puedes rellenar los espacios en blanco con palabras de la lista?

(1) ___ de que concluyera la charla Fernando Alberto García **(2)** ___ un elocuente mensaje a la ciudadanía: "No **(3)** ___ la oportunidad tan maravillosa que tenemos de dirigirnos a la naturaleza con **(4)** ___, porque el **(5)** ___ que el hombre puede ocasionar es irreparable".
Si **(6)** ___ contaminando el medio ambiente, **(7)** ___ cada vez más las posibilidades de un **(8)** ___ favorable para las que nos seguirán. Todo el bien que **(9)** ___ a la naturaleza que no sea por obligación, **(10)** ___ por compromiso con la vida.

antes	disminuímos	hagamos	respeto
cual	futuro	manera	seguimos
daño	gusto	perdamos	sino
después	habló	perdemos	
dirigió	hacemos	pero	

D Finalmente, haz un resumen del artículo (unas 150 palabras).

EJERCICIOS *de* CONSOLIDACIÓN

Lee: Texto 9.11 Participación ciudadana

Estudia: *Grammar section 5.7: Future (passive)*

Haz

En el texto hay dos casos de verbos en futuro y en la forma pasiva. Encuéntralos y luego pon los infinitivos que siguen a continuación en el mismo tiempo y forma. *Ejemplo*: sembrar (trigo) – se sembrará / será sembrado
1 destruir (un bosque)
2 regar (un campo)
3 plantar (un árbol)
4 rescatar (un río)
5 proteger (especies animales)

EJERCICIOS *de* CONSOLIDACIÓN

Lee: Texto 9.11

Estudia: *Grammar section 5.6: 'Se'*

Repasa: Textos 4.4, 1.5, 2.11

Haz

1 Haz una lista de todos los ejemplos de 'se' que hay en el texto.
2 Imagínate que eres el alcalde de un pueblo donde se están llevando a cabo unas jornadas ecológicas por iniciativa popular. Cuenta a un periodista las acciones que forman parte de vuestro programa. Utiliza el 'se' tantas veces como puedas.

9.12

Ejercicios de repaso

A Oyes por casualidad una conversación en la cual alguien critica las acciones de Greenpeace. Cuéntale la importante labor que según tú esta organización lleva a cabo, lo que ha hecho por la ecología a nivel internacional. Tu exposición debe durar minuto y medio o dos minutos.

B **V** Prepara un folleto publicitario sobre la naturaleza y las consecuencias de la contaminación en las grandes cuidades. Tus ejemplos deben reflejar lo dramático de la situación pero también debes proponer una solución para cada uno de los problemas. Hazlo en español, con una extensión de entre 150 y 170 palabras.

Retrato de CATALUÑA

Una zona muy interesante que debe visitarse cuando se viaja a España es Cataluña. En esta unidad, acompañamos al hombre de negocios madrileño Marcelo Ruiz en su viaje a Barcelona.

10.1 📖 Cataluña en pocas palabras

Antes de visitar un lugar, es siempre una buena idea averiguar algo sobre él. La mayoría de las oficinas de turismo ofrecen folletos informativos gratis.

¿Qué es Cataluña?

Situada en el nordeste de la Península Ibérica, Cataluña es, en la actualidad, una de las comunidades autónomas del Estado español, con una institución propia de gobierno, la Generalitat (integrada por el Parlamento, el Presidente de la Generalitat y el Consejo Ejecutivo o Gobierno) y una bandera que consta de cuatro barras rojas sobre fondo amarillo, cuyo se remonta a fines del s. IX. Su población se estima en 6 millones de habitantes y su extensión es de 32.000 kilómetros cuadrados, estructurados administrativamente en 41 comarcas. Su economía genera alrededor del 20% del Producto Interior Bruto de España, la mayor parte proveniente del sector industrial.

La posición geográfica de Cataluña ha facilitado, desde la Antigüedad, vínculos culturales, comerciales e históricos con el mundo europeo. Este factor y el desarrollo de una lengua y cultura propias han ido configurando una personalidad propia. Es en la Edad Media cuando podemos hablar propiamente ya de Cataluña como país, cuando los Condes de Barcelona rompen sus vínculos con los reyes francos en 988 y afirman, de este modo, su independencia. A partir de esa fecha, son numerosos los documentos que señalan puntos decisivos en el proceso formativo del país: numerosas leyes civiles, comerciales y marítimas, promulgaciones reales, tratados políticos... Pronto se desarrollan las Cortes Catalanas, unas de las primeras de Europa.

Las Cortes, en un principio, tenían un carácter itinerante (la delegación real las convocaba en un lugar distinto cada vez), pero en

Cataluña en cifras

Superficie	32.000km²
Población (1989)	c.6.000.000 habitantes
Densidad	192
Costa	580km
Principales ciudades (habitantes)	
Barcelona	1.700.000
Tarragona	112.000
Lérida	111.000
Gerona	70.000
Comunicaciones	
Autopistas	600km
Carreteras nacionales	10.500km
Ferrocarriles	1.400km
Aeropuertos	8
Vehículos (por 1.000 habitantes)	460
Alojamientos	
Hoteles y pensiones	c. 3.000
Campings	300
Residencias-casa de payés	100
Visitantes extranjeros	16 mill.
Áreas de esquí alpino y nórdico	18
Campos de golf	17
Casinos	3

1359 se instaura una delegación permanente, la Generalitat. Esa Generalitat es el origen de la actual institución de gobierno, la cual no ha cesado en sus funciones en todo este largo período histórico excepto en dos ocasiones, la primera después de la derrota de Cataluña en la Guerra de Sucesión a manos de las tropas de Felipe V y posterior política centralista (1716–1931), y la segunda con motivo de la Guerra Civil y la dictadura franquista (1936–1979).

Las aportaciones de Cataluña al mundo científico y cultural han alcanzado, en ocasiones, importancia mundial. Basta nombrar, entre algunos, a Pau Casals, Antoni Gaudí, Joan Miró, Josep Trueta, Joaquím Barraquer, Joan Oró, Montserrat Caballé y Josep Carreras. ■

A Lee la primera parte del folleto, "¿Qué es Cataluña?" y decide si estas frases son verdades o mentiras.

1 Cataluña está casi toda rodeada por el mar.

2 La Generalitat es la junta directiva de Cataluña.

3 La bandera catalana es de diseño moderno.

4 El sector industrial está muy poco desarrollado en Cataluña.

5 Los Condes de Barcelona fueron los primeros en declarar la independencia de Cataluña.

6 Cataluña tiene su fundación en la época medieval.

7 Hoy en día Cataluña sigue siendo un país totalmente independiente del resto de España.

8 Pau Casals y Joaquím Barraquer son catalanes conocidos en todo el mundo.

B Aquí tienes un texto basado en la segunda parte del folleto, titulada "Cataluña en cifras". A ver si puedes rellenar los espacios en blanco.

Cataluña (Catalunya)

Cataluña tiene unos seis (1) ___ de habitantes. Casi una (2) ___ parte de ellos vive en Barcelona. Toda la comunidad tiene una excelente red de (3) ___ con miles de kilómetros de (4) ___ , carreteras y autopistas, y más o menos la (5) ___ de la población tiene algún (6) ___ propio. Cataluña es, además, un gran centro turístico. Hay (7) ___ en hoteles, pensiones y campings para medio millón de (8) ___ , y para los que les gustan los deportes hay dieciocho estaciones de esquí, y más de quince (9) ___ .

C Lee la tercera parte, "¿Cómo es Cataluña?" Ahora, escribe una frase para resumir lo que se dice sobre cada uno de estos lugares.

Cataluña

Los Pirineos

La Costa Brava

La Costa del Maresme

La Costa Dorada

La Depresión Central

Barcelona

Tarragona

Gerona

Lérida

¿Cómo es Cataluña?

La belleza natural del país viene dada, en parte, por la diversidad de sus paisajes: de costa o de montaña, secos o rebosantes de vegetación, alpinos o planos.

Entre las zonas montañosas, la cordillera de los Pirineos es, sin duda, la primera en merecer mención. Altos picos, bosques de abetos, prados, lagos y magníficos ejemplos del arte románico catalán en aisladas iglesias y ermitas ofrecen un espectáculo de gran belleza, que, para los deportistas, se añade a la posibilidad de practicar deportes de alta montaña: montañismo y escalada o deportes de nieve en invierno. Desde un punto de vista turístico, esta zona es bien conocida por sus centros de esquí alpino y nórdico.

Es imposible ignorar el litoral catalán, con sus 400km de costa. La Costa Brava, desde la frontera con Francia hasta Blanes, es una área rocosa, con multitud de calas y roquedales, pero también con extensas pinedas prácticamente aferradas a los acantilados y tranquilos pueblos de pescadores.

Desde Blanes a Barcelona se extiende la Costa del Maresme, de perfil mucho más regular, con largas y soleadas extensiones de playa. Es una costa mucho más apropiada para la práctica de deportes náuticos y que atrae a un gran número de turistas. Lo mismo puede decirse de la costa Dorada, sin duda llamada así por sus doradas arenas y soleadas aguas.

Dejando la costa atrás y adentrándonos en el interior, mucho menos poblado, nos encontramos con la Depresión Central. Esta zona, en el pasado, tuvo gran importancia política y económica, y de ello son prueba sus extraordinarios monumentos artísticos e históricos. En nuestros días produce vinos, frutas y aceite de oliva de gran calidad.

Barcelona, la capital de Cataluña, es una ciudad cosmopolita. La Barcino de los tiempos romanos, tuvo un papel remarcable en el comercio alrededor del Mediterráneo. Hoy en día, mantiene todavía una intensa vida comercial y cultural. El siglo pasado fue testigo del desarrollo de una clase burguesa muy importante, la cual, además de crear una infraestructura industrial decisiva, patrocinó las artes e hizo posible la edificación del Liceu, el primer teatro de ópera de España.

Tarragona, con su puerto, es la segunda ciudad catalana en orden de importancia. Esta importancia viene dada, en parte, por su papel central en tiempos de la colonización romana. Se pueden hallar restos históricos y arqueológicos prácticamente en cada esquina, aunque cabe destacar las murallas, el anfiteatro, el circo y el foro.

El pasado medieval de Gerona, en el norte, y situada a orillas de los ríos Ter y Onyar, es uno de sus más marcados rasgos. Es una ciudad con más de 2.000 años de historia, con una gran personalidad.

Y para finalizar, Lérida, en el interior, es conocida por su rica huerta y ferias agropecuarias. Construída en los márgenes del río Segre, en ella se encuentran restos de arquitectura árabe y románico-gótica. ■

10.2

Una oportunidad para hacer negocios

El contacto de Marcelo en Barcelona es Núria Balcells. Antes del viaje, él recibió esta carta.

PUIG i ROVIRA, S. A.
Carretera del Norte, s/n
08402, Barcelona.
Tel. (93) 413 13 85
Fax (93) 413 13 36

Barcelona, 27 de abril

ALTALÉ, S.A.
(a la atención del Sr. Marcelo Ruiz)
c/ Aragón, 114.
28518 Madrid

Apreciado Sr. Ruiz:

Por la presente, nos complace confirmarle los detalles de su visita.

Le esperamos en el vuelo de Iberia IB 435, que tiene prevista su llegada a las 17.30. Mi secretaria irá a recibirle al aeropuerto y le conducirá al Hotel Bonanova, donde tiene reservada una habitación doble con baño para tres noches, del martes 9 de mayo al viernes día 12.

Le informamos que su programa de trabajo durante su visita ha quedado organizado de la siguiente manera:

Miércoles, 10 de mayo — Reunión con la junta directiva. Cena de trabajo en el restaurante Casafreda.

Jueves, 11 de mayo — Reunión con nuestro director comercial, D. Pedro Cuesta, a las 16:00 horas.

Viernes, 12 de mayo — Reunión a las 9:00 horas con nuestro director comercial y director adjunto para concretar estrategias de cooperación. Almuerzo en el Hotel Villa Aurora. Salida para el aeropuerto desde nuestras oficinas a las 16:30.

Sin otro particular, le deseamos un muy buen viaje. Esperamos que disfrute de su estancia, y que ésta contribuya a establecer una relación más estrecha y provechosa entre nuestras respectivas empresas.

Atentamente,

N. Balcells

Núria Balcells,
Directora general

A Lee la carta de Núria y rellena los espacios en blanco. No necesitas hacer frases completas.

1 Nombre de la empresa de la Sra. Balcells.		**6** Duración de su visita.	
2 Nombre de la empresa del Sr. Ruiz.		**7** Manera de trasladarse a su alojamiento.	
3 Adónde va.		**8** Alojamiento (3 detalles).	
4 Cómo va.		**9** Citas de negocios (3 detalles).	
5 Hora y fecha de llegada.		**10** Otros compromisos (2 detalles).	

////

B *Cara a cara*

Marcelo se alegró al recibir la carta. Sin embargo, pensó que no iba a tener suficiente tiempo para conocer Barcelona. Por eso decidió quedarse unos cuantos días más y llamó por teléfono al Hotel Bonanova para cambiar su reserva.

Persona A: Tú eres Marcelo. Explica al/a la recepcionista lo que quieres y pregúntale cuánto te va a costar.

Persona B: Eres el/la recepcionista. Desafortunadamente, el cambio no va a ser fácil porque el hotel está casi completo, y la habitación está reservada para todo el mes. Sin embargo, hay dos posibilidades: cambiar la reserva para toda la estancia a otra habitación más pequeña/sin baño/más cara/etcétera; o estarse tres días en la habitación ya reservada y los demás en otra. Intenta llegar a un compromiso con el Sr. Ruiz.

C *¡Tu turno!*

Cuando lo tenía todo arreglado, Marcelo escribió a Núria, dándole las gracias por su carta e informándola de los cambios que había hecho en el programa. A ti te toca escribir la carta. El apéndice en la página 172 te puede ayudar.

EL ARTE CULINARIO EN CATALUÑA

10.3

¡Buen provecho!

Al visitar Cataluña uno desea, naturalmente, probar las especialidades de su gastronomía.

El interés por la gastronomía en Cataluña ha sido, ya desde la Edad Media, algo compartido por eruditos, literatos, clases populares y aristócratas. Uno de los primeros testimonios de importancia proviene del filósofo y escritor Francesc Eiximenis, el cual, en el siglo XIV, después de haber estudiado en las principales universidades europeas de su tiempo, escribe sobre la importancia dada por los catalanes a los alimentos tanto a nivel nutritivo como dietético, sobre sus costumbres en la mesa, sobre su rechazo por el uso de ingredientes superfluos en la composición de los platos ... También de esta época se conservan los primeros tratados de cocina, los cuales muestran el uso de gran diversidad de especias e ingredientes.

La riqueza de la cocina catalana viene dada por la privilegiada situación geográfica del país (país de costa e interior), por su historia (Cataluña se extendía hasta tierras del actual sur francés) y por su gran tradición mercantil marítima. Ello la convierte en una cocina muy diversificada e incluso contradictoria a veces. Junto a platos tan sencillos como el pan untado con tomate, aliñado con aceite y sal, y combinado con las magníficas anchoas que la costa produce o con tradicionales embutidos, se encuentran platos de elaboración complicada y gran originalidad, donde se pueden apreciar influencias variadas. Basta con nombrar la sabrosa lubina a la flor de tomillo para pensar en la aromática cocina provenzal o el conejo con almendras para ofrecer un ejemplo de la gran variedad de productos (el azafrán y la canela entre los más exóticos) aportados por el contacto comercial y cultural con países árabes durante la Edad Media. Todo ello, no hace falta decir, complementado por una tradición popular de antiquísimo raigambre.

También los vinos catalanes ofrecen una gran variedad y calidad, garantizada ésta por sus denominaciones de origen. Los vinos espumosos de cava, de sabio cultivo y enriquecimiento, figuran entre los primeros productos de la exportación catalana actual.

La repostería, por otro lado, muy ligada a las fiestas tradicionales, ofrece un repertorio de dulces de todo tipo, cuya sofisticación y cuidada elaboración tiene mucho que agradecer a la temprana introducción del azúcar en tierras catalanas. ∎

A Lee el texto y luego completa las frases siguientes.

1 Los primeros libros ___ se remontan a la ___ .

2 Muchos ___ tienen una ___ sencilla.

3 ___ , sin embargo, muestran ___ originalidad y diversas ___ .

4 ___ representa una de las exportaciones más ___ de Cataluña.

5 Para postres, hay también un gran surtido de ___ catalanes.

B Encuentra sinónimos a las siguientes palabras provenientes del texto anterior.

1 alimentos
2 superfluos
3 privilegiada
4 mercantil
5 complicada
6 aromática
7 ligada

10.4

La cocina catalana

Núria y Marcelo fueron a cenar juntos. Escucha sus comentarios sobre la cocina catalana.

A Después de escuchar su conversación, contesta a las siguientes preguntas.

1 ¿Por qué ha llevado Núria a Marcelo a este restaurante?
2 ¿Cuál es la opinión de Marcelo sobre la cocina de un lugar en relación a su cultura?
3 Además de comida, ¿qué aparece en el menú?
4 Explica con tus propias palabras lo que son:
  a Esqueixada de bacallà
  b Pà amb tomàquet
  c Romesco de peix
5 ¿Por qué cree Marcelo que los catalanes y los gallegos tienen mucha suerte?
6 Según Marcelo, ¿cuál es la diferencia entre la cocina de la costa y la del interior?
7 ¿Qué dice Núria sobre la calidad de los postres catalanes?
8 ¿Qué sugiere Marcelo que deberían tomar al finalizar su cena?

B ¿Cómo se dice en el texto...?

1 espero que Vd. no esté decepcionado
2 desmigajado
3 una cosa muy usual
4 postres muy buenos
5 eso es imprescindible

C Las siguientes cosas se mencionan en la conversación entre Núria y
Marcelo. Pero, ... ¿qué son exactamente?

	Carnes y embutidos	Pescados y mariscos	Legumbres y verduras	Salsas y condimentos	Postres	Vinos
1 bacalao						
2 ensalada de tomates						
3 cebolla						
4 pimienta						
5 aceite de oliva						
6 jamón serrano						
7 alcachofas						
8 aceitunas						
9 bistecs de ternera						
10 sofrito de tomate y cebolla						
11 setas						
12 rape						
13 almejas						
14 langostinos						
15 romesco						
16 callos a la madrileña						
17 cocido						
18 chorizo						
19 crema catalana						
20 cava						

10.5

Un plato típico

Uno de los platos recomendados por Núria fue el "fricandó
con moixernons". Marcelo le pidió más tarde la receta, para
intentar hacerla en casa.

Fricandó con Moixernons

Es un plato de carne con setas. Las setas que se utilizan son los
moixernons (senderuelas en castellano) que se secan y luego, antes
de cocinarlas, se ponen a remojar en agua.

Ingredientes para cuatro personas

1 kg de carne de ternera tierna, cortada fina
600 g de moixernons secos
1 cebolla mediana
2 tomates grandes maduros o una lata mediana de tomate picado
1 diente de ajo
perejil
2 tacitas de aceite de oliva
1 hoja de laurel
1 ½ vaso de vino blanco
sal
harina para rebozar
unas pocas almendras (de 2 a 5)

Realización

1 Se pone los moixernons a remojar en agua.
2 Se pelan y se pican los tomates.
3 Se pela y se trocea finamente la cebolla.
4 Se pasa la carne por harina.
5 Se calienta el aceite en una cazuela al fuego.
6 Se fríe la carne, se saca y se reserva en un plato aparte.
7 En ese mismo aceite, se sofríen la cebolla y los tomates y,
  cuando está todo bien dorado y blando, se agrega de nuevo la
  carne y se añaden el vino y el laurel.
8 Se pone un poco de sal.
9 Se tapa y se cuece a fuego lento durante 30 minutos.
10 Se agregan las setas y un poco de harina si la salsa no se ha
  espesado demasiado.
11 Se machacan en un mortero el diente de ajo, el perejil y las
  almendras y se incorpora esta pasta a la cazuela. Se mezcla y se
  diluye bien en la salsa.
12 Se cuece a fuego lento otros 15-20 minutos.

A Marcelo apuntó la receta pero se equivocó varias
veces. ¿Puedes corregir sus errores?

1 Primero se secan las setas.
2 Luego, se recogen los tomates.
3 Se corta la cebolla a trozos pequeños.
4 Se cubre la carne de harina, por un lado.
5 Se calienta la carne en aceite.
6 Se añaden la cebolla y los tomates a la carne.
7 Se cuece todo – carne, cebolla, tomates – junto con el vino
  y el laurel durante media hora.
8 Se mezclan las setas, el ajo, el perejil y las almendras en un
  mortero.
9 Se añade esta mezcla a la carne.
10 Se cuece todo otros 15-20 minutos.

B Aquí tienes otra receta catalana: "bacallà a la llauna". Tienes todos los ingredientes, pero falta la realización. Escríbela, utilizando los dibujos como pistas.

Bacallà a la Llauna

Este plato se puede traducir como "Bacalao al horno". La "llauna" es una bandeja para horno de aluminio o de metal y de bordes altos, que en Cataluña se vende expresamente para preparar este plato. El bacalao que se usa en los países mediterráneos y en Portugal debe ser remojado antes de cocinarlo. Es un plato muy popular, típico de Barcelona.

Ingredientes para 6 personas

1 kg de bacalao, más bien grueso
aceite de oliva
harina para rebozar
20g de pimentón
1 vaso de vino blanco
6 dientes de ajo (o menos, al gusto)
1 hoja de laurel
perejil

10.6

Una exposición de gran interés

Mientras iba de camino a la oficina de Núria un día, a Marcelo le dieron un folleto sobre una próxima exposición de arte, escrito por un lado en castellano y por el otro en catalán.

FUNDACIÓN "CAIXA DE VIL.LA VELLA"

(Caja de Ahorros de Vil.la Vella)
Avenida de Bernat Metge, 18.
Barcelona

MIRÓ
"LAS TRAMPAS DE LA IMAGINACIÓN"
LAS OBRAS DE MADUREZ

Dibujos y esculturas provenientes de diversas colecciones privadas

Del 15 de mayo al 31 de julio.
Abierto de martes a domingo.
Lunes cerrado.
Horario: días laborables, de 10 de la mañana a 8 de la tarde;
domingos, de 10 de la mañana a 2 de la tarde.

Reserva de entradas: en las oficinas de la Caixa de Vil.la Vella o llamando al teléfono (93) 246 58 20.

Exposición en el centro de la Fundación "Caixa de Vil.la Vella"
Metro L2, estación Fonolleres
(enlace con L5, L1)

Escucha la conversación que Marcelo mantuvo con Núria poco después.

A Aquí tienes un resumen de la primera parte de la conversación (hasta 'Fundación Miró en Montjuïc'), pero contiene varios errores. ¿Los puedes corregir?

Núria empieza diciendo que espera que Marcelo lo esté pasando bien en Barcelona: tiene mucho tiempo libre para poder visitar la ciudad. Le pregunta si ha visto el centro de la ciudad. Marcelo contesta que sí, pero sus amigos le han aconsejado que evite varias cosas, la Sagrada Familia entre ellas.
Núria le pregunta si le gusta la arquitectura o el arte y Marcelo contesta afirmativamente: le interesan las obras de Gaudí y quiere comprar una pintura de Dalí, si no cuesta demasiado. También ha ido esta mañana a una exposición de Miró. Núria no sabe nada de la exposición pero dice que tiene entradas para la Fundación Miró en Montjuïc.

FUNDACIÓ CAIXA DE VIL.LA VELLA

Avinguda de Bernat Metge, 18. Barcelona

MIRÓ
"ELS PARANYS DE LA IMAGINACIÓ"
LES OBRES DE MADURESA

Dibuixos i escultures provenients de diverses col.leccions privades

Del 15 de maig al 31 de juliol.
Obert de dimarts a diumenge.
Dilluns tancat.
Horari: dies feiners, de 10 del matí a 8 de la tarda;
diumenges, de 10 del matí a 2 de la tarda.

Reserva d'entrades: a les oficines de la Caixa de Vil.la Vella o trucant al telèfon (93) 246 58 20.

Exposició al centre de la Fundació Caixa de Vil.la Vella
Metro L2, estació Fonolleres
(enllaç amb L5, L1)

B Ahora escucha el resto de la conversación y contesta a estas preguntas:

1 ¿Por qué piensa Marcelo que el catalán es una lengua complicada?
2 ¿Cuál era la situación social y política de la lengua catalana hace unos cincuenta años?
3 ¿Cuál fue el otro motivo que contribuyó a la disminución del uso del catalán en Barcelona?
4 ¿Por qué tenía Núria dificultades a la hora de escribir en catalán?
5 ¿Qué reconocimiento público tiene la lengua catalana hoy en día?
6 ¿Cuánto se usa el catalán en las escuelas?

C Explica con tus propias palabras:

1 tiene un programa de trabajo bastante apretado
2 queda un poco alejada del centro
3 después de que la prohibición sobre el catalán se relajara
4 (el) ámbito familiar
5 a duras penas
6 el bagaje cultural de cada uno

10.7

Retrato de un pintor

En la exposición de Miró, Marcelo cogió un catálogo sobre el pintor y su obra.

Joan Miró
catalán universal

Miró nació en Barcelona, el 20 de abril de 1893. Estudió a la vez arte y comercio en Barcelona y pronto entró a trabajar en una tienda de comestibles, pero, incapaz de adaptarse a tal puesto, enfermó y necesitó una larga convalescencia para recuperarse, que pasó en la masia propiedad de su familia en Mont-roig, Tarragona. Fue entonces cuando decidió dedicarse por completo a la pintura.

De nuevo en Barcelona, se matriculó en la escuela de arte de Francesc Galí, al tiempo que practicaba dibujando modelos del natural en el Centro Artístico de Sant Lluc. En estas primeras obras, es patente la influencia del fauvismo y de Cézanne; el joven Miró sin duda visitó y detenidamente estudió los frescos románicos del Museo de Arte de Cataluña, cuyo hieratismo nos es recordado en retratos realizados por él posteriormente.

París era una referencia imprescindible para cualquier artista de la época. En 1919, Miró hizo su primer viaje a la ciudad, la cual le impresionó tanto que le impidió trabajar durante su estancia allí. Cuando volvió, fue para quedarse, instalándose en el taller del escultor Pau Gargallo en la rue Blomet, centro de reunión de escritores y pintores de vanguardia. Entre Mont-roig y París se cierra su etapa realista con una obra maestra, *La masia*. Tras ella, se observa un claro paso adelante hacia un proceso de esquematización, aun cuando los elementos en la composición de sus pinturas no cambian.

Una crisis de expresión importante hizo su aparición a finales de los años 20. Hasta ese momento, el pintor parecía haber estado buscando un centro gravitatorio, oscilando entre el mundo de los sueños y el de la realidad. Fruto de esa crisis es su famosa aseveración "es necesario asesinar la pintura". Experimentaciones con nuevas técnicas tales como el collage o composiciones con objetos encontrados al azar son propias de esta etapa.

La Guerra Civil española (1936–39) supuso una tragedia de grandes dimensiones que golpeó a todos los estratos sociales del país, a nivel económico, político y cultural. El carácter totalitario del movimiento fascista supuso, además, un fin a la libertad intelectual y artística. Miró manifestó su violento rechazo con el uso de materiales agresivos, tales como el alquitrán o la arena.

En las obras de fin de la década de los 30 y en los años 40, los temas de la mujer, los pájaros y las estrellas aparecen con mucha frecuencia, y perdurarán hasta el final. Por otra parte, en estos años exploró con atención nuevas técnicas, tales como el grabado o la cerámica, la cual desarrolló en todo tipo de formatos, algunos tan inusuales como los murales. Las primeras litografías en color son de 1948 y en 1950 el grabado en boj fue la técnica utilizada para ilustrar el libro *À toute épreuve*, de Paul Éluard.

Alejado de cualquier tipo de directriz artística, Miró fue capaz de evolucionar hacia un estilo marcadamente individual, en el cual el gesto y el grafismo adquirieron progresiva importancia, hasta imponerse como elementos esenciales en su obra a finales de los 50; la técnica, como cabe esperar, pasa a ser más directa desde ese momento. Este proceso de desarrollo artístico fue influenciado, sin duda, por el hecho de que en 1956 el pintor se instaló, definitivamente, en un espacioso estudio en Mallorca, en una atmósfera de gran reclusión.

La última etapa del artista fue extremadamente fructífera e innovador. Además de la escultura, en la primera mitad de los 70 trabajó el téxtil: cruce de tapicería, collage y pintura, los *Sobreteixims* iniciaron el camino que culminó en los tapices monumentales. Una faceta poco conocida es su colaboración con el mundo del teatro (decorados, vestuario...).

La fundación Miró se abrió al público en 1975, situada en un edificio diseñado por J. L. Sert, gran amigo del pintor. En ella se encuentran gran número de obras donadas por él. Joan Miró murió el 25 de diciembre de 1983 en Palma de Mallorca. Sus imágenes son ya elemento representativo de la realidad catalana de nuestros días. ∎

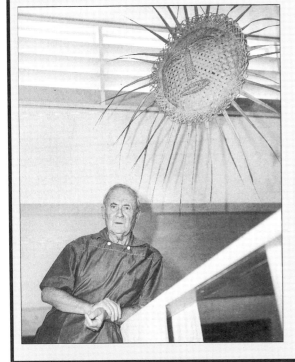

A Explica con tus propias palabras el significado de las siguientes fechas:

1 1893
2 1919
3 finales de los 20
4 1936–1939
5 1948
6 1950
7 1956
8 a principios de los 70
9 1975
10 1983

B **V** Traduce al inglés la primera parte del artículo, hasta "composición de sus pinturas no cambian".

C Lee el resto del artículo. Aquí tienes unas frases que lo resumen partidas en mitades. ¿Las puedes unir?

1	La primera vez que fue a París …	**a**	… se fue a vivir permanentemente a Mallorca.
2	Después de instalarse en París …	**b**	…fluctuó constantemente en la década de los 20.
3	El predominio de temas oníricos o realistas …	**c**	…le resultó imposible trabajar.
4	Tras su crisis artística más importante …	**d**	… concluyó su etapa realista.
5	La gama de temas que aparecen en la década de los 40 …	**e**	… utilizó para ilustrar libros.
6	También experimentó con el grabado en boj, una técnica que …	**f**	… tenía 90 años.
7	A mediados de la década de los 50 …	**g**	… siguió prominente en toda su obra posterior.
8	El artista falleció en 1983 cuando …	**h**	… empezó a utilizar cosas halladas por casualidad.

10.8

Imágenes mironianas

En la exposición, Marcelo compró también un libro sobre la obra de Miró.

A Acabas de leer las descripciones de varias obras mironianas. Aquí tienes sus títulos. ¿Los puedes emparejar?

1 El cuerpo de mi morena
2 Perro ladrando a la luna
3 Carnaval de arlequín
4 Montroig, la iglesia y el pueblo
5 El bello pájaro descifrando lo desconocido a una pareja de enamorados
6 Cabeza de labriego catalán
7 Azul

B Otro cuadro muy famoso de Miró se llama "La masia". Es el cuadro representado en la cubierta de *¡Sigue!*. Hay algunos espacios en la descripción del cuadro y te toca rellenarlos. (No vas a necesitar todas las palabras dadas en la lista).

La masia (1921–22). Pintura de (1) ___ rural. Se aprecia un delicado ingenuismo. Muy minucioso y (2) ___, el paisaje descubre un mundo poblado de (3) ___ abstractos muy rudimentarios. Marca la culminación de la etapa (4) ___ de Miró, y ha sido (5) ___ como "realismo mágico". Miró pintó el (6) ___ en París sobre sus (7) ___, a mitad entre la realidad y el sueño, de sus días en Mont-roig, de donde era (8) ___ su familia y donde pasó él una gran parte de su (9) ___. En París vendió el cuadro al (10) ___ Ernest Hemingway.

algo	escribir	obra	recuerdos
amigos	escritor	originaria	retratista
cuadro	juventud	paisajista	sencillo
descrito	materna	personas	signos
detallado	memoria	pintado	temática

Las trampas de la imaginación

A (1919) Esta es una de las primeras obras del pintor. Se puede apreciar la influencia de Cézanne y, hasta cierto punto, del fauvismo, en su uso del color. Denota ya la capacidad del autor para expresar el rigor de la luz y del sol mediterráneos. El título se refiere al pueblo donde el joven Miró pasó una convalescencia.

B (1925) Es uno de los cuadros-poema en los que el artista combina el color y la palabra. El color, muy vivo, es el principal protagonista y no la chica del título.

C (1924-25) En esta obra las figuras, en su aparente desorden, tienden a una total coherencia, gracias al color y a los trazos. Se experimenta en seguida el ambiente de fiesta del título, y es un magnífico ejemplo de la creación de una composición a partir de elementos que expresan una gran autonomía y libertad.

D (1925) Forma parte del extraordinario ciclo de los azules, que se sitúa entre 1925 y 1928. Los elementos son escasos y representa la esencia del surrealismo mironiano: enérgico, poético y pictoricista, frente, por ejemplo, al estilo decimonónico y morboso de Dalí. No hay nada en apariencia que represente la forma humana, tal y como parece indicar el título del cuadro.

E (1926) Es un cuadro de gran pureza cromática. Lo enigmático se representa aquí con gran belleza: en un fondo negro, se destaca la presencia de los dos personajes, animal y cuerpo celeste, así como una escalera inclinada misteriosamente hacia el infinito.

F (1940) Forma parte del ciclo "Constelaciones". Es una serie de veintitrés "gouaches". Representan las relaciones entre diversos elementos propios de diferentes niveles cósmicos: los personajes humanos, símbolos de la tierra; las estrellas, representando al mundo celestial, inalcanzable; y los pájaros, elementos de enlace entre ambos. Los cuadros de este ciclo aparecen como una maraña de signos, líneas y colores.

G (1961) Con este nombre se hace referencia a una serie de cuadros que no deben confundirse con los del período 1925-28. El color azul aquí abre un espacio infinito e indescifrable a la imaginación, donde se impone el gesto, muy libre. ■

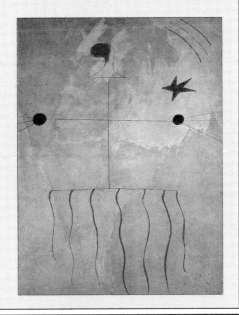

10.9

Un estilo bien diferenciado

Tal y como le dijo a Núria, Marcelo también quiso ir a ver algunas de las obras del arquitecto catalán Antoni Gaudí. Pero ... ¿quién exactamente fue esta a veces controvertida figura?

Antoni Gaudí i Cornet, uno de los arquitectos europeos más innovadores de su tiempo, se cuenta, hoy en día, entre las figuras catalanas más prestigiosas a nivel mundial.

ANTONI GAUDÍ
(1852-1926)

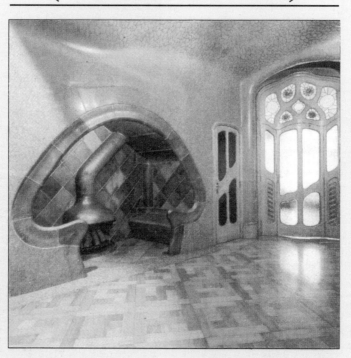

Gaudí nació en Reus, en 1852. En su infancia, fue un muchacho débil y enfermizo, aquejado de fiebre reumática, lo que no deja de asombrar dada la enorme capacidad creativa que demostró en su vida adulta. Se licenció en Barcelona en 1878, ciudad que atravesaba un período muy propicio para aquellos con ambiciones artísticas o intelectuales. *La Renaixença* (movimiento de renacimiento político y cultural) se hallaba en su punto álgido, económicamente se vivía un momento de gran prosperidad y proyectos de reforma y ensanche urbanístico comenzaban a ponerse en marcha.

Gaudí recibió la influencia de las teorías de Viollet-le-Duc y Ruskin, así como de las ideas de la generación modernista, el movimiento catalán correspondiente al Art Nouveau que se formó en Barcelona alrededor de la Exposición Universal de 1888. Sin embargo, el arquitecto no tardó en formular su propia estética y desarrollar su inclasificable estilo, que algunos, dada la ferviente religiosidad del artista, describen como propia de un espíritu visionario.

Un rasgo a destacar en la biografía de Gaudí fue su relación con el influyente industrial Eusebi Güell y su familia. Gaudí fue aceptado en el círculo de los Güell cuando era un recién licenciado, lo que resultó crucial para su carrera profesional. Pronto recibió encargos para proyectos arquitectónicos en sus propiedades y disfrutó del prestigio social que su apoyo suponía. Cabe remarcar, por ejemplo, que su trabajo como arquitecto principal en el proyecto de la Sagrada Familia empezó cinco años después del inicio de esta relación. La Sagrada Familia, a la que se dedicó con un celo cada vez más absorbente, es, sin duda, una de sus más importantes obras.

En su tiempo, a Gaudí no le faltaron ni admiradores ni críticos, para los cuales su audacia y originalidad era una muestra de genio o de exceso, respectivamente. En nuestros días, tras un relativo olvido, su fama a nivel mundial se ha afianzado y, de entre sus obras, los edificios de la Pedrera y el Palau Güell, así como el conjunto del Parc Güell, son reconocidos por la UNESCO en su lista de obras del patrimonio mundial. ∎

A Las siguientes frases resumen la biografía de Gaudí. ¿Las puedes completar? (Ten en cuenta que cada espacio en blanco corresponde a una palabra).

1 Antoni Gaudí ___ ___ 1852.
2 Fue en Barcelona ___ ___ sus ambiciones artísticas.
3 Las ___ de Viollet-le-Duc ___ ___ Gaudí.
4 La estética de Gaudí hizo que su ___ fuera difícil de clasificar.
5 Gaudí recibió ___ de los Güell.
6 Hoy en día Gaudí es ___ conocido.

B Traduce el siguiente texto al español.

Nowadays, Gaudí has become a figure of great prestige, although there was a time when he was more or less ignored. He graduated in Barcelona, and it was there, at a time of economic growth and prosperity, that he developed his own style. He was helped by the patronage of the Güell family who commissioned several works from him. Putting his ideas into practice, however, was often difficult, and the solutions he found to his problems were both admired and criticised.

10.10

Templos grandiosos y dragones de hierro forjado

Estos son algunos de los edificios de Gaudí que Marcelo pudo visitar durante su estancia.

las Hespérides, un prodigioso dragón de hierro forjado, guarda la gran reja de la entrada.

Parque Güell (c/ de Olot). Es prácticamente la fantasía que muchos soñaron de niños. Situado en una ladera en las afueras de Barcelona, los distintos niveles del terreno permitieron a Gaudí crear una infraestructura de caminos y accesos casi mágica. Cabe destacar la laberíntica plaza de columnas, las estructuras hechas como con pasta de caramelo, los bancos casi colgando en el vacío y la decoración a base de "collages" de cerámica. Fue encargado por Eusebi Güell y es desde 1922 parque municipal.

Palacio Güell (c/ Nou de la Rambla, 3). La capacidad expresiva del ladrillo queda patente en este edificio. Gaudí

crea distintos ambientes en todos los niveles de la casa, desde los subterráneos hasta el tejado. Era la residencia de los Güell en Barcelona y ahora es la sede del Museo del Teatro.

Casa Milà, llamada "La Pedrera" (P. de Gràcia, 92). La Pedrera ("Stone Quarry") carece de la ornamentación y el color predominantes en otros edificios gaudinianos. De hecho, el arquitecto se propuso casar su estilo con una máxima funcionalidad. Sirva como ➤

Casa Batlló (P. de Gràcia, 43). El edificio existente fue totalmente reformado en 1905-07, tanto el exterior como el interior. Uno de sus rasgos más destacables son los balcones, caprichosamente ondulados y semejantes a estructuras óseas. La superficie de la fachada está cubierta con delicadas cerámicas en las que un sabio juego tonal (pálidos azules, pinceladas de distintos blancos y rosáceos) se impone. La orgánica fachada, las escamas y la cruz en el tejado y las formas óseas parecen ser referencias

simbólicas a la leyenda de San Jorge, patrón de Cataluña.

Pabellones Güell (Av. de Pedralbes). Otro ejemplo de remodelación de un edificio ya existente, en este caso las caballerizas de una antigua finca de los Güell. Se aprecia claramente que pertenece a un período en el desarrollo artístico de Gaudí en el cual la arquitectura oriental (cúpulas y bóvedas sobre todo) es una de las principales influencias. Con la voluntad de hacer del jardín una metáfora del mitológico Jardín de ejemplo el hecho de que, según el diseño original, quería construir en la azotea un aparcamiento de coches, lo que hubiera resultado una innovación a nivel mundial. Situada en una esquina, rompe sabiamente la aparentemente necesaria angularidad con una suave y extensa ondulación que recuerda a los efectos de la erosión en la piedra. Se avanza a la arquitectura expresionista y a la escultura abstracta.

La Sagrada Familia (Pl. de la Sagrada Familia). Gaudí se hizo cargo del proyecto en 1883. Debido a su carácter de centro expiatorio, es financiado por las donaciones de los creyentes solamente, y ello explica el lento avance de su construcción. Es una muestra del carácter algo megalómano del arquitecto, dada la grandiosidad y perfección planeada, equiparable a la de los grandes maestros del gótico. En los últimos años de su vida, Gaudí vivió en una pequeña estancia en su interior, totalmente dedicado a su trabajo. Su saber arquitectónico es patente en todos los detalles, incluyendo la decoración. Sin embargo, Gaudí sólo pudo terminar por completo el ábside, la fachada del Nacimiento y las torres- campanario. El polémico avance de las obras desde 1952 a nuestros días se basa en los pocos dibujos y maquetas salvados durante la Guerra Civil. El perfil de la Sagrada Familia, con sus características torres, es ya un símbolo de la ciudad. ∎

A Lee las descripciones de los monumentos de Gaudí. ¿Cómo se dice?

1 both the outside … and the inside
2 (it) is obvious
3 with the intention of
4 it points towards
5 (he) took charge

B Algunas de estas frases contienen errores. ¿Cuáles son? ¿Puedes corregirlas?

1 La Casa Batlló contiene elementos simbólicamente relacionados con la leyenda de San Juan, patrón de Cataluña.
2 Los Pabellones Güell era la residencia urbana de la familia del mismo nombre.
3 El Parque Güell se avanza, en sus detalles escultóricos, al expresionismo.
4 El Parque Güell está en el centro de Barcelona.
5 Los azulejos juegan un papel importante en la Casa Batlló y en el Parque Güell.
6 La fachada lateral de la Pedrera es conocida como "Fachada del Nacimiento".
7 Gaudí no completó su proyecto de construir un templo expiatorio.

10.11

El modernismo catalán

A Escucha la conferencia sobre el modernismo y toma notas de las características de este movimiento. Luego, vuelve a leer las descripciones de los edificios gaudianos en 10.10. ¿Cuántas características del modernismo han sido mencionadas en el texto? Compara tus notas con las de tu compañero/a.

B Aquí tienes el texto de una parte de la conferencia. ¿Puedes rellenar los espacios en blanco?

En primer lugar y, antes de empezar, quisiera (1) ___ esta oportunidad que me ha sido (2) ___ y (3) ___ que es para mí un gran placer y honor dar una conferencia en su prestigioso centro, en esta magnífica ciudad, (4) ___ y centro del modernismo. Porque para empezar (5) ___ que Barcelona, como probablemente saben, es la capital de la arquitectura modernista, donde se (6) ___ más de la mitad de los dos

10.12

En pro y en contra

Como ha ocurrido en toda España, en Cataluña el turismo ha aumentado mucho en las últimas décadas. ¿Qué opinión tiene el hombre de la calle al respecto?

Turismo en Cataluña

compre casas muy antiguas y las restaure. Gracias al turismo, las autoridades mejoraron, treinta años atrás, el sistema de alcantarillado y suministro de agua potable. Y, además, ha creado muchos puestos de trabajo, en una zona agrícola poco productiva.

David, 27 años

El turismo es una de las cosas más nefastas que le ha ocurrido al país. Yo soy ecologista y día a día veo cómo nuestro medio ambiente degenera más y más. El Mediterráneo se está muriendo: como lo oyen, muriendo. Y de ello, gran culpa la tiene el turismo. La costa ha sido destruida por kilómetros de apartamentos monstruosos, pueblos pequeños se llenan a reventar en verano y el medio ambiente es el más perjudicado al verse obligado a absorber una población demasiado grande para la zona.

Regina, 35 años

El turismo me asusta. Soy madre de dos niñas pequeñas y vivimos en una urbanización en la costa. En invierno, este es un lugar ideal, pero en verano, ... con los turistas, nos llegan los ruidos, la delincuencia, las drogas ... No se puede vivir tranquilo. La policía hace lo que puede, pero ... claro, no van a detener a cada turista que sale de juerga, bebe demasiado y arma un escándalo ... A veces pienso en mis hijas, y en lo peligrosa que será cuando crezcan la tentación de las drogas ... porque, en verano, parece que es algo que todo el mundo toma sin darle importancia ... ➤

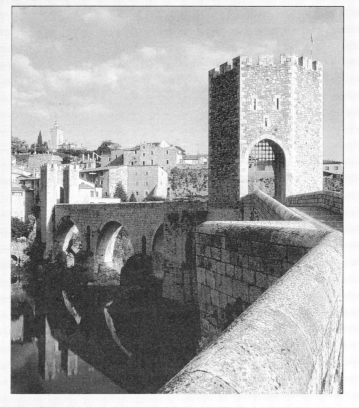

Quim, 50 años

A mi parecer, el turismo ha sido muy bueno para el país. Yo soy de un pueblo muy pequeño, del interior, y gracias al desarrollo del turismo he visto muchas mejoras. Por ejemplo, el turismo ha hecho que gente de la capital se interese por las iglesias y monumentos de valor artístico que hay en mi pueblo y cercanías, y que

Judit, 20 años

Para los jóvenes de mi pueblo, el verano es algo con lo que soñamos el resto del año. Llegan todos los extranjeros, el pueblo se anima ... Nos lo pasamos de miedo. No quiero ni imaginarme cómo sería mi pueblo en la época de mis padres, ¡o de mis abuelos! El turismo ha abierto la mentalidad de las gentes de este lugar, se han aceptado otras costumbres y los jóvenes ya no estamos ligados a la vieja moral, a las viejas tradiciones. Eso es muy bueno, sobre todo para las chicas.

Xesc, 76 años

El turismo ha destruido mi pueblo. Cuando yo era joven, es verdad que teníamos menos, ... menos comodidades, menos dinero ... pero éramos más felices. El mar era nuestro y limpio, rodeado de pinares ... donde ahora hay esos edificios de cemento que me parten el alma. Nos cegamos por el becerro de oro, el dinero fácil ... y lo que hemos perdido no hay dinero que lo pague: ya no tenemos ni el paisaje, ni el sentido de comunidad entre nosotros ... nada.

Laura, 55 años

Mi marido fue uno de los principales promotores del turismo en la zona de donde procedemos los dos, aunque ahora vivimos en Barcelona. Él creía de verdad que el fenómeno del turismo era lo mejor que le había pasado en toda su historia a nuestra comarca, y que todos nos podríamos beneficiar. Siempre estuvimos a favor, sin embargo, de un control sobre los permisos para edificar y para la desforestación, por ejemplo. Hasta que nos dimos cuenta de que la máquina no había quien la parara, y de que el Gobierno de la época no se preocupaba para nada del daño ecológico, o de la degradación urbana. Fue cuando se concedió el permiso para destruir un bosque milenario muy famoso en la comarca, cuando mi marido dijo que no quería tener nada más que ver con el asunto. Los que se han enriquecido de verdad son los que no tuvieron escrúpulos ... el resto, todos, todos, hemos perdido.

Teresa, 45 años

Yo, la verdad, no entiendo a qué vienen todas estas quejas. Creo que la gente exagera. El turismo no es algo tan malo. Lo que sí ha destruido el medio ambiente es el desarrollo industrial, que se ha producido en todas las partes del mundo ... ese es el causante real de la contaminación de los mares, de los ríos, del aire que respiramos ... También es verdad que la vida se ha encarecido mucho, pero ... ¡por favor, no culpen al turismo de eso! Es sólo un efecto de la mejora económica ... Todos los países de Europa se han encarecido también desde los años sesenta ... ¿o no? ∎

A

¿Quién dice que ...	Quim	David	Regina	Judit	Xesc	Laura	Teresa
1 ... tiene miedo del turismo?							
2 ... solía estar a favor del turismo?							
3 ... mucha gente ha encontrado trabajo a causa del turismo?							
4 ... el turismo ha ocasionado un aumento en el número de crímenes?							
5 ... la gente echa la culpa al turismo demasiado fácilmente?							
6 ... la gente estaba más contenta antes de la llegada del turismo?							
7 ... le gusta conocer a gente de otros países?							

¿Quién dice que ...	Quim	David	Regina	Judit	Xesc	Laura	Teresa
8 ... el turismo ha hecho mucho daño ecológico en los países mediterráneos?							
9 ... ha habido más interés cultural a causa del turismo?							
10 ... debería haber más leyes respecto a lo que se puede hacer en nombre del turismo?							
11 ... el costo de vida no tiene nada que ver con el turismo?							
12 ... el turismo ha traído consigo una actitud más moderna y abierta?							

B **V** Haz una lista de todas las palabras y frases que indican sentimientos positivos y negativos.

ejemplo:
positivo
ha sido muy bueno

negativo
es una de las cosas más nefastas

C *¡Tu turno!*
¿Qué opinas tú del turismo? Redacta un texto sobre tu punto de vista (en unas 300 palabras).

Técnicas de comunicación

Aquí tienes unas palabras y frases para ayudarte a comunicar por teléfono y por carta en español.

Cartas

Carta a un amigo o familiar

Cuando escribes a alguien que conoces bien, puedes utilizar algunas de las siguientes expresiones.

Para empezar:

Mi querido/a amigo/a:

Mi estimado/a amigo/a:

Mi querido/estimado Juan:

Mi querida/estimada María:

Querido Juan/papá/etc.

Querida María/hermana/amiga etc.

El cuerpo de la carta:

Me alegré mucho de recibir tu carta …

Perdona que haya tardado tanto en escribirte pero …

Tu carta me llegó el pasado lunes y después de pensarlo mucho

me he decidido a escribirte …

Para terminar:

Recibe un afectuoso saludo de … (slightly formal)

Tu amiga con cariño …

Un amigo que no te olvida …

Muchos recuerdos de parte de Pepe y míos, …

Escríbeme pronto/Quedo a la espera de tus noticias.

Hasta pronto. Un abrazo de …

Me despido con un cariñoso saludo …

Muchos besos.

(Nombre y dirección de la empresa remitente. Tel. y fax nos.) Impreso.
(Nombre y dirección, no. de tel. y/o fax. Cuando particular, en lugar de empresa.)

Lugar y fecha (o sólo fecha, si no es formal).

Nombre y dirección del destinatario.

–Estimado Sr./Sra./Sres.: (siempre:) –Apreciado Sr./Sra./Sres.:

–Muy Sr./Sra./Sres.: –Distinguido... (muy formal o para VIP).

–Por la presente, me complace comunicarle.../ tengo el placer de... damos respuesta a.../ nos es grato comunicarle... (desde luego, se puede prescindir de la 'por la presente', aunque no es cortés en el caso de damos respuesta').

–Lamento informarle que...
–Les ruego que me informen sobre...
–Me dirijo a Uds. para pedirles...
–Recibimos oportunamente su atenta carta de fecha 20 de junio (o carta del 20–6–94), referente a...
–Le agradecemos su atenta carta...
...
–Sin otro particular, quedamos a la espera de sus gratas noticias/les saludamos muy atentamente.
–Reciba un atento saludo de ... (o 'respetuoso saludo' para VIP)
–Atentamente (le saluda), ...
–Reciba un cordial saludo de ... [más formal]

Firma

Carta formal

Cuando escribes a una empresa o a alguien que no conoces bien, utiliza este modelo.

Llamadas de teléfono

Cuando hablas por teléfono, puedes utilizar algunas de las siguientes palabras y expresiones. (Las posibles respuestas aparecen *en cursiva.*)

Llamar a un amigo o familiar

Para empezar:

Diga/Dígame …

¡Hola! ¿Se puede poner X?

¿De parte de quién?

Soy Y.

Sí. Un momento que le/la llamo.

(o …)

Ha salido hace un momento.

¿Le puedo dejar un recado? Dígale que …

Para terminar:

Vale. Adiós.

Llamada formal

Para empezar:

Puig i Rovira/ Hotel Sarriá, buenas tardes.

Puig i Rovira/ Hotel Sarriá, ¿dígame?

Buenas tardes. Quisiera hablar con el señor X.

¿Está el señor X?

¿Podría ponerme con el departamento de reservas, por favor?

¿Me pone con …

¿De parte de quién?

¿Me puede decir quién llama, por favor?

Soy Mr. Y.

No cuelgue por favor.

Espere un momento, por favor.

Ahora le pongo.

¿Qué extensión, por favor?

No contesta.

Grammar

1 Nouns

1.1 Gender

1.1.1 Nouns naming people and animals

All nouns in Spanish are either feminine or masculine. With nouns naming people or animals it is usually easy to get the gender right, because it matches the gender of the animal or person to which the noun refers.

el gato   la gata
el rey   la reina

A basic rule is that Spanish nouns ending in -o or in -e are masculine and nouns ending in -a, feminine. However, there are some exceptions to this rule: a few feminine nouns end in -e or -o, and a few masculine ones end in -a.

la madre, el futbolista, el poeta

Many nouns referring to animals often have just one gender, whatever the sex of the animal in question.

el coyote (never la coyote), la abeja, la serpiente, el pez
(The ending -e does not guarantee a masculine gender.)

Nouns related to professions do not always change depending on the gender of the person. Sometimes there is one form which is used for both sexes.

el/la cantante, el/la periodista, el/la artista, el/la juez

Note that all nouns ending in -ista (equivalent to English -ist) can be either masculine or feminine, depending on the gender of the person referred to.

Also, some professions (those ending in -or) form the feminine by adding -iz.

el actor/la actriz, el emperador/la emperatriz

1.1.2 Endings and gender

For most nouns, however, the gender is less obvious than when referring to people or animals. Fortunately, there are certain rules which help determine the gender of any kind of noun. It is the ending of the noun which usually gives the clue.

Feminine noun endings

-a
la pereza, la belleza, la puerta

There are quite a number of exceptions: día is a very common one, and many words ending in -ma are masculine: el pijama, el tema, el clima, el problema. (See also Section 1.1.1 about nouns ending in -ista.)

-ión
Exceptions: el avión, el camión
-dad, -idad
-tud
-z
Exceptions: el pez, el barniz, el arroz
-sis

Exceptions: el análisis, el énfasis
-itis (all nouns referring to diseases, such as bronquitis)
-umbre

Masculine noun endings

-o
Exceptions: la mano, la radio and abbreviations such as la foto (short for la fotografía)
-i   -u   -e
Exceptions: many, e.g. la madre, la calle
-j   -l
-n - except most ending in -ión
-r   -s
Exceptions: la flor (and see -sis, -itis, above)
-t   -x

1.1.3 Further guidelines on gender

Some nouns have two genders with different meanings:

el cólera - cholera	la cólera - anger
el corte - cut	la corte - (royal) court
la capital - city	el capital - money or assets
el cometa - comet	la cometa - kite (toy)
el frente - front	la frente - forehead
la policía - the police	el policía - policeman
el radio - radius	la radio - radio
el pendiente - earring	la pendiente - slope

Names of countries, cities and towns are usually, but not always, feminine (el Japón: see ending in -n; el Canadá).

Rivers, lakes, mountains, volcanoes and seas are usually masculine. Islands, however, are feminine.

Names of trees are always masculine but the names of their fruit are always feminine:

el manzano - apple tree   la manzana - apple

Letters of the alphabet are always feminine. Days of the week and months are masculine.

Names of associations, international bodies, companies, etc. take their gender from that of the institution whether it is part of the name or just understood. So those referring to a company (la empresa) or an organisation (la organización) are feminine:

la OTAN = la Organización ... (=NATO)
la IBM = la empresa IBM (empresa is understood)
while those referring to a team (el equipo) or a commercial store (el almacén) are masculine:

el Real Madrid   el Corte Inglés

1.2 *The Plural of Nouns*

Most nouns form their plural by adding either -s or -es according to their ending. There may be other changes, as detailed below.

Add -s to nouns ending in ...	Add -es to nouns ending in ...
any unstressed vowel stressed -e (*café*) -a (*mamá*) and -o (*dominó*)	stressed -i (*rubí*, *magrebí*) any consonant except -s, where the stress is on the last syllable

Nouns ending in a stressed -u can have their plural in either -s or -es (*tabú - tabúes/tabús*).

Nouns ending in -s which are not stressed on the last syllable do not change in the plural (e.g. *el jueves - los jueves, la crisis - las crisis*). This rule therefore affects all the days of the week except *sábado* and *domingo* which simply add an s.

Words ending in z change to -ces in the plural.
> *la voz - las voces*

Words ending in -ión lose their accent in the plural, because a syllable has been added:
> *la asociación - las asociaciones*

In contrast, some words gain an accent in the plural:
> *el examen - los exámenes*

See also Section 6.5 on Stress and Accents.

Some nouns are used only in the plural:

los víveres	provisions
los modales	manners
los bienes	assets, property
los deberes	homework
las gafas	glasses
las vacaciones	holidays

Surnames do not change in the plural (*los Sánchez* = the Sánchez family).

1.3 *Articles*

These are the equivalent of 'the' (the definite article), 'a' and 'some' (indefinite articles) in English. In Spanish their gender changes to match that of the noun to which they refer.

Feminine nouns beginning with a stressed *a-* or *ha-* use the masculine article in the singular because it makes them easier to pronounce, but they remain feminine.
> *el habla, el agua, un arma*

This does not apply when there is an adjective in front of the noun:
> *la nueva arma*

1.3.1 Use of the Definite Article

When *el* is preceded by *de* or *a*, it becomes *del* or *al*:
> *Voy al cine.   El reloj del campanario*

The definite article is used when the noun refers to a general group:
> *Los melocotones y los higos son frutas de verano.* — Peaches and figs are summer fruits.

but not when it refers to part of a group:
> *En verano comemos melocotones e higos.* — In summer we eat peaches and figs.

We do not eat all the peaches and figs that there are, only some of them.

As in English, the definite article is also used when a noun refers to a specific object, or to something that has already been defined.
> *Mañana comeremos los melocotones y los higos.* — Tomorrow we'll eat the peaches and the figs.

The reference is to particular peaches and figs, not peaches and figs in general.

The definite article is used with the names of languages:
> *El español es una lengua muy vieja.*

except when using *saber, hablar, aprender*:
> *Estoy aprendiendo español en mi tiempo libre.*

La gente (people) is singular in Spanish:
> *La gente no quiere eso.* — People do not want that.

The definite article appears before titles (*señor, doctor, profesor*), but not when addressing the person directly:
> *El señor López está en la sala.*

but:
> *¡Buenos días, Señor López!*

The definite article is needed with people's official titles:
> *el rey, el rey don Juan Carlos I, el papa Juan Pablo II*

1.3.2 The article 'lo'

In addition to the masculine and feminine definite articles studied already, there is a neuter definite article *'lo'*. It is used with an adjective which is acting as an abstract noun, and is often translated into English by 'that', 'what', the thing(s) etc.

> *Lo bueno dura poco.* — Good things do not last long.
> *Estás aquí y eso es lo importante.* — You are here and that's what matters.
> *No entiendo lo que dices.* — I don't understand what you are saying.

1.3.3 Use of the Indefinite Article

Basic usage is the same as for 'a' and 'some' in English. However, there are some important differences.

The indefinite article is not used to express someone's profession, nationality, position or religion.

> *Ella es maestra de escuela.* — She is a primary school teacher.
> *Mi amigo es irlandés.* — My friend is an Irishman.
> *Su padre es diputado.* — Her father is an MP.
> *Ella es católica.* — She is a catholic.

But it is used when an adjective accompanies the profession, nationality, position or religion:

> *Ella es una maestra muy buena.* — She is a very good teacher.
> *Mi dentista es un irlandés muy simpático.* — My dentist is a very nice Irishman.

When certain words are used, the indefinite article is usually omitted. These include *sin, otro, tal, medio, cierto* and *qué (¡qué ...! - what a ...!).*

> *Subió al tren sin billete.* — He got on the train without a ticket.
> *Pregunta a otra mujer.* — Ask a different woman.

2 Adjectives

Adjectives are words which accompany and describe nouns.

2.1 *Agreement of Adjectives*

In Spanish, adjectives have to agree in gender and number with the noun they describe. An adjective accompanying a feminine plural noun, for example, must have a feminine plural ending:

> *las adicciones peligrosas*

Adjectives form their plural in the same way as nouns:

> *sincero - sinceros*
> *leal - leales*

The formation of feminine adjectives is as follows:

adjectives ending in ...	masculine form	feminine form
-o	*flaco*	*flaca*
-ón	*mirón*	*mirona*
-án	*holgazán*	*holgazana*
-or	*trabajador**	*trabajadora*
-ete	*tragoncete*	*tragonceta*
-ote	*grandote*	*grandota*
-ín	*pequeñín*	*pequeñina*
consonants (only applies to adjectives of nationality and geographical origin)	*inglés* *andaluz*	*inglesa* *andaluza*

* Exceptions are: *interior, exterior, superior, inferior, anterior, posterior, ulterior,* which do not change in the feminine.
All other endings follow the rules for nouns:

masc. sing.	fem. sing.	masc. pl.	fem. pl.
feliz	*feliz*	*felices*	*felices*
elegante	*elegante*	*elegantes*	*elegantes*
belga	*belga*	*belgas*	*belgas*

Remember that adjectives ending in -z will change to -ces in forming the plural.

Some adjectives of colour, which are really nouns, like *naranja* or *rosa*, never change:

> *el papel rosa, la carpeta rosa, los pantalones rosa,*
> *las cortinas rosa*

If an adjective is used to describe two or more masculine nouns (or a combination of masculine and feminine nouns), the masculine plural form is used:

> *Un perro y un gato muy apacibles*
> *Colecciona libros y revistas antiguos.*

However, an adjective placed before the nouns tends to agree with the nearest one:

> *Su encantadora prima y tío*   Her charming cousin and uncle

2.2 *Shortened Adjectives*

In certain cases a shortened form of the adjective is used when it precedes the noun.
Some adjectives shorten before masculine singular nouns by dropping their final 'o':

> *Es un mal perdedor.*   He's a bad loser.
> *(= malo)*
> *Algún hombre nos lo dirá.*   Someone will tell us.
> *(= alguno)*

These are the adjectives which behave in this way:

Standing alone	Before a masculine singular noun
uno	*un*
alguno	*algún*
ninguno	*ningún*
bueno	*buen*
malo	*mal*
primero	*primer*
tercero	*tercer*

Compounds of *-un* shorten too:

> *Hay **veintiún** premios a ganar.*   There are twenty-one prizes to be won.

Other adjectives which shorten before nouns:

Santo becomes San, except before names beginning with *Do-* or *To-*:

> *San Antonio, San Cristóbal, San Pedro*

but:

> *Santo Domingo, Santo Tomás*

The feminine form, *Santa*, never changes.

Two adjectives, *grande* and *cualquiera*, shorten before a masculine **or** a feminine singular noun:

> *una gran manera de viajar*
> *cualquier muchacho del pueblo*

'Ciento' shortens to 'cien' before **all** nouns:

> *Hay cien empleados en la empresa.*   There are one hundred employees in the company.

See Section 6.3.1 for the use of 'ciento' with other numbers.

2.3 *Position of Adjectives*

Most adjectives follow the noun they describe:

> *una comida típica, un chico travieso*

Some adjectives are usually found before the noun. These include ordinary (cardinal) numbers, ordinal numbers (1st, 2nd etc.) and a few others such as *último, otro, cada, poco, tanto, mucho:*

> *Dame cuatro caramelos.*   Give me four sweets.
> *La primera vez que visité Valencia*   The first time I visited Valencia
> *El último examen del curso*   The final exam of the course

Hay muchos tipos de pájaros en este bosque. — There are many kinds of birds in this forest.

Some adjectives have different meanings depending on whether they are placed before or after the noun they describe. Here is a list of the most common ones:

Adjective	Before the noun	After the noun
gran/grande	great *Suiza es un gran país.*	big/large *Suiza no es un país grande.*
antiguo	former *el antiguo director*	old/ancient *una colección de arte antiguo*
diferente	various *diferentes libros*	differing/different *personas diferentes*
medio	half *Dame media botella de vino.*	average *Mi novia es de estatura media.*
mismo	same/very *Lo confirmó el mismo día.*	-self *Yo mismo te lo daré.*
nuevo	fresh/another *un nuevo coche*	newly made/brand new *zapatos nuevos*
pobre	poor (pitiful, miserable)	poor (impoverished)
puro mere	pure/fresh *Lo hallé por pura coincidencia.*	*el aire puro del campo*
varios	several *varios caminos*	different, various *artículos varios*

Some adjectives vary in meaning according to the context. For example:

extraño	unusual, rare / strange, weird
falso	untrue / counterfeited
original	primary / creative or eccentric
simple	only / of low intelligence
verdadero	true / real

2.4 *Comparatives and Superlatives*
2.4.1 **Comparatives**

To form a comparison between two or more things or people, i.e., to say that something or someone is 'more ... than' or 'less ... than', Spanish uses *más ... que* and *menos ... que*.

Raquel es más guapa que Ana pero menos simpática que Jaime. — Raquel is prettier than Ana but not as nice as Jaime.

To form a comparison using figures or quantities, use *más ... del or más ... de la*:

Más de la mitad de la población española se concentra en las grandes ciudades. — More than half of the Spanish population lives in the big cities.

Menos de la mitad vive en el campo. — Less than half live in the countryside.

To compare two similar things ('as ... as'), use *tan ... como*:

Antonio es tan alto como Arturo. — Antonio is as tall as Arturo.

To compare two similar things ('as much ... as'), use *tanto(s) ... como*:

No tienen tanto dinero como piensas. — They don't have as much money as you think.

To say 'the more/less ..., the more/less ...', use *cuanto más/menos ..., (tanto) más/menos*:

Cuanto más pienso en ello, menos me convenzo. — The more I think about it, the less convinced I am.

2.4.2 **Superlatives**

The superlative is formed just like the comparative, but you usually add a definite article (*el/la/los/las*).

Vive en la casa más antigua de la aldea. — He lives in the oldest house in the village.

Note that '*de*' is always used after the superlative.

The absolute superlative is formed by removing the final vowel from the adjective and adding *-ísimo*. The ending then changes to agree in gender and number as you would expect:

mucho - muchísimo (*muchísima, muchísimos, muchísimas*)
elegante - elegantísimo (etc.)
azul - azulísimo (etc.)
feliz - felicísimo (etc.)

This superlative form always has an accent.
The absolute superlative can be used to indicate an extreme example of some quality, not necessarily in comparison with anything else.

El chino es un idioma dificilísimo. — Chinese is a terribly difficult language.

2.4.3 **Irregular Comparatives and Superlatives of Adjectives**

Some adjectives have irregular forms of the comparative and superlative:

Adjective	Comparative	Superlative
bueno/a	mejor (masc. & fem.)	el mejor/la mejor
malo/a	peor (masc. & fem.)	el peor/la peor

José es un buen futbolista. — José is a good footballer.
José es el mejor futbolista del equipo. — José is the best footballer in the team.

Other adjectives have both regular and irregular forms with slightly different meanings:

Adjective	Comparative	Superlative
grande	mayor (masc. & fem.) más grande	el mayor/la mayor el/la más grande
pequeño	menor (masc. & fem.) más pequeño/a	el menor/la menor el/la más pequeño/a

The regular forms tend to be used for physical size:

una casa más pequeña,	a smaller house,
un árbol más grande	a bigger tree

while the irregular ones are used for age and seniority (after the noun):

Mi hermana mayor es	My older sister is smaller
más pequeña que yo.	than me.

for abstract size (before the noun):

el menor ruido	the slightest sound

and in some set expressions (before the noun):

la plaza mayor	the main square

The irregular comparative adjectives do not have a different masculine and feminine form:

3   Adverbs

An adverb is used to describe a verb, an adjective or another adverb. Study these examples:

*Ven **deprisa** a la cocina.*	Come **quickly** to the kitchen. (adverb describes verb)
*Es **muy** urgente.*	It's **very** urgent. (adverb describes adjective)
***Demasiado** tarde. Me he quemado.*	**Too** late. I've burnt myself. (adverb describes another adverb)

The adverb usually follows the word it modifies although if this word is a verb, the adverb may precede it instead for extra emphasis.

3.1 *Types of Adverbs*

There are several groups of adverbs.

- **Of place - where?**

aquí, ahí, allí, allá, cerca, lejos, debajo, encima, arriba, dentro, fuera, delante, enfrente, detrás, donde, adonde, junto

El libro está allí, encima de la mesa junto al televisor.	The book is there, on the table beside the television.

- **Of time - when?**

hoy, ayer, mañana, pasado mañana, antes, ahora, antaño, después (de), luego, ya, mientras, nunca, jamás, todavía, aún

Mañana, después del trabajo, hablaremos del asunto.	We'll talk about the matter tomorrow after work.

- **Modal - how?**

bien, mal, mejor, peor, como, tal, cual, así, despacio, deprisa, sólo, solamente

Also, most adverbs ending in -mente (formed by adding -mente to the feminine singular form of the adjective: *tranquilamente, lentamente, alegremente*).

Me siento mal, peor que ayer - desgraciadamente.	I'm feeling bad, worse than yesterday - unfortunately.

Nowadays it is increasingly common to use an adjective, such as *duro* ('hard'), as an adverb rather than its grammatically correct form (*duramente*).

Trabaja duro para mantener a su familia.	He works hard to support his family.

A preposition and noun are sometimes used instead of an adverb, especially if the adverb is long. For example, *con cuidado* (= *cuidadosamente*), 'con frecuencia' (= *frecuentemente*).

- **Of order - in which position?**

primeramente, finalmente, sucesivamente, últimamente

- **Of quantity - how much?**

mucho, muy, poco, nada, algo, todo, más, menos, demasiado, bastante, casi, tan, tanto, cuanto

¿Han dejado algo de vino para nosotros? - Muy poco, casi nada.	Have they left any wine for us? A little, hardly any.

- **Of affirmation, negation or doubt - yes, no, perhaps …?**

sí, no, ni, también, tampoco, ciertamente, claro, seguro, seguramente, posiblemente, quizá, tal vez

3.2 *Notes on the use of Adverbs*

It is better not to start a Spanish sentence with an adverb. Exceptions are *sólo, solamente* and *seguramente*.

Adverbs of time must be placed next to the verb:

El ministro se ha dirigido hoy a la nación.	The minister has addressed the nation today.

When two or more adverbs normally ending in -mente are used together, all but the last lose this adverbial ending:

Te amo tierna, apasionada y locamente.	I love you tenderly, passionately and madly.

3.3 *Comparatives and Superlatives of Adverbs*

Comparatives and superlatives of adverbs follow the same rules as those for adjectives.

Él corre más deprisa que yo.	He runs faster than I do.

If a superlative adverb is used and there is extra information (as fast as he could, as fast as possible) then you must add *lo*:

Quiero ir a casa lo más rápidamente posible.	I want to go home as fast as possible.

4 *Pronouns*

4.1 *Personal Pronouns*

The purpose of the personal pronoun in a sentence is to replace a noun. Personal pronouns have different forms depending on the role of the noun they replace.

	Subject	Direct object	Indirect object	Prepositional object
I	*yo*	*me*	*me*	*mí*
you	*tú*	*te*	*te*	*ti*
he	*él*	*le, lo*	*le*	*él*
she	*ella*	*la*	*le*	*ella*
it (neuter)	*ello*	*lo*	*le*	*ello*
you (polite singular)	*usted*	*le, lo, la*	*le*	*usted*
we (masc.)	*nosotros*	*nos*	*nos*	*nosotros*
we (fem.)	*nosotras*	*nos*	*nos*	*nosotras*
you (masc.)	*vosotros*	*os*	*os*	*vosotros*
you (fem.)	*vosotras*	*os*	*os*	*vosotras*
they (masc.)	*ellos*	*los*	*les*	*ellos*
they (fem.)	*ellas*	*las*	*les*	*ellas*
you (polite plural)	*ustedes*	*los, las*	*les*	*ustedes*

■ **Reflexive pronouns - direct and indirect**

These are the same as the indirect object forms given above except that *le* and *les* are replaced by *se*.

■ **Reflexive pronouns - prepositional**

These are the same as the ordinary prepositional pronouns given above except that all the 3rd person forms (*él, ella, usted, ellos, ellas, ustedes*) are replaced by *sí* (note the accent).

■ **The preposition *con***

Note these three special forms of the prepositional pronouns when used with 'con':

    con + mí becomes *conmigo*
    con + ti becomes *contigo*
    con + sí becomes *consigo*

4.1.1 Subject Pronouns

These pronouns replace a noun which is the subject of the sentence. However, they are often omitted in Spanish because the ending of the verb is usually enough to indicate the subject.

    Pensamos mucho en ella.   We think about her a lot.

They are used, however, in the following cases:

■ **To avoid ambiguity:**

    Comía una manzana.

could mean 'I was eating an apple'. But it could also mean he or she was eating it, or you (*usted*) were. So if the context does not make this clear, the personal pronoun should be used:

    Yo comía una manzana.

■ **To add emphasis:**

    Yo estoy trabajando duro y vosotros no hacéis nada.
    I am working hard and you are doing nothing at all.

■ **To be polite - with usted:**

    ¿Qué desea usted?   What would you like?

4.1.2 Object Pronouns

These replace nouns which are the direct or indirect object in a sentence. They usually precede the verb.

    Te odio.   I hate you.

An indirect object always precedes a direct one.

    Me dio el regalo.   He gave the present to me.
    (*me* = indirect object, *el regalo* = direct object)
    Me lo dio.   He gave it to me.
    (*me* = indirect object, *lo* = direct object)

In three cases they are joined to the end of the verb.

1 Always with a positive imperative (a command):
    ¡Dámelo!   Give it to me!
though never with a negative command:
    ¡No lo hagas!   Don't do it!

2 With the infinitive:
    Quieren comprármelo.   They want to buy it for me.

3 With the gerund (-ing form) in continuous tenses:
    Estoy leyéndolo.   I am reading it.

In the last two cases, it is also possible to place the pronoun(s) before the first verb:

    Me lo quieren comprar.   *Lo estoy leyendo.*

Notice that the addition of a pronoun or pronouns may make a written accent necessary (see Section 6.5).

■ **Use of *se* instead of *le* or *les***

When two object pronouns beginning with *l* are used together in Spanish, the indirect one always changes to *se*. Study the following sentence:

    Quieren comprar un   They want to buy a dog
    perro a Pepe.   for Pepe.

If both objects are replaced by pronouns, this sentence becomes:

    Se lo quieren comprar.   They want to buy it for him.

■ **Redundant *le***

The pronoun *le* is often added purely for emphasis, when it is not grammatically necessary:

    Le dí el recado a Marisa.   I gave the message to Marisa.

■ ***le* and *lo***

You may sometimes see *le* used instead of *lo* as a direct object pronoun, but only when it refers to a person, not a thing:

    Pepe llegó. Lo/Le vi llegar.
but:
    El tren llegó. Lo vi llegar.

4.1.3 Prepositional Pronouns

These are used after a preposition, (e.g. *por, para, de, en*). They are sometimes called disjunctive pronouns. The forms are the same as the subject pronouns except for the 1st and 2nd person singular, which are *mí* (note the accent to distinguish it from the possessive pronoun *mí* = my) and *ti*.

    De ti depende que me   It's up to you whether
    quede o me vaya.   I stay or go.
    Puso su confianza en mí.   He put his trust in me.

A few prepositions are followed by the subject pronoun instead. These include *entre* (between, among) and *según* (according to):

Según tú	According to you
Entre tú y yo	Between you and me

With the preposition *con*, the 1st and 2nd person singular are joined on to give the forms *conmigo* and *contigo*.

Iré contigo al cine.	I'll go to the cinema with you.

Often, a prepositional pronoun is added for emphasis:

Nos escogieron a nosotros para el papel de los hermanos.	It was us they chose for the role of the two brothers.

4.1.4 Reflexive Pronouns

These are used with reflexive verbs such as *lavarse*, or with ordinary verbs when they are used reflexively. Their forms are the same as the object pronouns, except throughout the 3rd person where the forms are as follows: *se, sí* or *consigo* (see the table in Section 4.1).

La niña se lava en el río.	The little girl washes herself in the river.
Se fue de la fiesta sin despedirse.	He left the party without saying goodbye.

For Reflexive verbs see Section 5.6.

4.1.5 Ello - the Neuter Pronoun

This pronoun is so called not because it refers to a noun without gender (as you already know, all nouns are either feminine or masculine) but because it refers to something unspecific, such as a fact or an idea. It only exists in the 3rd person singular:

¡Olvídalo! No pienses en ello.	Forget it! Don't think about it.

4.2 *Possessive Adjectives and Pronouns*

Possessive pronouns and adjectives are used to indicate that something belongs to someone. The adjectives are used with a noun, (like 'my', 'your' etc.) while the pronouns stand alone (like 'mine', 'yours' etc.).

■ **Possessive adjectives**

	single object		plural objects	
	masculine	feminine	masculine	feminine
yo	mi	mi	mis	mis
tú	tu	tu	tus	tus
él/ella/usted	su	su	sus	sus
nosotros/as	nuestro	nuestra	nuestros	nuestras
vosotros/as	vuestro	vuestra	vuestros	vuestras
ellos/ellas/ ustedes	su	su	sus	sus

■ **Possessive pronouns**

	single object		plural objects	
	masculine	feminine	masculine	feminine
yo	mío	mía	míos	mías
tú	tuyo	tuya	tuyos	tuyas
él/ella/usted	suyo	suya	suyos	suyas
nosotros/as	nuestro	nuestra	nuestros	nuestras
vosotros/as	vuestro	vuestra	vuestros	vuestras
ellos/ellas/ ustedes	suyo	suya	suyos	suyas

4.2.1 Agreement of Possessive Adjectives

Possessive adjectives tell us who or what something belongs to or is connected with. Like all adjectives, they agree in *gender* and *number* with the noun, but they also agree in person with the possessor. Thus, *tus* refers to several objects possessed by a single person (you) while *su* may refer to one object possessed either by one person (he or she) or by several people (they).

Spanish possessive adjectives are translated by 'my', 'your', 'her' etc.

Tus padres son muy amables.	Your parents are very kind.
Su amiga es muy parlanchina.	Their friend is very talkative.

Note that in Spanish the definite article, not the possessive adjective, is used to refer to parts of the body, clothes etc. Often, a reflexive verb is used to express the idea of possession or self where English uses 'my', 'your' etc.

Se lavó las manos.	She washed her hands.

4.2.2 Use of Possessive Pronouns

Like other pronouns, possessive pronouns are used instead of a noun when the meaning is clear or has already been defined. They are preceded by the definite article. Their English equivalents are 'mine', 'yours', 'ours', etc.

Mi perro tiene ocho años.	My dog is eight years old.
Y el tuyo?	What about yours?

(*mi* = possessive adjective, *el tuyo* = possessive pronoun)

The masculine singular form is used, preceded by the neuter pronoun *lo*, to refer to a fact or idea rather than a specific noun:

Lo mío son los deportes al aire libre.	Outdoor sports are my thing.

The possessive pronouns are also used occasionally as adjectives. In this case, they are placed after the noun and the definite article is not used:

Un tío mío ganó la lotería.	An uncle of mine won the lottery.

4.3 *Demonstrative adjectives and pronouns*

These are the equivalents of this/these, that/those.

■ **Demonstrative adjectives**

	near	far	further
masculine singular	este	ese	aquel
feminine singular	esta	esa	aquella
masculine plural	estos	esos	aquellos
feminine plural	estas	esas	aquellas

■ **Demonstrative pronouns**

	near	far	further
masculine singular	éste	ése	aquél
feminine singular	ésta	ésa	aquélla
masculine plural	éstos	ésos	aquéllos
feminine plural	éstas	ésas	aquéllas
neuter	esto	eso	aquello

Note that the pronoun forms have an accent to distinguish them from the adjectives.

Both *ese* and *aquel* can translate 'that' although *ese* is more common, being used to contrast with *este*. *Ese* can also be used indicate an object which is relatively distant from the speaker but near to the listener whereas *aquel* would indicate an object which is distant from both the speaker and the listener.

Demonstrative adjectives always precede the noun.

Esta alumna es muy inteligente.	This pupil is very intelligent.
Aquel coche parece nuevo.	That car (over there) looks new.

Demonstrative pronouns refer to something or someone already defined or understood. They are never followed by a noun and they are never preceded by a definite or indefinite article:

Me gusta ésa.	I like that one.
Aquella medicina no me hacía ningún efecto, pero ésta es maravillosa.	That medicine didn't made me feel any better, but this one is wonderful.
(*aquella* = demonstrative adjective, *ésta* = demonstrative pronoun)	

The neuter demonstrative pronouns *eso*, *esto* and *aquello* are used to refer to a general idea, statement or fact rather than a specific noun.

Esto de tu hermano me preocupa.	This business about your brother worries me.

4.4 *Relative Pronouns and Adjectives*

Relative pronouns are words like 'who' and 'which'. They replace nouns, just like other types of pronoun, but they also serve as a link between two clauses, or parts, of a sentence.

Relative adjectives (meaning 'whose') agree with the noun which follows them. They are not used very much in spoken Spanish.

	Pronouns	Adjectives
masc. sing.	(el) que	cuyo
	(el) cual	
	quien	
fem. sing.	(la) que	cuya
	(la) cual	
	quien	
neuter	(lo) que	
	(lo) cual	
masc. plural	(los) que	cuyos
	(los) cuales	
	quienes	
fem. plural	(las) que	cuyas
	(las) cuales	
	quienes	

4.4.1 Relative Pronouns
■ Que
Que is the most widely used and flexible relative pronoun. It can be preceded either by an article (*uno*, *los* etc.) or a noun but it never changes to agree in gender or number. It can be used as the subject or the direct object of a sentence.

Los profesionales que hicieron los diseños (*que* = subject)	The professionals who did the designs
Las flores que compramos en el mercado (*que* = direct object)	The flowers (which) we bought in the market

The definite article is often used with *que*.

El hombre del que te hablé ha comprado la finca.	The man (whom) I told you about has bought the estate.
La casa en la que vivía de pequeño	The house in which I lived as a child

Notice that the relative pronoun can often be omitted in English. In Spanish, however, it must **never** be omitted.

■ Quien
Quien and the plural *quienes* are used after a preposition, but only when referring to people, not things.

La chica con quien me casé	The girl I married
Los chicos a quienes escribiste la carta	The boys to whom you wrote the letter

They are used less than the corresponding English 'who(m)', often being replaced by *el que*, *al que*, etc.

■ El cual/la cual/los cuales
These can be used as an alternative to the relative pronoun *que*. They are useful for avoiding ambiguity:

Los padres de mis amigos, los cuales esperaban en el coche, no sospechaban nada.	My friends' parents, who were waiting in the car, didn't suspect anything.

If *que* were used here, it would mean that my friends were waiting in the car.

■ Lo que/lo cual
These neuter pronouns refer to a general concept or a whole phrase, rather than a specific noun:

Me fui de la oficina a las cuatro, lo que me permitió llegar a tiempo.	I left the office at four, which allowed me to arrive on time.
Lo refers to the fact that 'I left the office at four'.	

4.4.2 Relative Adjectives
■ cuyo
Cuyo translates 'whose'. It agrees with the noun which follows it, not with the one preceding it.

Luis, cuya madre estaba enferma, no vino a la fiesta.	Luis, whose mother was ill, didn't come to the party.

4.5 *Interrogatives and Exclamations*
4.5.1 Interrogatives
Interrogatives are words like 'what?', 'who?' and 'when?' used for forming questions. They always have an accent in Spanish, even if the question is indirect.

■ ¿Qué? ¿Cuál?
¿Qué? can be used as an adjective, translating as either 'which?' or 'what?'.

¿Qué flor es tu favorita?	Which is your favourite flower?

¿Qué? and *¿cuál?* can both be used as pronouns (standing alone, in place of a noun). *¿Cuál?* is used to request specific information or for a choice:

¿Cuál prefieres, el rosa o el verde?	Which one do you prefer, the pink one or the green one?

¿Qué? requests general information or a definition.

¿Qué es la felicidad?	What is happiness?

- **¿Quién?**

The interrogative *qué* can only refer to people when it is used as an adjective:

¿Qué chica?	What girl?

Otherwise *¿quién?* is the only choice for people:

¿Quién me puede decir lo que pasó?	Who can tell me what happened?

- **¿Cuánto?**

The singular forms *¿cuánto?* and *¿cuánta?* translate 'how much?' (for uncountable nouns e.g. butter) while the plural forms *¿cuántos?* and *¿cuántas?* translate 'how many?' (for countable nouns e.g. apples).

¿Cuánta agua has derramado?	How much water have you spilt?
¿Cuántos hombres resultaron heridos?	How many men were injured?

- **¿Cuándo? ¿Cómo? ¿Por qué? ¿(A)Dónde?**

The English equivalents of these words are 'when?', 'how?', 'why?' and 'where?'; *¿adónde?* (never split; always has an accent) means 'where to?' and is used with verbs of movement.

¿Dónde estamos?	Where are we?

but:

¿Adónde nos llevas?	Where are you taking us to?

Note that *¿por qué?* is used in questions - whether direct or indirect. *Porque* means 'because' and is used in the answer to such questions. *El porqué* means 'the reason'.

Dime por qué no quieres hablar conmigo.	Tell me why you don't want to talk to me.
Quiero saber el porqué de tu silencio.	I want to know the reason for your silence.

Notice that the interrogative is always accented even if the question itself is indirect or just implied:

Dime qué quieres.	Tell me what you want.
Nunca se supo quién tuvo la culpa.	It was never discovered who was to blame.

4.5.2 Exclamations

Common exclamative words are *¡qué!*, *¡quién!*, *¡cómo!* and *¡cuánto/a/os/as!*. Like interrogatives, they always have an accent.

¡Qué guapo es!	How good looking he is!
¡Cómo corre!	How fast he runs!
¡Cuánta comida!	What a lot of food!

If the adjective follows the noun, *más* or *tan* are added:

¡Qué chico más guapo!	What a good looking boy!

4.6 *Negatives*

The simplest way of forming the negative in Spanish is to place the word *no* before the verb:

¿No te gusta la tortilla de patatas?	Don't you like Spanish omelette?

The following negatives can be used together with *no*:

no … nunca or *no … jamás*	never/not … ever
no … nada	nothing/not … anything
no … nadie	nobody/not … anybody

'*No*' usually stands before the verb and the other negative word follows the verb (i.e. there is a double negative):

No me dijo nada.	He told me nothing/He didn't tell me anything.
No ha venido nadie.	Nobody has come.

The negative is sometimes put before the verb instead (especially if it is the subject), in which case *no* is omitted:

Nadie ha venido.

Two or more negatives can be used in the same Spanish sentence:

Nunca dijo nada a nadie de su enfermedad.	He never told anybody anything about his illness.

- **Ni...ni (neither...nor)**

Ni sales de paseo ni ves la televisión: hoy haces los deberes.	You will neither go out nor watch T.V.: today you'll do your homework.

- **Tampoco (neither)**

This is the negative equivalent of *también*. It is an economical way of expressing what is sometimes a whole phrase in English.

A mí no me dijo nada, ¿y a vosotros?	He said nothing to me. Did he say anything to you?
A nosotros, tampoco.	No, he didn't say anything to us either. (lit. No, neither.)

5 *Verbs*

5.1 *The Infinitive*

Verbs in Spanish are categorised according to the ending of the infinitive. There are three categories or 'conjugations': the first conjugation consists of all verbs ending in -*ar*, the second of all those ending in -*er* and the third of those ending in -*ir*.

5.1.1 Use of the Infinitive

The infinitive in Spanish is used after another verb to translate 'to (do something)':

Quiero viajar por todo el mundo.	I want to travel all over the world.

It is used in impersonal commands:

Empujar	Push
No fumar	Do not smoke

It is also used after another verb where English uses the gerund (the '-ing' form):

Me encanta bailar.	I love dancing.

5.1.2 Verbs used with the Infinitive

Certain verbs combine with the infinitive to produce commonly used structures such as 'have to', 'be able to', etc. The following are examples of the most useful of these.

- *Poder* + infinitive = be able to do something
  No pudimos ir.   We couldn't go.

- *Deber* + infinitive = must do something
  Debe visitarla.   He/she/you should visit her.

- *Deber (de)* + infinitive = must (deduction)
  Debe de estar enamorado. He must be in love.

- *Tener que* + infinitive = have to do something
  Tuvimos que pagar.   We had to pay.

- *Hay que* + infinitive = have to do something
  This is also used to mean 'must' or 'have to' but in an impersonal sense:

¿Hay que pagar?	Do we/ does one/do you have to pay?

See Section 4.1.2 for the position of object pronouns with the infinitive.

5.2 *Participles and the Gerund*

The Spanish past participle, present participle ('-ing' form used as an adjective) and gerund ('-ing' form used as a noun) are as follows:

	Past Participle	Present Participle	Gerund
-ar verbs	-ado *cantado*	-ante *cantante*	-ando *cantando*
-er verbs	-ido *corrido*	-iente *corriente*	-iendo *corriendo*
			-yendo *cayendo*
-ir verbs	-ido *vivido*	-iente *viviente*	-iendo *viviendo*

5.2.1 Use of Participles and the Gerund

The past participle of many verbs can also be used as an adjective. In this case, it agrees with the noun:

Es una idea muy extendida hoy en día.	It's a very commonly held idea nowadays.

A few verbs have a special second form of the past participle which is only used as an adjective.

Present participles are far less common. They agree with the noun like other adjectives:

Hay agua corriente.	There is running water.
Los párrafos siguientes	The following paragraphs

The gerund is used only as a verb, never as an adjective, so its ending never changes. Remember that pronouns are joined to the end of the gerund (see 4.1.2):

Su madre estaba diciéndole que hiciera los deberes.	His mother was telling him to do his homework.

5.3 *Tenses of the Indicative*
5.3.1 The Simple Present Tense

- **Regular verbs**

The present indicative of regular verbs is formed by adding the following endings to the stem of the verb:

-ar verbs		-er verbs		-ir verbs	
	mirar		*comer*		*vivir*
-o	*miro*	-o	*como*	-o	*vivo*
-as	*miras*	-es	*comes*	-es	*vives*
-a	*mira*	-e	*come*	-e	*vive*
-amos	*miramos*	-emos	*comemos*	-imos	*vivimos*
-áis	*miráis*	-éis	*coméis*	-ís	*vivís*
-an	*miran*	-en	*comen*	en	*viven*

Other examples of common regular verbs are:
comprar, cantar, beber, temer, subir, partir

- **Verbs which change their spelling**

In order to keep the same sound as the infinitive throughout their various forms, some verbs have to change their spelling in accordance with the rules for spelling in Spanish. Here are some of the changes which occur in the present indicative:

from g to j (before a or o)
coger - to get, to catch:
(yo) cojo but *(tú) coges* etc.

from gu to g (before a or o)
extinguir - to extinguish
(yo) extingo but *(tú) extingues* etc

from c to z (before a or o)
mecer - to rock
(yo) mezo but *(tú) meces* etc.

from i to y (when unaccented and between vowels)
construir - to build
(yo) construyo but *(nosotros) construimos*.

from qu to c (before a or o)
delinquir - to commit an offence

(yo) delinco but (tú) delinques etc.

from gü to gu (before y)

    argüir - to argue

    (yo) arguyo but (nosotros) argüimos.

See page 196 for tables of spelling change verbs.

■ Radical-changing verbs

In radical-changing verbs (or 'stem change verbs'), the last vowel in the stem changes. This change affects all the forms of the present indicative except the 1st and 2nd person plural:

from e to ie

    empezar - to begin

    empiezo, empiezas etc. but empezamos, empezáis

from o to ue

    encontrar - to find/to meet

    encuentro, encuentras etc. but encontramos, encontráis

from e to i

    pedir - to ask for

    pido, pides but pedimos, pedís

See page 194 for tables of radical-changing verbs.

■ Irregular verbs

These vary in their degree of irregularity, some having only one irregular form and others being almost entirely irregular. The most common irregular verbs are:

Totally irregular:

ser - to be

soy	somos
eres	sois
es	son

ir - to go

voy	vamos
vas	vais
va	van

haber - to have

he	hemos
has	habéis
ha	han

Some verbs are irregular in the 1st person singular of the present indicative:

g added

    salir - to go out

    (yo) salgo, but (tú) sales etc.

c changes to g

    hacer - to do, to make

    (yo) hago, but (tú) haces etc.

ig added

    caer - to fall

    (yo) caigo but (tú) caes etc.

z added (verbs ending in -ecer, -ocer, -ucir)

    nacer - to be born

    (yo) nazco but (tú) naces etc.

See page 198 for tables of irregular verbs.

■ Use of the simple present

a To denote an action currently in progress:

    Leo un libro.   I am reading a book.

b To denote a regular or repeated action or a habit:

    Los miércoles visito a mi tía.   On Wednesdays I visit my aunt.

To express an action or state which began in the past and is still in progress (for which the perfect tense is used in English):

Vivo en Madrid desde hace diez años.	I have lived in Madrid for ten years.
No disfruto de la vida desde que ella me abandonó.	I haven't enjoyed myself since she left me.

c For dramatic effect or to give immediacy to a past event (this usage is called the historic present):

Abro la puerta y entro en la habitación. ¡De repente me dí cuenta de que no estoy solo!	I opened the door and went into the room. Suddenly, I realized that I was not alone!
En 1942, el gran actor encarna a Hamlet por primera vez.	In 1942, the great actor played Hamlet for the first time.

d To denote actions in the immediate future:

Esta tarde voy al cine.	This afternoon I am going to the cinema.

e As a milder alternative to the imperative:

Mañana vas a la tienda y te compras un regalo.	Tomorrow you're going to the shop and buying yourself a present.

5.3.2 The Present Continuous

This tense is formed from the present indicative of the verb *estar* + gerund. It is used in a similar way to its English equivalent ('to be' + -ing) but is less common.

The ordinary present can be used when there is no special emphasis on the continuity of the action:

    Leo una revista.

or:

Estoy leyendo una revista.	I am reading a magazine.

The present continuous should be used when such emphasis is required:

Estoy leyendo el informe y no puedo atender a nadie.	I'm (busy) reading the report (right now) and can't see anyone.

5.3.3 The Preterite Tense

Regular verbs

The preterite, or simple past tense, of regular verbs in formed by adding the following endings to the stem:

	-ar verbs		-er verbs		-ir verbs
	mirar		**comer**		**vivir**
-é	miré	-í	comí	-í	viví
-aste	miraste	-iste	comiste	-iste	viviste
-ó	miró	-ió	comió	-ió	vivió
-amos	miramos	-imos	comimos	-imos	vivimos
-asteis	mirasteis	-isteis	comisteis	-isteis	vivisteis
-aron	miraron	-ieron	comieron	-ieron	vivieron

■ Verbs which change their spelling

from c to qu (before e)

    sacar - to take out

    (yo) saqué but (tú) sacaste etc.

from u to ü (before e)

    averiguar - to find out

    (yo) averigüé but (tú) averiguaste etc.

from g to gu (before e)

pagar - to pay

(yo) pagué but *(tú) pagaste* etc.

from i to y (*caer, creer, leer, oir, -uir* verbs)

crecr - to believe

(yo) creí etc. but *(él) creyó, (ellos) creyeron*

from z to c (before e)

comenzar - to start

(yo) comencé but *(tú) comenzaste* etc.

from gü to gu (before y)

argüir - to argue

(yo) argüí etc. but *(él) arguyó, (ellos) arguyeron*

■ Radical-changing verbs

Verbs affected are those ending in *-ir* , in the 3rd person singular and plural:

from o to u

morir - to die   *murió, murieron*

from e to i

mentir - to lie   *mintió, mintieron*

■ Irregular verbs

The verbs *ser* (to be) and *ir* (to go) have the same irregular forms in the preterite tense:

fui	*fuimos*
fuiste	*fuisteis*
fue	*fueron*

Verbs with patterns similar to *ser* and *ir*:

dar	*dí*	*dimos*
	diste	*disteis*
	dio	*dieron*
ver	*vi*	*vimos*
	viste	*visteis*
	vio	*vieron*

A few verbs with irregular stems, endings in *-uv-* and unstressed endings in the 1st and 3rd person plural:

	andar	*estar*	*tener*
-uve	*anduve*	*estuve*	*tuve*
-uviste	*anduviste*	*estuviste*	*tuviste*
-uvo	*anduvo*	*estuvo*	*tuvo*
-uvimos	*anduvimos*	*estuvimos*	*tuvimos*
-uvisteis	*anduvisteis*	*estuvisteis*	*tuvisteis*
-uvieron	*anduvieron*	*estuvieron*	*tuvieron*

A larger group of verbs also with irregular stems and unstressed endings in the 1st and 3rd person plural:

haber - hube	*hacer - hice*
poder - pude	*querer - quise*
saber - supe	*venir - vine*

See page 198 for tables of irregular verbs.

■ Use of the preterite

The preterite is used:

a To denote actions or states started and completed in the past:

La semana pasada fui a Sevilla. Last week I went to Seville.

b To denote actions or states with a finite duration in the past:

Pasamos tres años en África. We spent three years in Africa.

5.3.4 The Imperfect

The imperfect tense is one of the simplest in Spanish. There are no radical-changing verbs or verbs with spelling changes, and there are only three irregular verbs.

■ Regular verbs

The imperfect is formed by adding the following endings to the stem:

-ar verbs		-er verbs		-ir verbs	
mirar		*comer*		*vivir*	
-aba	*miraba*	*-ía*	*comía*	*ía*	*vivía*
-abas	*mirabas*	*-ías*	*comías*	*ías*	*vivías*
-aba	*miraba*	*-ía*	*comía*	*ía*	*vivía*
-ábamos	*mirábamos*	*-íamos*	*comíamos*	*íamos*	*vivíamos*
-abais	*mirabais*	*-íais*	*comíais*	*íais*	*vivíais*
-aban	*miraban*	*-ían*	*comían*	*ían*	*vivían*

■ Irregular verbs

These verbs are irregular in the Imperfect tense:

ser	*ir*	*ver*
era	*iba*	*veía*
eras	*ibas*	*veías*
era	*iba*	*veía*
éramos	*íbamos*	*veíamos*
erais	*ibais*	*veíais*
eran	*iban*	*veían*

■ Use of the imperfect

a To set the scene or mood in a narrative:

Era primavera. It was springtime.

b To express duration over a long or indefinite period:

Esperaba una llamada. He was waiting for a call.

c To describe a continuous action or state in the past:

Juan leía el periódico. Juan was reading the newspaper.

d To denote a regular or repeated state or action in the past:

Cada semana, visitábamos a nuestra abuela y muchas veces íbamos al cine con ella. Every week we used to visit our grandmother and often we would go to the cinema with her.

e To describe an incomplete or interrupted action in the past:

Mientras me duchaba, sonó el teléfono. While I was having a shower, the phone rang.

f In polite requests:

Quería pedirte un favor. I'd like to ask you a favour.

5.3.5 The Imperfect Continuous

This tense is formed from the imperfect of *estar* + gerund.

Estabas buscando en el lugar equivocado. You were looking in the wrong place.

It is used to establish an action which was taking place when another action occurred:

Estaba haciendo la cena cuando empezó la tormenta. I was preparing dinner when the storm started.

5.3.6 The Perfect Tense

This is a compound tense, formed with the present tense of *haber* (called the auxiliary verb) and the past participle. These two components must never be separated. Pronouns are always placed before the verb, not the past participle:

Te lo han dicho muchas veces.	They have told you about it many times.

■ Regular past participles

-ar verbs	-er verbs	-ir verbs
mirar	**comer**	**vivir**
he mirado	*he comido*	*he vivido*
has mirado	*has comido*	*has vivido*
ha mirado	*ha comido*	*ha vivido*
hemos mirado	*hemos comido*	*hemos vivido*
habéis mirado	*habéis comido*	*habéis vivido*
han mirado	*han comido*	*han vivido*

■ Irregular past participles of irregular verbs

caer - caído	*dar - dado*
decir - dicho	*hacer - hecho*
leer - leído	*poner - puesto*
satisfacer - satisfecho	*traer - traído*
ver - visto	

■ Irregular past participles of otherwise regular verbs

abrir - abierto	*cubrir - cubierto*
escribir - escrito	*morir - muerto*
romper - roto	*volver - vuelto*

■ Verbs with two past participles

A few verbs have two past participles, one used with other verbs to form compound tenses and the other used as an adjective.

■ Use of the perfect tense

It usually corresponds to the English perfect tense:

¿Qué has hecho hoy?	What have you done today?
He ido de compras.	I have been shopping.

There are two important exceptions.

1 With expressions of time ('how long …') Spanish uses the present tense instead:

¿Cuánto hace que esperas?	How long have you been waiting?

2 To translate 'have just …' the present tense of '*acabar de …*' is used:

The bus has just arrived.	*El autobús acaba de llegar.*

5.3.7 The Pluperfect and Past Anterior

■ Pluperfect

This is formed with the imperfect of the auxiliary '*haber*' and the past participle of the verb. It translates 'had' + past participle.

había mirado	*habíamos mirado*
habías mirado	*habíais mirado*
había mirado	*habían mirado*

Just like the pluperfect in English, it describes an action or state which occurred before another past action:

Ellos ya habían comido cuando ella llegó.	They had already had lunch when she arrived.

The same two exceptions apply as for the Spanish perfect tense:

1 With expressions of time ('how long …') the imperfect tense is used instead:

¿Cuánto hacía que esperaba?	How long had you been waiting?

2 To translate 'had just …' the imperfect tense of *acabar de …* is used:

The bus had just arrived.	*El autobús acababa de llegar.*

■ Past Anterior

This tense is formed with the preterite of the auxiliary '*haber*' and the past participle:

hube mirado	*hubimos mirado*
hubiste mirado	*hubisteis mirado*
hubo mirado	*hubieron mirado*

Its use is similar to, but much rarer than, the pluperfect and it should be translated into English the same way. You may see it used after *Cuando…*:

Cuando hubo terminado, se fue a su habitación.	When he had finished, he went to his room.

You can avoid the use of the past anterior when translating into Spanish by using this adverb + preterite construction instead:

En cuanto terminó se fue a su habitación.	As soon as he (had) finished, he went to his room.

5.3.8 The Future Tense

There is only one set of endings to form the future tense. They are added to the stem as follows.

■ Regular verbs

	-ar verbs	-er verbs	-ir verbs
-é	*miraré*	*comeré*	*viviré*
-ás	*miraras*	*comerás*	*vivirás*
-á	*mirará*	*comerá*	*vivirá*
-emos	*miraremos*	*comeremos*	*viviremos*
-éis	*miraréis*	*comeréis*	*viviréis*
-án	*mirarán*	*comeran*	*vivirán*

■ Irregular verbs

Some verbs have irregular future forms but the irregularites are always in the stem, never in the endings:

hacer - to do, to make	*haré, harás* etc.
querer - to want	*querré, querrás* etc.
decir - to say	*diré, dirás* etc.
saber - to know	*sabré, sabrás* etc.
tener - to have	*tendré, tendrás* etc.

See Appendix 3 for tables of irregular Spanish verbs.

■ Use of the future tense

To talk about future actions or states:

Vendré a visitarte el lunes.	I'll pay you a visit on Monday.

To express an obligation:

No matarás.	You shall not kill.

To express assumption, probability or surprise:

Será que no le gusta el color rosa.	I suppose he doesn't like pink.

¿Qué querrá decir eso? | What on earth can that mean?
¡Será tonto! | He must be stupid!

Do not use the future tense to translate 'will' or 'shall' if the meaning is willingness or a request. Use the present tense of *querer* instead:

Will you open the door? | Quieres abrir la puerta?
She won't do anything. | No quiere hacer nada.

5.3.9 The Future Perfect
This tense is formed with the future form of the auxiliary *haber* and the past participle of the verb.

habré visto | habremos visto
habrás visto | habréis visto
habrá visto | habrán visto

Its usage is similar to the future perfect in English:

A las cuatro ya habré terminado los deberes. | I will have finished my homework by four o'clock.

5.3.10 The Conditional
The conditional is formed by adding one set of endings to the future stem, so all verbs with irregular future stems keep the same irregularities in the conditional tense.

	comer
-ía	comería
-ías	comerías
-ía	comería
-íamos	comeríamos
-íais	comeríais
-ían	comerían

■ **Use of the conditional**
To indicate a condition, whether stated or implied:

Si me lo pidiera, me iría con ella. | If she asked me, I would go with her.
¿Sería buena idea marcharnos de aquí? | Would it be a good idea to leave this place?

To refer to a future action expressed in the past:

Dijeron que volverían. | They said they would return.

To indicate assumption or probability in the past:

Serían las cuatro cuando llamó. | It must have been four o'clock when he phoned.

■ **Translation of 'would'**
Do not use the conditional tense to translate 'would' if the meaning is willingness or a request. Use the imperfect tense of *querer* instead:

He wouldn't open the door. | No quería abrir la puerta.

Do not use the conditional tense to translate 'would' if the meaning is a habitual action in the past (used to …). Use the imperfect tense of the verb or the imperfect tense of the verb *soler* and the infinitive of the verb:

We would visit our grandmother every week. | Solíamos visitar /visitábamos a nuestra abuela cada semana.

5.3.11 The Conditional Perfect
The conditional perfect tense is formed with the conditional of *haber* and the past participle of the verb.

habría mirado | habríamos mirado
habrías mirado | habríais mirado
habría mirado | habrían mirado

It translates the English 'would have (done)'. In Spanish it often occurs in the same sentence as the pluperfect subjunctive:

No lo habría tirado si hubiera conocido su valor sentimental. | I wouldn't have thrown it away had I known its sentimental value.

5.4 *The Subjunctive*
All the tenses studied so far belong to the indicative 'mood'. The subjunctive is not a tense, but another verbal mood. Although rare in English (e.g. 'If I were you …'), the subjunctive is used extensively in Spanish.

5.4.1 The Present Subjunctive
To form this tense, take the 1st person singular of the present indicative, remove the final 'o' and add the following endings:

-ar verbs		-er verbs		-ir verbs	
	mirar		*comer*		*vivir*
-e	mire	-a	coma	-a	viva
-es	mires	-as	comas	-as	vivas
-e	mire	-a	coma	-a	viva
-emos	miremos	-amos	comamos	-amos	vivamos
-éis	miréis	-áis	comáis	-áis	viváis
-en	miren	-an	coman	-an	vivan

■ **Verbs which change their spelling**
from g to j (before a or o)
coger - to get, to catch | coja, cojas etc.
from gu to g (before a or o)
extinguir - to extinguish | extinga, extingas etc.
from c to z (before a or o)
mecer - to rock | meza, mezas etc.
from i to y (when unaccented and between vowels)
construir - to build | construya, construyas etc.
from qu to c (before a or o)
delinquir - to commit an offence | delinca, delincas etc.
from z to c (before e)
cruzar - to cross | cruce, cruces etc.
from g to gu (before e)
pagar - to pay | pague, pagues etc.

■ **Radical-changing verbs**
These are the same as in the present indicative:
e becomes ie
empezar | empiece, empieces etc.
o becomes ue
encontrar | encuentre, encuentres etc.
e becomes i
pedir | pida, pidas etc.

■ **Irregular verbs**
Many verbs which are apparently irregular in the present subjunctive can be considered regular if you remember that their stem is the 1st person singular of the present indicative:

hacer (hago): haga, hagas etc.
tener (tengo): tenga, tengas etc.
caer (caigo): caiga, caigas etc.
nacer (nazco): nazca, nazcas etc.

Others have an irregular stem:
haber: haya, hayas etc. | ir: vaya, vayas etc.

For a more detailed list of irregular verbs, see page 198.

5.4.2 The Imperfect Subjunctive

There are two forms of the imperfect subjunctive. They are almost entirely interchangeable but the -ra form is more common and is sometimes also used as an alternative to the conditional tense.

To form either one, take the 3rd person plural of the the preterite, remove -ron and add the following endings.

■ **Regular verbs**

	-ar verbs	-er verbs	-ir verbs
	mirar	*comer*	*vivir*
-ra, -se	*mirara,*	*comiera,*	*viviera,*
	mirase	*comiese*	*viviese*
-ras, -ses	*miraras,*	*comieras,*	*vivieras,*
	mirases	*comieses*	*vivieses*
-ra, -se	*mirara,*	*comiera,*	*viviera,*
	mirase	*comiese*	*viviese*
-ramos, -semos	*miráramos,*	*comiéramos,*	*viviéramos,*
	mirásemos	*comiésemos*	*viviésemos*
-rais, -seis	*mirarais,*	*comierais,*	*vivierais,*
	miraseis	*comieseis*	*vivieseis*
-ran, -sen	*miraran,*	*comieran,*	*vivieran,*
	mirasen	*comiesen*	*viviesen*

■ **Spelling change, radical-changing and irregular verbs**
All irregularities in the imperfect and conditional subjunctives follow those in the 3rd person plural of the preterite. For more details of irregular verbs, see Appendix 3.

5.4.3 The Perfect and Pluperfect Subjunctives

The formation of these two tenses is straightforward. The perfect is formed with the present subjunctive of the auxiliary *haber* plus the past participle. The pluperfect is formed with the imperfect subjunctive of *haber* plus the past participle.

Perfect	Pluperfect
haya mirado	*hubiera/hubiese mirado*
hayas mirado	*hubieras/hubieses mirado*
haya mirado	*hubiera/hubiese mirado*
hayamos mirado	*hubiéramos/hubiésemos mirado*
hayáis mirado	*hubierais/hubieseis mirado*
hayan mirado	*hubieran mirado*

5.4.4 Use of the Subjunctive

The subjunctive is used very widely in Spanish. It is required after verbs of emotion, verbs expressing desires or doubts and verbs giving commands or advice. It is also used in a range of impersonal expressions and when talking about the future.

To influence others (*querer, permitir, mandar, ordenar, prohibir, impedir*):

| *Quiero que vengas a mi casa.* | I want you to visit my house. |
| *No permitas que lo sepan.* | Don't allow them to find out. |

To express personal preferences, likes, dislikes (*gustar, odiar, disgustar, alegrarse, parecer*):

| *No me gusta que te comas las uñas.* | I don't like you biting your nails. |

To convey feelings of hesitation, fear or regret (*dudar, temer, sentir, esperar*):

| *Siento que hayas tenido que esperar tanto.* | I am sorry you've had to wait for so long. |

To express doubts and tentative possibilities:

| *Puede que lo hayan cambiado de lugar.* | It's possible that they've put it somewhere else. |

In various impersonal expressions after adjectives (*importante, posible, necesario, imprescindible, preferible*):

| *Es importante que los niños coman verduras.* | It's important that young children eat vegetables. |

After expressions indicating purpose - 'so that ...', 'in order to ...' (*para que, con tal que, a fin de que, con el propósito de que*):

| *Ayer fue a la costurera para que le tomaran las medidas.* | Yesterday she went to the dressmaker's to be measured. |

After expressions introducing a future action (*cuando, antes de que, en cuanto, mientras, tan pronto como, hasta que, después de que, una vez que, así que*):

| *Cuando te hayas terminado la cena* | When you've finished your supper |

After expressions implying concessions or conditions - 'provided that ...', 'unless ...' (*siempre que, en vez de que, con tal de que, a condición de que, de modo que, de manera que, en [el] caso de que, a menos que, a no ser que, sin que*):

| *Vendrás conmigo siempre que me prometas que te comportarás.* | You can come with me as long as you promise me that you'll behave. |

After *ojalá*:

| *Ojalá que haga sol el día de la boda.* | I do hope it will be sunny on the day of the wedding. |

In certain set phrases:

pase lo que pase	come what may
digan lo que digan	whatever they may say
sea como sea	one way or another

After words ending in -*quiera* (= '-ever'):

| *Cualquiera que haya estudiado matemáticas sabe cómo calcularlo.* | Anyone who has studied maths knows how to work it out. |

■ **Negative sentences**
Verbs of thinking, believing and saying which are followed by the indicative when positive, take the subjunctive instead when the meaning is negative. This is because of the greater element of doubt or uncertainty:

| *Creo que lo consigue.* | I think he'll make it. |
| *No creo que lo consiga.* | I don't think he'll make it. |

■ **Sequence of tenses in the subjunctive**
This table shows which tense to use when a negative sentence requires the subjunctive.

Indicative	Subjunctive
Creo que lo consigue (Present)	*No creo que lo consiga* (Present)
Creo que lo conseguirá (Future)	*No creo que lo consiga* (Present)
Creo que lo consiguió (Preterite)	*No creo que lo consiguiera* (Imperfect)

Creí que lo conseguía (Imperfect)

Creía que lo consiguiera (Conditional)

Creo que lo ha conseguido (Perfect)

Creo que lo habrá conseguido (Future Perfect)

Creía que lo había conseguido (Pluperfect)

Creía que lo habría conseguido (Conditional Perfect)

No creí que lo consiguiera (Imperfect)

No creía que lo conseguiría (imperfect)

No creo que lo haya conseguido (Perfect)

No creo que lo haya conseguido (Perfect)

No creía que lo hubiera conseguido (Pluperfect)

No creía que lo hubiera conseguido (Pluperfect)

- **If I were …, If I had … + past participle**

These English structures can be translated using the corresponding tense in Spanish.

a 'If I were …' is translated by the imperfect subjunctive:

If I were to win the lottery, I would go to the Bahamas.   *Si ganara la lotería, me iría a las Bahamas.*

b 'If I had …' + past participle is translated by the pluperfect subjunctive:

If I had known, I wouldn't have gone to the meeting.   *Si lo hubiera sabido, no habría ido a la reunión.*

5.5 *The Imperative*

This is the form of the verb used to give orders and commands (you), to express 'let's …' (we) and 'may he/she/they …' or 'let him/her/them …' (3rd person forms). It is relatively easy to form because it is almost identical to the present subjunctive.

- **Positive imperative**

To make the *tú* form, remove the final *s* from the present indicative *tú* form. To make the *vosotros* form, remove the final *r* from the infinitive and add *d*. All the other forms are the same as the present subjunctive:

(tú)	*¡Corre!*	Run!
(él, ella)	*¡Corra!*	Let him/her run!
(usted)	*¡Corra!*	Run!
(nosotros)	*¡Corramos!*	Let's run!
(vosotros)	*¡Corred!*	Run!
(ellos, ellas)	*¡Corran!*	Let them run!
(ustedes)	*¡Corran!*	Run!

- **Negative imperative**

The negative forms are all the same as the present subjunctive:

(tú)	*¡No corras!*	Don't run!
(él, ella)	*¡No corra!*	Don't let him/her *run!*
(usted)	*¡No corra!*	Don't run!
(nosotros)	*¡No corramos!*	Don't let's run!
(vosotros)	*¡No corráis!*	Don't run!
(ellos, ellas)	*¡No corran!*	Don't let them run!
(ustedes)	*¡No corran!*	Don't run!

- **Irregular verbs - tú form**

decir - di	*hacer - haz*
ir - ve	*poner - pon*
salir - sal	*ser - sé*
tener - ten	*venir - ven*

- **Imperatives with object pronouns**

Remember that object pronouns must be attached to the end of the positive imperative but must precede the negative imperative. See Section 4.1.2 for details.

Two points to note are:

1 The 'nosotros' form drops the final 's' when the reflexive pronoun 'nos' is added:

levantemos + nos = levantémonos

2 The 'vosotros' form drops the final *d* when the reflexive pronoun *os* is added:

levantad + os = levantaos

The only exception to this is *idos* from the verb *irse* (to go away).

- **Use of the infinitive for commands**

Remember that the infinitive is used instead to express impersonal negative commands:

No fumar.   Do not smoke.

5.6 *Reflexive Verbs*

The subject of a reflexive verb is also its direct object. To form a reflexive verb the reflexive pronoun is used. It is attached to the end of the infinitive, gerund and positive imperative and is placed before other forms. See Section 4.1 for a list of the reflexive pronouns.

Some verbs are only used reflexively when they express a true reflexive meaning (action to oneself):

Me vestí.   I dressed myself. (reflexive)

but:

Vistió a la niña.   She dressed the little girl. (non-reflexive)

Nos hicimos mucho daño. (reflexive)   We hurt ouselves badly.

but:

Hicimos daño a Maria.   We hurt Maria. (non-reflexive)

Some verbs modify their meaning when they are made reflexive:

casar to marry (off)	*casarse* to get married
dormir to sleep	*dormirse* to fall asleep
llevar to carry, to wear	*llevarse* to take away

A few verbs are always reflexive in form although they have no true reflexive meaning:

atreverse to dare	*fugarse* to escape
quejarse to complain	

- **Reciprocal meaning**

You can also use the reflexive form to translate 'each other':

Nos escribimos.   We write to each other.

- **Passive meaning**

The reflexive pronoun *se* is often used in Spanish as an alternative to the passive (see Section 5.7 below).

5.7 *The Passive*

The sentences so far have all been 'active': the subject of the verb performs the action and the direct object receives this action (e.g. That boy broke the window). In a passive sentence it is the grammatical subject which receives the action of the verb (e.g. The window was broken by that boy). Forming the passive in Spanish is simple because the structure is the same as in English: use the appropriate form of *ser* (to be) plus the past participle and put the doer or 'agent' if any (here: the boy) after *por* (by).

Some passive sentences have an agent:

La ley fue abolida por el Parlamento.   The law was abolished by Parliament.

189

Others do not:

La carretera fue asfaltada	The road was asphalted
la semana pasada.	last week.

Hovewer, the passive is used far less in Spanish than in English. There are various preferred alternatives to express a passive meaning:

a Make the verb active but rearrange the words in order to keep the same emphasis:

La puerta la abrió mi madre.

(Notice that a direct object pronoun is required.)

b Use the reflexive pronoun *se* - this is a frequently used construction, especially in announcements and notices:

Se habla español.	Spanish spoken.

Avoid this use if it would cause any ambiguity:

La cuerda se rompió.

would imply:

The rope broke (unaided, nobody caused it to happen).

c Use an unspecified 3rd person plural, just like the English equivalent:

Dicen que tiene mucho	They say he has a lot of money.
dinero.	

5.8 *Ser and Estar*

Both these verbs mean 'to be' so it is important to use them correctly. Although there are some grey areas, in general there are clear distinctions in their areas of usage.

5.8.1 Ser

■ **Ser is used:**

With adjectives and adjectival phrases to indicate inherent or permanent characteristics:

Pedro es alto.	Pedro is tall.
La nieve es blanca.	Snow is white.
Estos zapatos son de cuero.	These shoes are made of leather

To indicate ownership, nationality, religion and occupation:

Este libro es mío.	This book is mine.
Iván es colombiano:	Iván is Columbian:
es de Bogotá.	he's from Bogotá.
Ella es musulmana.	She's a muslim.
Mi padre es profesor.	My father is a teacher.

With the past participle to form the passive (see Section 5.7 on The Passive).

In expressions of time:

Son las ocho de la tarde.	It's eight o'clock in the evening.
Era invierno.	It was wintertime.

In impersonal expressions:

Es necesario que …	It is necessary that …
Es posible que …	It is possible that …

5.8.2 Estar

■ **Estar is used:**

With adjectives to express temporary states and conditions:

Esta falda está sucia.	This skirt is dirty.
Inés estaba triste.	Inés was sad.
but	
Cuando era pequeño	When I was little.

To indicate position and geographical location:

Está en la cocina.	He's in the kitchen.
Madrid está en España.	Madrid is in Spain.

With the gerund to form continuous tenses:

Estaba tocando la guitarra.	He was playing the guitar.
Estaré esperándote.	I will be waiting for you.

With participles to indicate a state:

Está rodeado de gente	He is surrounded by people he
que no conoce.	doesn't know.

Some adjectives can be used with either *ser* and *estar* with different nuances:

Ramón es elegante.	Ramón is an elegant man.
Ramón está elegante.	Ramón looks elegant (tonight).

Some adjectives have clearly different meanings when used with *ser* or *estar*:

	with ser	with estar
aburrido	boring	bored
bueno	good, tasty (food)	well, healthy
cansado	tiring, tiresome	tired
interesado	self-centered	interested
listo	clever	ready
malo	bad	ill, gone off (food)
nuevo	newly made or acquired,	unused, in good condition
vivo	lively	alive

6 *Miscellaneous*

6.1 *Prepositions*

Prepositions are placed before nouns or pronouns and link them to other parts of the sentence.

Spanish prepositions include:

a, ante, bajo, con, contra, de, desde, en, entre, hacia, hasta, para, por, según, sin, sobre, tras.

Although some prepositions are straightforward to translate into English, others can cause difficulty. Here are some of the commonest ones and their uses:

■ a

direction or movement
Voy a Sevilla.	I am going to Seville.

a specific point in time
A las nueve de la noche	At nine o'clock in the evening

a place where …
Me esperaba a la puerta del cine.	He was waiting for me at the entrance to the cinema.

■ en

movement into
Entraba en la sala.	She was coming into the room.

a place in which …
Estoy en la oficina.	I am in the office.

a period of time
En el verano	In the summer

Remember that the days of the week and dates do not need prepositions:

Te veré el lunes.	See you on Monday.
Iremos el catorce de julio.	We'll go on the 14th of July.

■ sobre

position - on
El libro está sobre la mesa.	The book is on the table.

position - above
Hay pájaros volando sobre el tejado.	There are birds flying over the roof.

about (concerning)
Escribe sobre problemas sociales.	She writes about social problems.

about (approximately)
Llegaremos sobre las diez.	We'll arrive about ten.

en can also mean 'on' (e.g. *en la mesa*) but *sobre* is often preferable because it is more precise. Another meaning of *sobre* is 'on top of' but then *encima* is a common alternative.

■ de

possession
el amigo de Rosa	Rosa's friend

material or content
la mesa de madera	the wooden table
una clase de matemáticas	a maths lesson

profession
Trabaja de enfermera.	She works as a nurse.

part of a group
Muchos de ellos	Many of them

origin *Es de Barcelona.* He's from Barcelona.

time (in certain expressions)
La ciudad de noche	The city by night
De buena mañana	Early on in the day

with superlatives
El mejor bar de la ciudad	The best bar in the city

■ ante, delante de

These can both mean 'before' but not in the sense of time, for which *antes* is used:

Su defensa ante el jurado	His defence before the jury
No fuma delante de sus padres.	He doesn't smoke in front of his parents.

■ bajo, debajo de

Debajo de and *bajo* can both be used to mean 'under' or 'below' literally. Only *bajo* can be used to mean 'under' in a figurative sense:

Entiendo tu posición bajo tales circunstancias.	I understand your position under such circumstances.

■ desde

point in time from which …
Desde hoy hasta el miercoles	From today till next Wednesday

point in space from which …
Desde mi casa a la tuya hay cinco kilómetros.	It's five kilometres from my house to yours.

6.1.1 Personal 'a'

When a definite person or domestic animal is the direct object in a Spanish sentence, the so-called personal 'a' must be placed immediately before it:

¿Has visto a mi hermano?	Have you seen my brother?
Busco a mi perra, Negrita.	I am looking for my dog, Negrita.

but:
Busco una niñera para mis hijos.	I am looking for a nanny for my children.
(She is as yet unspecified.)	

Exception: personal *a* is not used after *tener*:
Tenemos tres hijos.	We have three children.

6.1.2 Por and Para

Although these two prepositions can both translate 'for' in different contexts, they each have a range of usage and care must be taken to distinguish between them.

■ por

'for' after certain verbs, 'through', 'on behalf of', 'about', 'by', 'because of', *per*.

place along/through which
Pasea por la calle.	He walks along the street.
Fue por el túnel principal.	It went through the main tunnel.

time during which
Pasamos por unos momentos muy difíciles.	We went through some very difficult times.
por la noche	during the night

approximate place

Su casa está por la parte norte de la ciudad. — Her house is somewhere in the northern part of the city.

approximate time

por junio — around June

way in which

por correo aéreo — by airmail

¡Cógelo por los pies! — Grab him by his feet!

with the passive

roto por unos gamberros — broken by some vandals

in certain expressions

por lo general — by and large

por fin — finally

■ **para**

'for' in most cases, 'in order to', 'by the time ...'

purpose, destination

Esto es para usted. — This is for you.

Sirve para cortar papel. — It's for cutting paper.

in order to

Limpió el parabrisas para ver mejor. — He cleaned the windscreen so that he could see better.

future time

Estará listo para la hora de marchar. — It will be ready by the time we leave.

6.2 *Pero and Sino*

Both words translate 'but' and *pero* is by far the more common. *Sino* or *sino que* are only used as follows.

After a negative, when the following statement clearly contradicts the negative one:

No fui yo quien rompió el cristal sino ella. — It wasn't me who broke the glass but her.

No es tímido, sino aburrido. — He isn't shy, he's boring.

En realidad no me gusta nadar, sino tomar el sol en la playa — Actually, it's not swimming that I like, but sunbathing on the beach.

When two sentences, each with a finite verb, are linked in this way, *sino que* is used instead:

No sólo le insultó sino que además intentó pegarle. — He not only insulted him but also tried to hit him.

(In the previous example '... *no me gusta nadar, sino tomar el sol ...*', there is only one finite verb, *gusta*; *tomar* is an infinitive.)

6.3 *Numerals*
6.3.1 Cardinal Numbers (1, 2, 3 ...)

For shortened forms of cardinals and numerals, see Section 2.2. Remember that in Spanish you use a comma instead of a dot with decimals and a dot instead of a comma to separate thousands.

cero	0	treinta y uno	31
diez	10	cuarenta	40
quince	15	cincuenta	50
dieciséis	16	sesenta	60
veinte	20	setenta	70
veintidós	22	ochenta	80
veintitrés	23	noventa	90
veintiséis	26	cien(to)	100
treinta	30	ciento uno/a	101

ciento dieciséis	116	setecientos/as	700
ciento treinta y dos	132	ochocientos/as	800
doscientos/as	200	novecientos/as	900
trescientos/as	300	mil	1000
cuatrocientos/as	400	diez mil	10.000
quinientos/as	500	cien mil	100.000
seiscientos/as	600	un millón	1.000.000

■ **Notes on cardinal numbers**

Note the accents on *dieciséis, veintidós, veintitrés* and *veintiséis*.

1

Uno becomes *un* before all masculine nouns, even in compound numbers:

cuarenta y un billetes

una is used before all feminine nouns, even in compound numbers:

veintiuna pesetas

100

Cien is the form used before any noun or before another larger number:

cien hombres   *cien mil hombres*

Ciento is the form used before another smaller number:

ciento tres

There is no feminine form of *ciento*.

Multiples of *ciento* agree in gender with the noun they refer to:

doscientos kilos   *doscientas pesetas*

The same applies to compounds:

novecientas mil personas

1000

Mil is invariable. The plural (*miles*) is only used to mean 'thousands of' and must be followed by *de*.

100000

Millón is a noun so must be preceded by *un* in the singular:

un millón de pesetas, de personas, de árboles etc.

6.3.2 Ordinal Numbers (1st, 2nd, 3rd ...)

primero	first	séptimo	seventh
segundo	second	octavo	eighth
tercero	third	noveno	ninth
cuarto	fourth	décimo	tenth
quinto	fifth	undécimo	eleventh
sexto	sixth	duodécimo	twelfth
		vigésimo	twentieth

Ordinals are adjectives and so must agree in number and gender with the noun they accompany, e.g. *la quinta vez* ('the fifth time'). They are often written in abbreviated form, by adding 'o' (masculine) or 'a' (feminine) after the digit: *1o.* or *1°, 2a.* or *2ª*.

Remember that *primero* and *tercero* lose the final *o* before a masculine singular noun.

Ordinals beyond 12 are rarely used, the cardinal numbers being preferred (*el siglo veinte* instead of *el vigésimo siglo*). Ordinals are not used with days of the month, with the exception of the first day (*el primero de febrero* but *el dos de julio, el treinta de abril* etc.).

6.4 *Suffixes - Diminutives, Augmentatives and Pejoratives*

Adding suffixes to alter the meaning of words (usually nouns) is an important feature of Spanish, especially the spoken language. As well as simply indicating size, the augmentatives and diminutives often convey particular nuances and so should be used with care by non-native speakers.

Some words which appear to be diminutives or augmentatives of other words are actually words in their own right. For example, *bolsillo*, although literally a small *bolso* (bag), is the ordinary Spanish word for 'pocket'.

These suffixes are added to the end of nouns, adjectives and some adverbs, after removing any final vowel. Some require spelling changes, such as z to c before e.

■ Diminutives
-ito/a, *-cito/a*, *-cecito/a* - suggest affection on the part of the speaker:

¡Qué piececitos tiene el bebé!	What (perfect) little feet the baby has!
(pies = feet)	

-(c)illo/a:

¿No tendrán un papelillo para mí en la obra?	Wouldn't they have just a little part for me in the play?
(papel = role)	

■ Augmentatives
-azo/aza, *-ón/ona*, *-ote/ota*

hombrazo	great big man
(hombre = man)	
novelón	big novel
(novela = novel)	
grandote	huge
(grande = big)	

■ Pejoratives
-uco/a, *-ucho/a*, *-uzo/a*

gentuza	riff-raff, scum
(gente = people)	

6.5 *Stress and Accents*

A written accent is used in Spanish for two main reasons: either to mark the spoken stress on a word which does not conform to the normal rules for stress in Spanish, or to differentiate between two identical forms of the same word with different meanings or functions.

■ The normal rules for spoken stress are:

Words ending in a vowel, *-n* or *-s* are stressed on the last syllable but one.

All other words (i.e. ending in a consonant except for *-n* or *-s* and including *-y*) are stressed on the last syllable.

Any words not conforming to these rules must have the stress marked by a written accent. This includes words which end in a stressed vowel, *-n* or *-s*:

> *mamá, camión, melón, café, cafés*

It also includes words ending in a consonant other than *-n* or *-s* which are stressed on the last syllable but one:

> *árbol, lápiz, mártir, débil*

Words in which the stress falls two or more syllables from the end must also be accented:

> *espárrago, pájaro, relámpago, sábado*

Words of one syllable do not require an accent to indicate where the spoken stress falls.

■ Vowels in syllables
Some syllables in Spanish contain two vowels. The normal position for the spoken stress in these syllables is on the 'strong' vowel (a, e or o) or on the second vowel if both are 'weak' (i or u). (Two strong vowels together are considered to be separate syllables.) If a word does not conform to these rules, a written accent is required:

> *tenía, país, oído*

The normal rules mean that some words which require an accent in the singular do not require one in the plural because a syllable is added. This applies to all words ending in '*-ión*':

elección - elecciones	*avión - aviones*

Other words need to add a written accent in the plural although they do not require one in the singular:

> *examen - exámenes*

■ Accent used to differentiate meaning
This is the other usage of the written accent in Spanish. Here is a table of accented and unaccented words:

el	the (definite article)	*él*	he (pronoun)
tu	your	*tú*	you (subject pronoun)
mi	my	*mí*	me (prepositional pronoun)
si	if	*sí*	yes / himself etc (prepositional pronoun)
mas	but	*más*	more
se	himself etc (reflexive pronoun)	*sé*	I know
de	of	*dé*	give (present subjunctive of dar)
te	you (pronoun)	*té*	tea
aun	even (= incluso)	*aún*	still, yet (= todavía)
solo	alone	*sólo*	only (= solamente)

Interrogatives, exclamatives and demonstrative pronouns are also accented, as described in the relevant sections.

Radical-changing Verbs and Spelling change Verbs

Radical-changing Verbs

a Group 1 -AR and **-ER** verbs

e changes to **ie**
o changes to **ue** ⎫ when the stress is on the stem
u changes to **ue** ⎭

Forms affected: present indicative and subjunctive, except 1st and 2nd person plural.

pensar   to think   *encontrar*   to find   *jugar**   to play

present indicative	present subjunctive	present indicative	present subjunctive	present indicative	present subjunctive
p*ie*nso	p*ie*nse	enc*ue*ntro	enc*ue*ntre	j*ue*go	j*ue*gue
p*ie*nsas	p*ie*nses	enc*ue*ntras	enc*ue*ntres	j*ue*gas	j*ue*gues
p*ie*nsa	p*ie*nse	enc*ue*ntra	enc*ue*ntre	j*ue*ga	j*ue*gue
pensamos	pensemos	encontramos	encontremos	jugamos	juguemos
pensáis	penséis	encontráis	encontréis	jugáis	juguéis
p*ie*nsan	p*ie*nsen	enc*ue*ntran	enc*ue*ntren	j*ue*gan	j*ue*guen

*Jugar is the only verb where **u** changes to **ue**.

b Group 2 -IR verbs

i   e changes to **ie** ⎫ as in Group 1 above
     o changes to **ue** ⎭

ii   e changes to **i** ⎫ before **ie**, **ió**, or stressed **a**
     o changes to **u** ⎭

Forms affected: present participle; 3rd person singular and plural preterite; 1st and 2nd person plural present subjunctive; imperfect and conditional subjunctive throughout.

preferir   to prefer   *dormir*   to sleep

present participle: *prefiriendo*   present participle: *durmiendo*

present indicative	present subjunctive	preterite	present indicative	present subjunctive	preterite
pref*ie*ro	pref*ie*ra	preferí	d*ue*rmo	d*ue*rma	dormí
pref*ie*res	pref*ie*ras	preferiste	d*ue*rmes	d*ue*rmas	dormiste
pref*ie*re	pref*ie*ra	pref*i*rió	d*ue*rme	d*ue*rma	d*u*rmió
preferimos	pref*i*ramos	preferimos	dormimos	d*u*rmamos	dormimos
preferís	pref*i*ráis	preferisteis	dormís	d*u*rmáis	dormisteis
pref*ie*ren	pref*ie*ran	pref*i*rieron	d*ue*rmen	d*ue*rman	d*u*rmieron

imperfect subjunctive	conditional subjunctive	imperfect subjunctive	conditional subjunctive
pref*i*riese, etc.	pref*i*riera, etc.	d*u*rmiese, etc.	d*u*rmiera, etc.

c Group 3 -IR verbs

e changes to **i**
o changes to **u***   when the stress is on the stem and before **ie**, **ió** or stressed **a**

*There are no common verbs in this category.

Forms affected: present participle; present indicative, except 1st and 2nd person plural; 3rd person singular and plural preterite; present, imperfect and conditional subjunctive throughout.

pedir   to ask for
present participle: *pidiendo*

present indicative	present subjunctive	preterite	imperfect subjunctive	conditional subjunctive
pido	*pida*	*pedí*	*pidiese*, etc.	*pidiera*, etc.
pides	*pidas*	*pediste*		
pide	*pida*	*pidió*		
pedimos	*pidamos*	*pedimos*		
pedís	*pidáis*	*pedisteis*		
piden	*pidan*	*pidieron*		

d Other common radical-changing verbs

Some of these have spelling changes too – these are explained under Spelling Change Verbs, in the paragraphs indicated in brackets below.

Group 1

acordar	to agree	*acordarse*	to remember	*acostar*	to put to bed
acostarse	to go to bed	*almorzar (b)*	to have lunch	*anhelar*	to long for
apostar	to bet	*aprobar*	to approve, pass (exam)	*atender*	to attend to
atravesar	to cross	*cerrar*	to shut	*colgar (g)*	to hang
comenzar (b)	to begin	*contar*	to tell a story	*costar*	to cost
defender	to defend	*deshelar*	to thaw	*despertar(se)*	to wake up
devolver	to give back	*empezar (b)*	to begin	*encender*	to light up
entender	to understand	*envolver*	to wrap up	*extender*	to extend
gobernar	to govern	*helar*	to freeze	*jugar (g)*	to play
llover	to rain	*morder*	to bite	*mostrar*	to show
mover	to move	*negar (g)*	to deny	*negarse (g)*	to refuse
nevar	to snow	*oler*	(o changes to hue) to smell	*perder*	to lose
probar	to try, prove	*recordar*	to remember	*regar (g)*	to request
resolver	to solve	*reventar*	to explode	*sentar*	to seat
sentarse	to sit down	*soler*	to be accustomed to	*sonar*	to sound, ring (bells)
soñar	to dream	*temblar*	to tremble, shake	*tentar*	to attempt
torcer (d)	to twist	*tropezar (b)*	to stumble	*verter*	to pour, spill
volar	to fly	*volver*	to return		

Group 2

advertir	to warn	*consentir*	to agree	*divertir*	to amuse
divertirse	to enjoy oneself	*hervir*	to boil	*mentir*	to lie
morir	to die	*preferir*	to prefer	*referir(se)*	to refer
sentir(se)	to feel				

Group 3

conseguir	to obtain	*corregir*	to correct	*despedir*	to dismiss
despedirse	to say goodbye	*elegir*	to choose, elect	*freír*	to fry
gemir	to groan	*impedir*	to prevent	*perseguir (j)*	to pursue, chase
reñir	to scold	*repetir*	to repeat	*seguir (j)*	to follow
vestir(se)	to dress				

Spelling change Verbs

a -car
c changes to **qu** before **e**
Forms affected: 1st person singular preterite; all of present subjunctive.

buscar to look for

preterite:	bus**qu**é
present subjunctive:	bus**qu**e, etc.

b -zar
z changes to **c** before **e**
Forms affected: 1st person singular preterite; all of present subjunctive.

cruzar to cross

preterite:	cru**c**é
present subjunctive:	cru**c**e, etc.

c -quir
qu changes to **c** before **a** or **o**
Forms affected: 1st person singular present indicative; all of present subjunctive.

delinquir to commit an offence

present indicative:	delin**c**o
present subjunctive:	delin**c**a, etc.

d consonant + -cer, -cir
c changes to **z** before **a** or **o**
Forms affected: 1st person singular present indicative; all of present subjunctive.

vencer to defeat

present indicative:	ven**z**o
present subjunctive:	ven**z**a, etc.

e -gar
g changes to **gu** before **e**
Forms affected: 1st person singular preterite, all of present subjunctive.

pagar to pay

preterite:	pa**gu**é
present subjunctive:	pa**gu**e, etc.

f -guar
gu changes to **gü** before **e**
Forms affected: 1st person singular preterite; all of present subjunctive.

averiguar to find out

preterite:	averi**gü**é
present subjunctive:	averi**gü**e, etc.

g -ger, -gir
g changes to **j** before **a** or **o**
Forms affected: 1st person singular present indicative; all of present subjunctive.

proteger to protect

present indicative:	prote**j**o
present subjunctive:	prote**j**a, etc.

h -guir
gu changes to **g** before **a** or **o**
Forms affected: 1st person singular present indicative; all of present subjunctive.

distinguir to distinguish

present indicative:	distin**g**o
present subjunctive:	distin**g**a, etc.

i -uir (other than -**guir** and -**quir** above)
i changes to **y** when unaccented and between two or more vowels

construir to build

present participle:	constru**y**endo
past participle:	construido
present indicative:	constru**y**o, constru**y**es, constru**y**e, construimos, construís, constru**y**en
imperfect:	construía, etc.
future:	construiré, etc.
conditional:	construiría, etc.
preterite:	construí, construiste, constru**y**ó, construimos, construisteis, constru**y**eron
present subjunctive:	constru**y**a, etc.
imperfect subjunctive:	constru**y**es, etc.
conditional subjunctive:	constru**y**era, etc.
imperative:	constru**y**e (tú), construid (vosotros)

j -güir
i changes to **y** as above (i)
gü changes to **gu** before **y**

argüir to argue

present participle:	ar**guy**endo
past participle:	argüido
present indicative:	ar**guy**o, ar**guy**es, ar**guy**e, argüimos, argüís, ar**guy**en
imperfect:	argüía, etc.
future:	argüiré, etc.
conditional:	argüiría, etc.
preterite:	argüí, argüiste, ar**guy**ó, argüimos, argüisteis, ar**guy**eron
present subjunctive:	ar**guy**a, etc.
imperfect subjunctive:	ar**guy**ese, etc.
conditional subjunctive:	ar**guy**era, etc.
imperative:	ar**guy**e (tú), argüid (vosotros)

k -eer
i becomes accented whenever stressed
unaccented **i** changes to **y**
Forms affected: participles; imperfect; preterite; imperfect and conditional subjunctive.

creer to believe

present participle:	*creyendo*
past participle:	*creído*
imperfect:	*creía*, etc.
preterite:	*creí, creíste, creyó, creímos, creísteis, creyeron*
imperfect subjunctive:	*creyese*, etc.
conditional subjunctive:	*creyera*, etc.

l -llir, -ñer, -ñir
unstressed **i** is dropped when it follows **ll** or **ñ**
Forms affected: present participle; 3rd person singular and plural preterite; all of imperfect and conditional subjunctive.

bullir to boil   *gruñir* to groan

present participle:	*bullendo*	*gruñendo*
preterite:	*bulló, bulleron*	*gruñó, gruñeron*
imperfect subjunctive:	*bullese*, etc.	*gruñese*, etc.
conditional subjunctive:	*bullera*, etc.	*gruñera*, etc.

m -iar, -uar (*but not* **-cuar, -guar**)
Some of these verbs are stressed on the **i** or **u** when the stress is on the stem.
Forms affected: present indicative and subjunctive except 1st and 2nd persons plural.

enviar to send

present indicative:	*envío, envías, envía, enviamos, enviáis, envían*
present subjunctive:	*envíe, envíes, envíe, enviemos, enviéis, envíen*

continuar to continue

present indicative:	*continúo, continúas, continúa, continuamos, continuáis, continúan*
present subjunctive:	*continúe, continúes, continúe, continuemos, continuéis, continúen*

Other common verbs in this category:

criar	to bring up, raise
guiar	to guide
enfriar	to cool down
liar	to tie
espiar	to spy on
situar	to situate
vaciar	to empty
esquiar	to ski
variar	to vary
fiar	to trust
actuar	to act
efectuar	to carry out

Common verbs NOT in this category:

anunciar	to announce
estudiar	to study
apreciar	to appreciate
financiar	to finance
cambiar	to change
limpiar	to clean
despreciar	to despise
negociar	to negotiate
divorciar	to divorce
odiar	to hate
envidiar	to envy
pronunciar	to pronounce

n The **i** or **u** of the stem of the following verbs is accented as above (see Section 6.5 on Stress and Accents).

aislar	to isolate
reunir	to reunite
prohibir	to prohibit
rehusar	to refuse

present indicative:	*aíslo, aíslas, aísla, aislamos, aisláis, aíslan*
present subjunctive:	*aísle, aísles, aísle, aislemos, aisléis, aíslen*
present indicative:	*reúno, reúnes, reúne, reunimos, reunís, reúnen*
present subjunctive:	*reúna, reúnas, reúna, reunamos, reunáis, reúnan*

Irregular Verbs

Verb forms in bold are irregular. Where only the 1st person singular form of a tense is shown, it provides the pattern for all the other forms and the endings are regular. See 5.3.4 for the formation of the Imperfect Tense, 5.3.8 for the formation of the Future Tense and 5.3.10 for the formation of the Conditional Tense.

infinitive present participle past participle	present indicative	imperfect	future	conditional	preterite	present subjunctive	imperfect subjunctive	conditional subjunctive	imperative
andar to walk andando andado	regular	regular	regular	regular	**anduve** **anduviste** **anduvo** **anduvimos** **anduvisteis** **anduvieron**	regular	**anduviese**	**anduviera**	regular
caber to fit cabiendo cabido	**quepo** cabes cabe cabemos cabéis caben	cabía	**cabré**	**cabría**	**cupe** **cupiste** **cupo** **cupimos** **cupisteis** **cupieron**	**quepa** **quepas** **quepa** **quepamos** **quepáis** **quepan**	**cupiese**	**cupiera**	cabe
caer to fall cayendo caído	**caigo** caes cae caemos caéis caen	caía	caeré	caería	caí caíste **cayó** caímos caísteis **cayeron**	**caiga** **caigas** **caiga** **caigamos** **caigáis** **caigan**	**cayese**	**cayera**	cae caed
dar to give dando dado	**doy** das da damos dais dan	daba	daré	daría	**dí** diste dio dimos disteis dieron	**dé** des **dé** demos deis den	diese	diera	da dad
decir to say diciendo **dicho**	**digo** dices dice decimos decís dicen	decía	**diré**	**diría**	**dije** **dijiste** **dijo** **dijimos** **dijisteis** **dijeron**	**diga** **digas** **diga** **digamos** **digáis** **digan**	**dijese**	**dijera**	di decid
estar to be estando estado	**estoy** **estás** **está** estamos estáis **están**	estaba	estaré	estaría	**estuve** **estuviste** **estuvo** **estuvimos** **estuvisteis** **estuvieron**	**esté** **estés** **esté** estemos estéis **estén**	**estuviese**	**estuviera**	**está** estad
haber to have habiendo habido	**he** **has** **ha** **hemos** habéis **han**	había	**habré**	**habría**	**hube** **hubiste** **hubo** **hubimos** **hubisteis** **hubieron**	**haya** **hayas** **haya** **hayamos** **hayáis** **hayan**	**hubiese**	**hubiera**	**he** habed

infinitive present participle past participle	present indicative	imperfect	future	conditional	preterite	present subjunctive	imperfect subjunctive	conditional subjunctive	imperative
hacer to do, make	**hago**	hacía	**haré**	**haría**	hice	haga	hiciese	hiciera	
	haces				hiciste	hagas			haz
haciendo	hace				hizo	haga			
hecho	hacemos				hicimos	hagamos			
	hacéis				hicisteis	hagáis			haced
	hacen				hicieron	hagan			
ir to go	**voy**	iba	iré	iría	fui	vaya	fuese	fuera	
	vas	ibas			fuiste	vayas			ve
yendo	**va**	iba			fue	vaya			
ido	**vamos**	íbamos			fuimos	vayamos			
	vais	ibais			fuisteis	vayáis			id
	van	iban			fueron	vayan			
oír to hear	**oigo**	oía	oiré	oiría	oí	oiga	oyese	oyera	
	oyes				oíste	oigas			oye
oyendo	**oye**				oyó	oiga			
oído	**oímos**				oímos	oigamos			
	oís				oísteis	oigáis			oíd
	oyen				oyeron	oigan			
poder to be able	**puedo**	podía	**podré**	**podría**	pude	pueda	pudiese	pudiera	
	puedes				pudiste	puedas			puede
pudiendo	**puede**				pudo	pueda			
podido	podemos				pudimos	podamos			
	podéis				pudisteis	podáis			poded
	pueden				pudieron	puedan			
poner to put	**pongo**	ponía	**pondré**	**pondría**	puse	ponga	pusiese	pusiera	
	pones				pusiste	pongas			pon
poniendo	pone				puso	ponga			
puesto	ponemos				pusimos	pongamos			
	ponéis				pusisteis	pongáis			poned
	ponen				pusieron	pongan			
querer to want	**quiero**	quería	**querré**	**querría**	quise	quiera	quisiese	quisiera	
	quieres				quisiste	quieras			quiere
queriendo	**quiere**				quiso	quiera			
querido	queremos				quisimos	queramos			
	queréis				quisisteis	queráis			quered
	quieren				quisieron	quieran			
reír to laugh	**río**	reía	reiré	reiría	reí	ría	riese	riera	
	ríes				reíste	rías			ríe
riendo	**ríe**				rio	ría			
reído	reímos				reímos	riamos			
	reís				reísteis	riáis			reíd
	ríen				rieron	rían			
saber to know	**sé**	sabía	**sabré**	**sabría**	supe	sepa	supiese	supiera	
	sabes				supiste	sepas			sabe
sabiendo	sabe				supo	sepa			
sabido	sabemos				supimos	sepamos			
	sabéis				supisteis	sepáis			sabed
	saben				supieron	sepan			

Infinitive present participle past participle	present indicative	imperfect	future	conditional	preterite	present subjunctive	imperfect subjunctive	conditional subjunctive	imperative
salir to go out	**salgo**	salía	**saldré**	**saldría**	salí	**salga**	saliese	saliera	
	sales				saliste	**salgas**			**sal**
saliendo	sale				salió	**salga**			
salido	salimos				salimos	**salgamos**			
	salís				salisteis	**salgáis**			salid
	salen				salieron	**salgan**			
ser to be	**soy**	era	seré	sería	**fui**	sea	**fuese**	**fuera**	
	eres	eras			**fuiste**	seas			**sé**
siendo	**es**	era			**fue**	sea			
sido	**somos**	éramos			**fuimos**	seamos			
	sois	erais			**fuisteis**	seáis			**sed**
	son	eran			**fueron**	sean			
tener to have	**tengo**	tenía	**tendré**	**tendría**	**tuve**	**tenga**	tuviese	tuviera	
	tienes				tuviste	**tengas**			**ten**
teniendo	**tiene**				tuvo	**tenga**			
tenido	tenemos				tuvimos	**tengamos**			
	tenéis				tuvisteis	**tengáis**			tened
	tienen				tuvieron	**tengan**			
traer to bring	**traigo**	traía	traeré	traería	**traje**	**traiga**	**trajese**	**trajera**	
	traes				**trajiste**	**traigas**			trae
trayendo	trae				**trajo**	**traiga**			
traído	traemos				**trajimos**	**traigamos**			
	traéis				**trajisteis**	**traigáis**			traed
	traen				**trajeron**	**traigan**			
valer to be worth	**valgo**	valía	**valdré**	**valdría**	valí	**valga**	valiese	valiera	
	vales				valiste	**valgas**			vale/**val**
valiendo	vale				valió	**valga**			
valido	valemos				valimos	**valgamos**			
	valéis				valisteis	**valgáis**			valed
	valen				valieron	**valgan**			
venir to come	**vengo**	venía	**vendré**	**vendría**	**vine**	**venga**	**viniese**	**viniera**	
	vienes				**viniste**	**vengas**			**ven**
viniendo	**viene**				**vino**	**venga**			
venido	venimos				**vinimos**	**vengamos**			
	venís				**vinisteis**	**vengáis**			venid
	vienen				**vinieron**	**vengan**			
ver to see	**veo**	**veía**	veré	vería	vi	**vea**	viera	viese	
	ves				viste	**veas**			ve
viendo	ve				vio	**vea**			
visto	vemos				vimos	**veamos**			
	veis				visteis	**veáis**			ved
	ven				vieron	**vean**			

Vocabulary

A

abad   abbot
abanderado   standard bearer
abarrotado   overful
abeto   fir tree
abogado   lawyer
abuso de confianza   betrayal of trust
acarrear   to cause, result in
acordar   to agree
acoso   relentless pursuit, (sexual) harrassment
achacar (a)   to attribute to, put down, to lay the blame on
achicar   to be intimidated
aducir   to adduce, offer as proof
agobiante   oppressive, overwhelming
agredido   attacked, assaulted, set upon
albergue (m) para jóvenes   youth hostel
alcantarilla   drain (in sewage system)
alcantarillado   sewage
alevoso   treacherous (9.4)
álgido   decisive, culminating
alguacil(a)   bailiff, official
aliciente   incentive, attraction (8.3)
alocado   crazy, madcap
en alza   on the rise
almeja   clam
alquitrán   tar
allegado/a (n)   relation
amilanar   to intimidate
analfabeto   illiterate
antaño   long ago
apuro   haste (Latin America); hardship, difficulty (Spain)
aquejado de   afflicted with
árbitro   referee
arduo   difficult, laborious
argelino   Algerian
armarse de paciencia   to summon up all one's patience
arquero   goalkeeper (Lat. Am.)
arrimar   to bring closer, move up
arrullar   to lull to sleep
aseveración   assertion
asignatura   (school) subject
asolar   to raze, lay waste
aspa   sail, arm (of windmill)
atajar   to intercept, head off, tackle
atasco   traffic jam
atestado   full, crammed, packed
atracar   to moor, bring alongside
que más auge ha experimentado   which has undergone the greatest increase
aunar   to join, unite

B

la baba: caer(se) la baba   to drool
baile agarrado   slow dance
barranco   gully, ravine
barrendero   street sweeper
basura   rubbish
becerra   yearling calf
becerro de oro   golden calf
el benjamín/la benjamina youngest
berberechos   cockles
bicho raro   odd fellow, strange creature
bocanada de humo   puff of smoke
boj   boxwood
el bonitero   fisherman
bonito   tunny, tuna/pretty
boñiga   turd
boquiabierto   open-mouthed, gaping
bóveda   vault
bricolaje   DIY
brizna   strand, wisp, thread
broma pesada   practical joke
darse de bruces   to rush headlong at
bruto   stupid

C

cabalgar   to ride (horse)
caballerizas   stables
cabezudo   'big head' - carnaval figure made of cardboard
cabildo   chapter (cathedral), council (town)
calurosamente (recibido)   warmly (received, welcomed)
callos   tripe
cancerbero   (here) zealous guard, *custodian* (from the mythological creature, Cerberus)
cancha   open space, ground, field
en candelero   topical, current
canuto   joint (slang)
capataz   foreman, overseer
capote (m)   bullfighter's cloak
capricho   whim
caritativo   charitable
dar carpetazo a   to shelve, put aside
Casa Consistorial   Town Hall
cascar (slang)   to die, to kick the bucket
castizo   pure
celo   zeal, fervour
celos (mpl)   jealousy
cerebro: con el cerebro al revés   completely confused, brainwashed
cerrada con dos pestillos (la puerta)   double-locked
cigarrillo emboquillado   cigarette with filter
cita a ciegas   blind date

dar en el clavo   to hit the nail on the head
(clavo   nail)
cocido   stew
cohete de salida   starting gun
colarse   to slip in, sneak in
colilla   cigarette butt
colindante   adjacent, neighbouring
colonia   suburb, estate
comentario grosero   crude remark
comparsa   festive procession
un conato de incendio   an attempted fire
concejal (m)   town councillor
contados   scarce, few
contrincante   opponent, rival
el corralillo   small stockyard
cortado   shy (slang)
cotillear   to gossip
con creces   amply, with a vengeance
contestador automático   answering machine
crío   kid, brat
(en la) cuarentena   in his/her forties
cubata (m)   cuba libre (coke and rum drink)
cuerna de la abundancia   horn of plenty
vivir a cuerpo de rey   to live like a king
cuneta   ditch, gutter; verge, hard shoulder

CH

champú (m)   shampoo
chándal (m)   tracksuit
chantaje (m)   blackmail
chapuza   shoddy job
chaval   boy, lad
chiquero   bull pen
chiquillo   young boy
chiringuito   stall, kiosk (often selling drinks on beach)
chucho   mutt, mongrel
chusma   rabble, mob

D

dañino   harmful
datos y señas   indications
los deberes (escolares)   homework
decimonónico   nineteenth century, out-dated
hacer dedo   to hitch-hike
de deriva ilegal   cast illegally (of nets) (9.10)
desasosiego   uneasiness, restlessness, anxiety
desempeñar   to perform, play (a role) (9.8)
desengancharse de   to kick (a habit)
desengaño   disillusionment (8.10)

desenvuelto   natural, confident
desmenuzado   crumbled, flaked
desmoronar(se a)   to grasp, moor, anchor (self to)
despechado   angry, indignant, spiteful
despecharse (contra)   to get angry (with, about)
desperdicios   waste, rubbish
detenidamente   carefully, thoroughly, at great length
día: el día de mañana   (fig.) tomorrow, in the future
estar al día   to be up to date, trendy
no ir al día   to be behind
ponerse al día   to catch up
diestro   dexterous, shrewd
disfrazado (de)   disguised (as)
disparatado   absurd, crazy
cometer un disparate   to do something silly
ducho (en)   skilled, adept (at)

E

emparejar   to pair, match up
empeño   determination, insistence
encogerse   to shrink, contract; to cringe
enemistarse por   to fall out over
enganchado   hooked (slang - on drugs)
¡Enhorabuena!   Congratulations!
enseres   goods and chattels, things
ensueño   fantasy, dream
entrañable   intimate, friendly
equiparable a   on a level with, comparable to
erario   exchequer, treasury (8.5)
escama   flake, scale
escopeta   shotgun
escuetamente   concisely
esmerado   careful, neat, well looked after
espabilado   lively (Consol 1.1)
espalda mojada (m/f)   illegal immigrant ('wetback')
estropear   to spoil, damage
estorbar   to bother, disturb
Estrecho   Straits (of Gibraltar)
etnia   ethnic group
evaluar   to assess

F

fajo   bundle, sheaf, wad, roll
ferias y muestras   trade fairs
finiquito   financial settlement
flota bonitera   fleet of fishing boats
fogonero   stoker
fontanería   plumbing
forofa   fan, enthusiast

G

gaditano   of/from Cádiz
gamberrismo   hooliganism, loutishness
tener ganas de   to feel like, want to
ganga   bargain, cushy number
garabatear   scribble, scrawl
gasto y ahorro   spending and saving
grabadora   recorder
gruta   grotto
guardería   nursery, kindergarten
gusanillo   bug, hankering (for an interest or pursuit)

H

hacha   (fig.) genius, wizard
hechizado   bewitched
hemeroteca   newspaper and magazine archive
heroinómano   heroine addict
hincha   fan, supporter
hipotecar   to mortgage
hocico   snout, nose
holgazán (n)   loafer

I

cambio de imagen   new look
importar: 'no me importa un pimiento'   I don't care a bit
importe (m)   total to pay
impreso   form, document
INEM   Instituto Nacional de Empleo
inmiscuirse   to interfere, meddle
inodoro   lavatory, toilet
insufrible   unbearable
interurbano   intercity
invernadero   greenhouse, hothouse
involucrarse (en)   to get involved

J

jaranera   merry
jeringuilla   syringe
jet (f)   jetset society
ir/salir de juerga   to go out for a spree, have a good time

L

labriego   peasant
ladera   slope, hillside
larguirucho   lanky, gangling
lejía   bleach
lentejuela   sequin
letrero   sign, poster, notice
libreta   notebook
ligue   date, pick-up
montar un lío   to make a mess
lirio acuático   water iris
lujurioso   lustful
lumbre: hacer una lumbre   to light a fire

M

la Maestranza   the bullring in Seville
magrebí   citizen from Algeria, Morocco or Tunisia, which are known collectively as the Magreb
males ajenos   other people's problems
mano a mano   together

echar una mano   to give (someone) a hand
manoseo   handling, pawing, fondling
maraña   tangle, puzzle
marca   brand name, make
marchitar   to wither, fade, shrivel
marchoso   lively (of a party)
matorral   thicket, brushwood, scrub
de por medio   in between, in the way
merendar   to have a tea break, afternoon snack
meritorio   unpaid employee, apprentice
merodear   to roam, prowl
mimar   to spoil, flatter, pamper
mocoso   kid, brat
morbo   morbidness, unhealthy curiosity about other people's lives, secrets, etc.
moro   Arab (mildly pejorative)
la muela   tooth

N

nimio   trivial
niño de pecho   breast-feeding baby
nocivo   harmful
noche en vela   sleepless night
Nochevieja   New Year's Eve
no tener noticia de   to know nothing about, be ignorant of
novísimo   very newest

O

ocio   leisure
ofertar   to offer (L Am); to tender
ojos: ver con buenos ojos   to look favourably upon
ortografía   spelling
ósea   bony, bone-like

P

pachanguero   bright and cheerful (e.g. of a song)
palabrota   rude word, swearword
paliza   beating, thrashing
palmo   span, hand (old measurement – about 20cm)
panfleto   leaflet
pantano   reservoir, artificial lake
parcela   plot (of land)
pas   pass (e.g. for use on public transport)
patera   small boat
paternalismo   paternalism, patronizing behaviour
el payés   Catalan peasant
perdurar   to survive, last, still exist
pestillo   bolt, latch
pícaro   crook, scoundrel
pico (slang)   injection, shot
pillar (a alguien fumando)   to catch (someone smoking)
piña   (fig.) group, circle, clique
pipa   sunflower seed
irse a pique   to sink, to be ruined
pirómano   arsonist, fire raiser
piropear   to make flirtatious remarks to
pitillo (slang)   ciggy, fag

de un plumazo   with one stroke of the pen
polaco   Pole (nationality)
polémico   controversial
porquería   dirt, filth
porro   joint (slang)
pose (nf)   pose
presa   dam, weir, barrage
promedio   average
propasarse   to overstep the limits (eg sexually)

Q

quincena   fortnight

R

rabia   anger
raigambre (f)   roots, tradition
a raíz de   immediately after, as a result of
rajatabla   strictly, to the letter, at all costs
raptar   to abduct, kidnap
reasentamiento   resettling, (of refugees)
rebozar   to soak in batter
recaída   lapse
receloso   distrustful, suspicious
reclamo   advertisement, attraction
a regañadientes   reluctantly
regaño   ticking off
regarse con   (fig.) to be washed down with
regentar   to direct, manage
regocijo   joy
con regularidad   regularly
relevar   to relieve, take over from
relumbrón   flashiness, ostentatiousness
darse un remojón   to go for a dip
remunerado   paid (work)
rencilla   quarrel
rentabilidad   profitability
resaca   hangover
respeto   respect
con respecto a   with regard to
retahíla   series, string
retraimiento   shyness
rotativo   newspaper
rótulo   label, title
rúbrica   signature (also: title, heading)

S

sacar adelante   to produce; also: to bring up, rear
salir adelante   to get on (with one's life)
secuestrar   to abduct, kidnap; to hijack; to confiscate
secundaria   secondary school
sello   postage stamp
sensibilidad   sensitivity
sensible   sensitive
sensiblería   sentimentalism
sidra   cider
siervo   serf
sindicato   workers' union
soberanamente   supremely
sobrecogedor   startling
sobrellevar   to bear, put up with
sobresaliente   excellent
socio   member
soltar   to release
sorna   sarcasm

sortear   to avoid
sumarse a   to join in
suponer   to imply, to mean, to entail

T

tabaco rubio/americano   Virginia tobacco
tachar (de)   criticise, accuse (of), attack, challenge (with)
tajante   sharp
tanda económica   reduced rate (cinema and theatre performances) (*tanda* series)
telenovela   TV soap
temario   agenda, set of subjects
temporero   casual labourer (especially in agriculture)
terapeuta   therapist
tertulia   social gathering, round table discussion
tienda de ultramarinos   grocer's
toallita   wipes
tópico   platitude, catch-phrase, cliché, stereotype
torpe   clumsy
tragar   to put up with, to swallow
traje de luces   bullfighter's costume
trajín (nm)   bustle, coming and going
tramitación   handling, procedure
a todo trapo   at full blast
trasto   piece of junk
travesura   prank
trenza   plait
trepar   to climb
tripulación   crew
trotamundo   globetrotter
truncar   to ruin (plans, hopes...)

U

UGT   Unión General de Trabajadores

V

vacuna   vaccine, vaccination
valentía   courage, bravery
valioso   valuable
vano   futile
vecindario   neighbourhood, local residents
vendedor ambulante   beach vendor, door-to-door salesperson
verdad a medias   half-truth
verdugo   executioner
vestirse de luces   to wear bullfighter's clothes
viario   (adj) of streets or roads
vida: la vida y milagros   'the life and wonders' (details about someone's life, both public and private)
vista - hacer la vista gorda   to turn a blind eye
¡Viva /¡Gora San Fermín!   Long live San Fermín! (Gora = Basque)
en vivo y en directo (TV)   live (TV show)
vocable   word, term

Z

zaga: a la zaga   behind, in the rear